ard

s War

Record of Lodoss War
ACTOR & ACTRESS

ナルディア

炎の部族の女族長。先代である父の遺志を継ぎ、部族の悲願達成のために、カシューに戦いを挑む。アズモを危険だと考えている。

アズモ

砂漠の蛮族、炎の部族の神官。精霊使いとしての能力を持ち、古代王国期に封印されていたエフリートを解放した。野心家で、族長の座を秘かにねらっている。

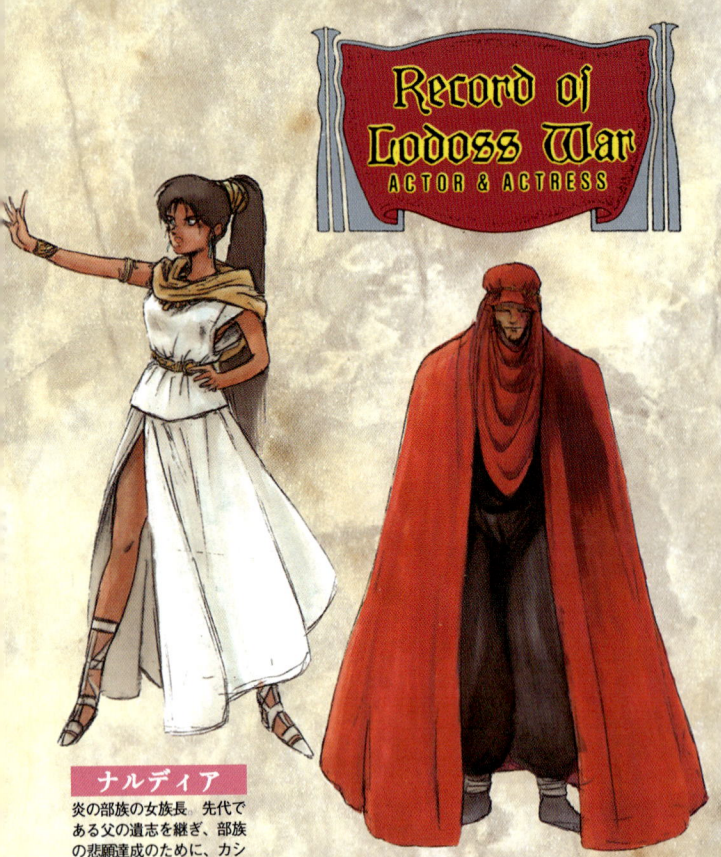

シュード

別名、「優男」。その名の通りの美形である。かつては盗賊ギルドにいたこともあるというフレイムの傭兵。

カシュー

砂漠の王国フレイムの国王。傭兵王とも呼ばれる。剣の腕前ではロードスーとの評判が高いが、炎の部族の操る魔法の前に苦戦を強いられる。

マーシュ

フレイムの傭兵である巨漢の戦士。戦斧を愛用し、「斧使い」の名で呼ばれている。パーンを不快に思い、彼に喧嘩をふっかける。

デニ

「両腕落とし」の名で呼ばれるフレイムの傭兵。シュードとは盗賊ギルド時代からの相棒。無口な男で、2本の小剣を愛用している。

しかし、ディードリットはその青色の世界に動くシルフたちや、意識を持たぬ精霊たちの存在を知覚したのだ。もちろん、それは純粋な意味での視覚ではない。（第Ⅴ章より）

新装版 ロードス島戦記2

炎の魔神

水野 良

角川スニーカー文庫

18275

本書は1989年2月に刊行された『ロードス島戦記2　炎の魔神』
（角川スニーカー文庫）を改版したものです。

目次

口絵・本文イラスト　出渕裕

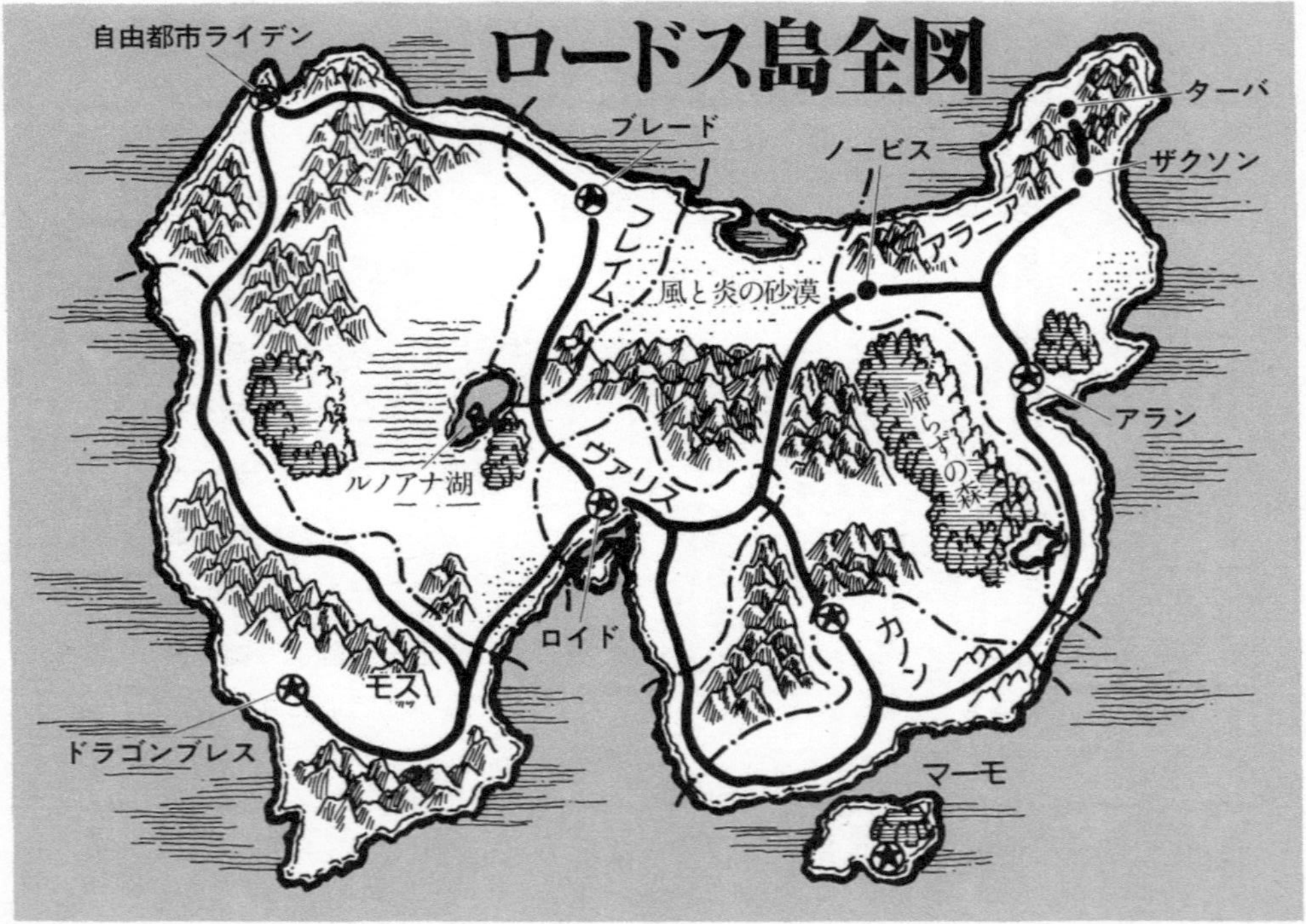
ロードス島全図
自由都市ライデン
ブレード
ノービス
ターバ
ザクソン
フレイム
アラニア
風と炎の砂漠
アラン
帰らずの森
ルノアナ湖
ヴァリス
ロイド
カノン
モス
ドラゴンブレス
マーモ

フレイム周辺図
シュヴァー
ブレード
ローラン
ヒルト
風と炎の砂漠
サンドリバー
渇きの道
ヘヴン
マーニー
リーギフト山
大湿原
(沈黙の地)
ルノアナ湖
(静寂の湖)
オード
ライデン
フレイム
ザクソン
ヴァリス
マーモ
ロードス島全図

プロローグ

灼熱《しゃくねつ》の砂丘《さきゅう》の上に、その神殿《しんでん》はなかば砂に埋《う》もれるように建っていた。

名を〝炎《ほのお》の神殿〟という。

正四角錐《すい》という奇妙《きみょう》な形をした建物の外壁《がいへき》は、容赦《ようしゃ》なくたたきつける砂嵐《すなあらし》を浴びてきたために、かなり風化してしまっている。もちろん、それは建てられてからの年月の長さも物語っていた。

この神殿が建つあたりは、「風と炎の砂漠《さばく》」の中でも、もっとも苛酷《かこく》な一帯だと言われている。昼間の暑さは軽く六十度を超え、夜になると逆に氷点下に下がるのだ。大サソリや岩トカゲなど、砂漠に強い生き物でさえ、このあたりではめったに姿を見ることがない。ましてこのような場所に建つ神殿に、人が足を踏《ふ》みいれる理由がどうしてあろう。この神殿を訪《おとず》れる者は、ここ数百年の間に一人もいなかった。

しかし、今、神殿の外には一頭のラクダの姿があった。そして、気の遠くなるような長い年月の間、閉《と》ざされたままだった神殿の入り口は、ぽっかりと黒い口を開けている。

そこから暗く、長い廊下《ろうか》が建物の中央部に向かって延びていた。入り口付近だけは外から差しこんできた光を反射しているが、少し奥に入っただけですぐに闇《やみ》に閉ざされている。

しかし、廊下の一番奥からは、もうひとつ別の明かりがもれていた。

そこに「祭壇《さいだん》の間」があるのだ。入り口のところに黄金製のランプが置かれている。明かりはそのランプから出ているのだ。淡《あわ》い光が、祭壇の間の壁《かべ》に幻想的《げんそうてき》な明暗を作りだしている。

そこは天井の高い、正方形の広間だった。信じがたいことではあったが、部屋《へや》の中は肌寒《はだざむ》さえ感じられる。

ぞくり、と鳥肌《とりはだ》の立つような冷気が満ちているのだ。ぶあつい石の壁が、外の暑さを遮《さえぎ》っているためなのか、それとも、別の理由によるものかは分からない。

しかし、砂漠の熱気を浴びてきた者にとっては、むしろ楽園《らくえん》であるかもしれない。部屋の中央には、一段高く白大理石を敷きつめた祭壇が設けられている。しかし、本来ならその上に祭られているはずの神像の姿は、どこにもなかった。

代わりに一人の男がいた。

麻糸《あさいと》で織《お》られた白い短衣《チュニック》の上に、フード付きの外套《がいとう》を身に着けている。枯《か》れ木のように痩《や》せた男だった。背は高い。その背の高さがかえって、男の貧弱な身体《からだ》を哀《あわ》れなものに見せていた。

男は長身を屈《かが》めたまま、何物かに取りつかれたようにじっと動かない。何かを待っている、そんな様子《ようす》がうかがえた。まばたきもせず一点を凝視《ぎょうし》している。

男の視線の先には、ひとつの壺《つぼ》があった。滑《なめ》らかな曲線を描《えが》くその壺は、全体がほこりにまみれてはいたが、ところどころ拭《ぬぐ》いとられている部分がある。その部分から象牙《ぞうげ》色《いろ》に緑と青を組み合わせて彩《いろど》られた壺の外面が、顔をのぞかせている。そして、細くくびれた首の部分には、上位古代語の魔法《まほう》文字が、びっしりと刻《きざ》みこまれている。

つい今しがたまで、その壺には二重に封印が施《ほどこ》されていた。口は黒曜石《こくようせき》の栓《せん》で閉じられ、油紙と蠟《ろう》で固められていた。しかし、その戒《いまし》めは男によって、取りのぞかれている。蠟は溶《と》かされ、黒曜石の栓は砕《くだ》けて、男の足元に転がっていた。

それから、数刻が経過している。

男の顔には、心なしか焦《あせ》りの色が浮かんでいるように見えた。左の頰《ほお》に白く走っている傷跡《きずあと》を伝って、汗《あせ》が一筋《ひとすじ》流れおちる。

その時、壺全体が赤く輝《かがや》いた。きーん、という金属音が同時に響《ひび》く。

男の目が大きく見開かれる。男はそれを待っていたのだ。その変化を起こすために、壺を開《かい》封《ふう》したのだ。

男は立ちあがって一歩後ずさった。そして二歩、三歩とさがる。床《ゆか》の上に置かれた壺から、赤い、怪《あや》しげな光が浮かびあがっていた。その赤い光はしだいに明るさを増していった。今や、壺全体が赤熱《せきねつ》し、輪郭《りんかく》がおぼろに歪《ゆが》みはじめている。肌を焼くような熱気が感じられ、壺の表面から白い煙が立ちあがる。

開け放たれた口の部分から、赤い光の渦巻《うずま》きが、少しずつ、少しずつ上へ向かって伸びあがっていた。まるでとぐろを巻いていた毒蛇《どくじゃ》が、鎌首《かまくび》をもたげて攻撃態勢に移ったかのように。

そして、光が弾《はじ》けた。

ごうっ、という凄《すさま》じい音が、神殿の空気を震《ふる》わせて走りぬける。

口から赤い炎を吹きあげながら、壺はゆっくりと形を失っていった。反対に、炎はふたたび渦を巻きながら、しだいにその形を変えようとしていた。

壺が完全に溶《と》け、こげて変色している大理石の床の上に力なく広がったとき、炎はひとつの形を得ていた。

それは巨人の姿であった。

全裸《ぜんら》の巨人である。もっとも、腰から下は炎に包まれたままだ。ときおり、そこから吹《ふ》きあがる炎が、全身を駆《か》けめぐる。そのときばかりは、まるで赤い衣をまとっているかのように見えた。

炎の巨人は、男を冷やかに見下ろしていた。

炎に焼かれた空気が、風となって四方に散っていった。床に積もったほこりが、その風に手を引かれるように、空中に舞《ま》いあがる。

「エフリートよ。偉大《いだい》なる炎の王よ」男はうめくようにつぶやいた。額《ひたい》から汗がいく筋もしたたり落ちる。それは炎の巨人——エフリート——が放つ耐《た》えがたい熱気のためだけではなく、緊張《きんちょう》とそして抑えきれぬ恐怖《きょうふ》のためだった。

「オレを封印より解いたのは、貴様《きさま》か」吠《ほ》えるような声が、石の床に弾きかえった。

「そうだ、このわたしがあなたを解放したのだ。わたしにはその資格がある。だから……」

「資格だと?」巨人は男をじっと観察《かんさつ》した。外見や表情ではなく、魂を見透《みす》かそうとするように、赤い目がじっと男をとらえる。男の心臓が大きく跳《は》ねあがった。巨人がその気になれば、その細い身体をへし折ることぐらい、たやすいだろう。

「……確かにおまえには資格があるようだ。アザートの子孫よ」

しばらくしてから、エフリートは答えた。大きく裂《さ》けた口許《くちもと》に、わずかに笑《え》みを浮かべる。

「〝盟約《めいやく》〟には従おう」エフリートは男を小気味よさそうに見下ろしながらそう告げた。それは、男が期待していたとおりの言葉であった。

「倒《たお》すべき敵はいずこに」巨人は続けた。

男はゴクリと唾《つば》を飲みこみ、安堵《あんど》と成功の喜びに包まれながら、うわずった声で〝盟約〟の内容を語りはじめた。

「倒すべき男の名は……」

第Ⅰ章　砂漠の王国で

1

ロードスという名の島がある。

その島を駆《か》けぬけた「英雄戦争」、または「勝者なき戦い」と呼ばれた忌《い》まわしい戦いから、すでに二年近くが過ぎさっていた。

しかし、その大戦の傷あとは、まだロードスの各地に、そして何より人々の心になまなましく残されている。暗黒の島マーモから皇帝ベルドに率《ひき》いられてロードス本島にやってきた魔物《まもの》たちは、現在もなお各地に潜《ひそ》み、恐るべき災厄《さいやく》をもたらし続けていた。

アラニア、モス両国はいまだに内戦が収まらぬし、ヴァリスは名実ともに王国の支えであった英雄王ファーンを失い、首都ロイドを中心とするわずかな地域の治安を守ることに手一杯《ていっぱい》で、周辺の街《まち》や村は荒野《こうや》とまるで変わらぬありさまだった。

混乱しているのは、戦《いくさ》をしかけた側のマーモにしても同様だった。絶対的な力で島を統一していた皇帝ベルドが倒《たお》れたためである。その勢力はいまだに大きいものの、後継者《こうけいしゃ》となるべき者がいないのだ。そのためマーモは、統一前の混沌《こんとん》とした状態に戻《もど》っていた。もちろん、大戦の初期にマーモによって征服《せいふく》されたカノンの地も、ダークエルフやオーガーたちが支配するこの世の地獄《じごく》と化していると聞く。

そんな中にあって、大戦の間、つねに中立の立場を保っていた自由都市ライデンと、蛮族《ばんぞく》どもを力で退けた砂漠《さばく》の王国フレイムだけは、比較的平穏《へいおん》であった。しかし、それとて英雄戦争勃発《ぼっぱつ》前と比べれば、天国と地獄ほどの違《ちが》いがある。

まだ、戦いは終わっていない。

賢者《けんじゃ》たちがつぶやく言葉に、誰《だれ》も異議《いぎ》をはさむ者がいないほど、ロードスの地にただよう暗雲は厚く、希望の光はいずこにも見えなかった。

その日、フレイムの首都ブレードの街の空は、ロードスの現状をあざ笑うかのように、雲ひとつない抜けるような青空で、真夏の日差しがようしゃなく照りつけていた。

もっとも、ここ二月《ふたつき》ばかりのあいだ、ブレードの街には雨らしい雨など降ってはいないのだ。例年なら春から夏にかけては雨季である。しかし、この年ばかりはそれさえ忘れさられたかのようだった。

街の中心を流れる「砂の川」など、一月《ひとつき》前から干上がってしまい、その皮肉な名前の由来をまざまざと見せつけていた。ただ地下を流れるこの川の伏水《ふくすい》を、汲《く》みあげ式の井戸で吸いあげているので、住民が渇《かわ》きで果てることだけはなんとか免《まぬが》れている。

ただ、街の上流に岩塩を含《ふく》んだ一帯があるらしく、ブレードの街の地下水には塩気があることで有名だった。

いずれにせよ、飲み水が有料で売られる街など、いかにロードス広しと言えども、ここブレードの街をおいて他にはない。そのことを知ると、事情を知らぬ旅人たちは間違《まちが》いなく不平をもらした。ましてや、今年は雨が少なかったため、ライデンの商人が運んでくるエール酒やワインの方が、ややもすると安いぐらいだった。

だから、「流砂溜《りゅうさだ》まり亭《てい》」を訪れた物々しいいでたちの若者が、価格表のいちばん上に記された水の値段に驚き、店のおかみに文句を言ったのも、やむをえないことなのだ。

「あたしだって、好きこのんで水を売ってるわけじゃないのさ。納得してもらえないなら、他所《よそ》に行ってくれたっていいんだよ。だけど、うちより良心的な店なんて、絶対ありゃしないんだからね。いくら金をつもうと、水を売ってくれない店だって多いんだよ!」

店のおかみのかみつくような剣幕《けんまく》に負けて、若い戦士は返す言葉を失っていた。むきだしの顔は日に焼けていて、一見たくましい感じがするが、よく見るとまだどことなく幼さが残っている、人のよさそうな顔だ。相手の言葉を素直《すなお》に受けとってしまうタイプなのだろう。

「ごめんなさいね。旅の者なので、土地の作法を知らないのよ。特上の水を二杯《はい》。それに軽くでいいから、お腹《なか》がふくれるようなものをお願いするわ」

旅の戦士の連れらしい小柄《こがら》な娘が、うまいタイミングでおかみに仲裁の言葉を送った。そして戦士の向かい側の席に腰を下ろす。

二人が座った丸い木製のテーブルの表面には、黄色い粉が浮いていた。乾燥《かんそう》しきっているのだ。渇いているのは、人ばかりではない。

「ここじゃ、水は神様からの贈物《おくりもの》なのさ。大事に飲んでおくれよ」

娘の言葉で、おかみはだいぶ気をよくしたのだろう。娘のほうに笑いかけながら、店の奥《おく》へと入っていった。

昼を少しまわったぐらいの時刻である。その酒場にしても店を開けたばかりの様子で、二人の旅人以外に客の姿は見られなかった。もし一人でもいたなら、きっとこの二人の旅人の組み合わせの異質さに興味を覚えたに違《ちが》いない。

戦士は白い甲冑《スーツ》に身を包んでいる。旅慣れた者なら、その鎧《よろい》がヴァリスの聖騎士《せいきし》が身につける戦闘用《せんとうよう》の甲冑であることが分かっただろう。

小さな鉄製のリングを巧《たく》みに編《あ》みあげた鎖かたびら《チェインメイル》に、ぶあつい板金の鎧《プレート》を腕《うで》や足、そして胸もとなどに取りつけ補強している。それは全身を板金の鎧で覆《おお》う儀礼用《ぎれいよう》の甲冑とは違い、馬上でも、また馬を捨てた後でも役に立つ実用的なものだった。

男は腰に柄《え》の長い長剣《バスタードソード》を帯びている。背中に負った巨大な円形の楯《ラウンドシールド》も、どちらかといえば、馬上での戦いよりも白兵戦を重視して選んだのだろう。その武装《ぶそう》は騎士というより、どちらかといえば傭兵《ようへい》に近いスタイルである。

そして、娘だ。

娘は小柄で細い身体に、膝《ひざ》がむきだしの短い草色のチュニックを着ていた。それを胴《どう》のところで薄紫色《うすむらさきいろ》の帯を使って締《し》めている。帯は体の右側で結ばれ、あまりはチュニックの裾《すそ》を越えて膝のところまで流されていた。

腰から吊《つ》りさげられた細身の剣《レイピア》には、柄《え》や革製の鞘《さや》にまで細かな紋様《もんよう》が打ちだされていて、さながら美術品のような趣《おもむき》がある。

金属光沢《こうたく》を放つ紫色の胸当て《クイラス》を軽々と着こなしているのが、信じられぬような細い手足。ドワーフの金細工師でさえ作りだせぬような細い金色の髪。その髪は額《ひたい》のところで真ん中かきれいに両側に分けられていて、後ろはそのまま背中に流されている。

そして、その金色の髪から二つの耳が突きでていた。それは、人間の耳とはあきらかに異なっていた。人間の倍以上はある細くて長い耳。その先端《せんたん》は短剣のようにとがっている。

その女性はエルフなのだ。他にこれほど繊細《せんさい》な容姿を持った生き物がいるだろうか。

彼女はまだ娘のあどけなさを残してはいたが、無論のことこの街に住んでいる誰よりも長く生きているに違いなかった。エルフには寿命《じゅみょう》という言葉がないからだ。

噂《うわさ》ではよく聞くものの、本物のエルフを見た者は、この街にもそう多くはいないはずだ。店のおかみがこの娘には愛想《あいそう》よく応じたのも、エルフに対する物珍《ものめずら》しさが手伝ったためかもしれない。

戦士の名はパーンという。見た目のとおり、もとはヴァリスの聖騎士だった男だ。エルフ娘の名前はディードリット。ハイ・エルフの精霊使《せいれいつか》いである。

二人が知りあってからもう二年になる。最初の出会いは大戦前のアランの街、国王に世継《よつ》ぎの王子が生まれたことを祝う祭りの日のことだった。

二人は四人の仲間、魔術師《まじゅつし》のスレイン、至高神《ファリス》に仕える神官のエト、盗賊《とうぞく》のウッド・チャック、そしてドワーフの細工師《さいくし》ギムたちと一緒《いっしょ》にロードス中を旅してまわった。

戦乱のヴァリスの地では、フィアンナ王女をさらってカノンへ連れさろうとする灰色の魔女カーラとの運命的な出会いがあった。一行はカーラと戦い、一度は敗れ捕《とら》えられたものの、何とか逃れて王女をロイドの聖王宮まで連れもどすことに成功した。

ロイドの王城ではヴァリスの英雄王ファーン、フレイムの傭兵王カシューと謁見《えっけん》した。そして、カーラの正体を探るために、はるばるモスの山中に住む大賢者《だいけんじゃ》ウォートの塔《とう》まで長い道のりを旅した。

ウォートの塔でのカーラとの予期せぬ再会。ロイドに戻《もど》ってからのマーモとの決戦。この戦いの中でファーンとベルドは共に果て、ロードスは混乱の時代を迎《むか》えたのだ。

そして、ルノアナ湖でパーンたちは、カーラに最後の戦いを挑《いど》んだ。ギムの命という尊い犠《ぎ》牲《せい》を払《はら》って得た勝利。しかし、その勝利も束《つか》の間の夢《ゆめ》にしか過ぎなかった。ウッド・チャックが己《おの》れの野望を実現させるために、カーラの力の源《みなもと》であるサークレットを奪《うば》い、いずこへともなく消えさっていったからだ。

その後残った仲間とも別れ、パーンとディードリットは、おそらくカーラに魂《たましい》を奪《うば》われてしまったはずのウッド・チャックを追って、二人で旅を続けてきたのだ。

二人はこの二年近くの間、ロードス島西部の街《まち》を中心に旅をしてきた。長身で頰《ほお》に長い刀傷があるウッド・チャックの特徴《とくちょう》ある容姿が街に現われて目立たぬはずがない、そう思ったからだ。

しかし、ウッドの、いやカーラの消息はまったく知れなかった。噂を丹念《たんねん》に聞きまわり、各地で起こる戦や事件にも、カーラが関係していると感じた時には、かならずおもむき、剣を振るってきた。しかし、いまだにそれらしい相手にさえ出会ってはいない。

生ぬるい水がグラスに半分ほど注がれて運ばれてきた。パーンは愛想笑いを浮かべながらおかみに礼を言い、腰を浮かせてそのグラスを受けとった。

「これからどうするの？」

ディードリットは乾《かわ》いて落ちつきの悪くなった髪《かみ》の毛を両手でそろえようと苦心しながら、

パーンの様子をうかがっていた。

パーンはグラスを右手でもてあそびながら、高価な水を少しでも長く味わおうと、舌《した》でなめるようにちびちびと飲んでいる。本当は一気にあおって、二杯目を頼《たの》みたかったのだが、この街で二杯も水を飲むことは、贅沢《ぜいたく》に違いないと考え、遠慮《えんりょ》したのだ。

「どうするって言われてもな。あてがある旅じゃないし」

パーンは情けなさそうにディードリットに答えて、また水を一口ふくんだ。

「あたしは思うんだけど」ディードリットはテーブルに両手をついて身を乗りだした。彼女の白い腕《うで》にテーブルの表面を覆《おお》っていた黄色い木の粉が張りつく。「今の時代はカーラにとって、思ったとおりの状態じゃないのかしら。だからあの人は何も企《たくら》んでいないのかもしれない。だったら、あなたがどんなにしゃかりきに戦を追いかけたって、そこにカーラの姿はないと思うの」

パーンは相棒の端整《たんせい》な顔を正面から見つめた。

「そうかもしれないが」すねたようにパーンは答える。「でも、オレは不器用だから、他に方法が思いつかないんだ。カーラが次に動きだすのは、いったいいつのことだい。これから十年先かもしれないし、もしかすると、百年かかっても駄目《だめ》かもしれない。しかし、その間にウッド・チャックの時間は、確実に少なくなっていくんだ。あいつは昔、牢屋《ろうや》につながれていたそうだが、少なくとも心は自分のものだったはずだ。でも、今はその心のほうがカーラに囚《とら》われているんだから、牢屋にいるよりもっとたちが悪い。たとえ、それが自ら望んで招いたものであってもね」

「あせる気持ちは分かるわ。でも……」

「オレだってべつに死に急いでいるわけじゃない。それにカーラと出会っても、正面から戦うような真似《まね》は絶対にしないさ。まだ、考えついちゃいないが、その時までには絶対に策を立てる」

前にカーラと戦ったときには、パーンには仲間がいた。それにウォートから授《さず》かった〝魔力《まりょく》の棒杖《ワンド》〟の援護《えんご》もあった。

今のパーンはあの時と比べれば丸腰のようなものだ。

「でも、どうしてもやらなきゃならないんだ。ウッドのために。そして、死んだギムのためにもね」

そう言って、パーンはグラスから最後の一口を飲みほした。

「おかみさん、出る時でいいから、この水袋《みずぶくろ》に水を詰《つ》めてくれ」

腰から空の水袋を外して、ポンとテーブルの上に投げだす。店の奥からおかみが姿を見せて、白身の焼魚に海草が添《そ》えられたサラダのついた大きな皿《さら》を運んできた。そして、戻《もど》るついでにパーンの水袋を受けとった。

「うまかったろ?」

「ああ、おいしかったよ」パーンは笑顔で答えて、皿から手づかみで魚の肉を摘《つま》みあげた。「塩味が効《き》いていたしね」

あとの言葉はおかみには聞こえないように、小声でつぶやいた。耳のよいディードリットがそれを聞きとがめ、パーンに目で注意する。せっかくおかみの機嫌《きげん》が直ったのに、またぶち壊《こわ》されてはたまらないと思ったのだろう。

「ね、今回の噂《うわさ》だけど本当にカーラの仕業だって思う？」

ディードリットはパーンがさびしそうにしているのに気がついて、機嫌を取ろうと話題を少し変えてみた。

「今まででいちばん可能性は高いと思っている」パーンは顔を上げてディードリットに優しい顔を見せた。彼女が気をつかってくれたことに気付いたのだ。「……べつに怒っちゃいないぜ。長旅で少し疲れたんだよ。今夜は早く宿に落ちつくことにしよう」

そうね、とディードリットは嬉《うれ》しそうに言う。「あたしも今度こそっていう気がするの。女の勘《かん》は確かなはずよ」

「信じるよ」パーンはディードリットのほうに皿を送りながら、水気の少ないサラダをむりやり喉《のど》に押しこんだ。

パーンたちがこのブレードの街にやってきたのは、もちろんカーラらしき人物の噂を聞きつけたからだ。その噂は、自由都市ライデンで聞いたものだ。

ライデンの街《まち》で出会った一人の傭兵と意気投合し、酒を酌《く》みかわしているとき、フレイムでの戦《いくさ》が話題に上ったのだ。その傭兵はフレイムが常時行なっている傭兵の募集に乗ろうかと思っていたらしいが、最近、戦の形勢がフレイム側にやや不利になっているので迷っているのだと、パーンにもらした。

フレイムは先の大戦の末期から、砂漠《さばく》の蛮族《ばんぞく》〝炎《ほのお》の部族〟との抗争《こうそう》をあいかわらず続けている。

戦いの始めのころ、砂漠の蛮族の攻勢《こうせい》は激《はげ》しく、しかもそのとき国王カシューはマーモとの戦いのためにヴァリスに出兵していたから、フレイム軍はかなりの被害《ひがい》を受けた。ブレードやヒルトなどの街にも被害が出たらしい。

しかし、留守《るす》を頼《たの》まれていた傭兵隊長シャダムはよく戦い、ついにヒルト郊外《こうがい》での戦いで蛮族の族長ダレスを討《う》ちとり、敵を敗走させたのだ。その後も、ダレスの娘であるナルディアが父の遺志を継《つ》ぎ、フレイムに戦いを挑《いど》みつづけたが、それも小競《こぜ》りあい程度のものだったという。

ところが、最近になって蛮族の攻勢がまたも激しさを増してきたのだ。しかも、今度は不思議な魔術を操って、各地でフレイム軍に痛手を与えているらしい。どうやら最近ナルディアの片腕となった男が魔法の使い手らしいと、その傭兵はパーンに教えてくれたのだ。

念のため男の人相を聞いてみると、ウッド・チャックとの共通点がかなりある。そこで、パーンはフレイムに行くことに決めたのだ。幸いライデンとフレイムは、そんなに離れていない。急げば十日あまりでたどりつく。それに、フレイムにはパーンが尊敬する傭兵王カシューがいる。彼に尋《たず》ねればカーラに関する新しい情報が手に入るかもしれないという期待もあった。

「ね、ワインを頼《たの》みましょうよ。食べるだけじゃ喉《のど》が渇《かわ》くし、今日はこのまま宿を探すのでしょう。なら、気にすることないもの。大いに酔《よ》っ払《ぱら》いましょうよ」

ディードリットは明るくパーンに言って、おかみを呼んだ。

「オレはディードが酔ったところなんて、見たことがないぜ。ドワーフは潰《つぶ》れることこそないが、確かに酔っ払う。でも、エルフは絶対に酔わないと思っているんだけどね」

「失礼ね。エルフは上品だから、限度以上に飲まないだけよ。ドワーフなんて底なしに飲んでも、絶対に酔い潰《つぶ》れることはないじゃない。ね、ギムもそうだったでしょ」

ディードリットは目を伏《ふ》せながら、最後の言葉を小さく言った。

「そうだったな」パーンは軽く笑う。ギムの、いかにもドワーフらしい髭面《ひげづら》が思いだされる。

彼の思い出は常に酒や食べ物とともに浮かんでくる。あまり酒に強いほうではないパーンがエール酒を飲むようになったのも、ギムに影響《えいきょう》されたからだ。

ドワーフはエルフと同じく妖精《ようせい》族の一員だ。エルフが森に住む種族なのに対して、ドワーフは山に住む種族として知られている。大食漢《たいしょくかん》であり、ディードリットが言うように酒にも強い。身長は人間よりもかなり低いが、横には太く、まるで樽《たる》のような体形をしている。しかし、鈍《どん》重《じゅう》そうな外見からは想像さえできないのだが、ドワーフは非常に器用な種族である。人間では真似《まね》のできないみごとな細工物《さいくもの》を作りだすし、また、建築家としての腕も高い。

「おかみさん、彼女にワインを一杯。オレはエール酒のボトルが欲《ほ》しいな」パーンはやってきたおかみに、そう注文して空になったグラスを返した。

「ディードの言葉に甘《あま》えて、今夜は酔わせてもらうとするよ。明日は王城を訪《たず》ねてみよう。きっと、カシュー王はオレたちのことを忘れないでいてくれるはずだ」

2

風と炎の砂漠《ほのおさばく》の西にフレイムの国が興ってから、まだ六年あまりの年月しか流れていない。もちろん、その王城アーク・ロードも、建造されてからの年数は国と変わらない。ロードスでもっとも新しい城である。

砂の川の中州《なかす》に建てられているので、ふだんは天然の水堀《みずぼり》に守られている形となる。逆にめったには起こらぬものの、大水の時には城の外壁《がいへき》まで水に浸《つ》かることもある。そのため城門は外壁のかなり高い箇所《かしょ》に設けられていて、浸水《しんすい》に対する配慮《はいりょ》が施《ほどこ》されている。

大きな外壁と、川を横切る橋の間には跳《は》ね橋が掛けられているので、普段の交通には何の支障もない。しかも一度跳ね橋を上げてしまえば、たとえ川が干上がっていても、高所に設けられた城門は敵の攻撃《こうげき》に対する強固な守りになる。中州には丈《たけ》の低い作物が栽培《さいばい》されているだけなので、身を隠《かく》す場所がまったくない。それに川底の柔《やわ》らかい砂は、攻城兵器の足を止めるために絶好の自然の障害となっている。

橋の手前と外壁にひとつだけついている城門の前、それに王宮へと続く内門には常時警備兵が警戒《けいかい》しているという。

そして中に控《ひか》えているのが、実戦慣れしていることでは、ロードス一と噂《うわさ》の高い「砂漠の鷹《たか》」騎士団《きしだん》である。彼らは大国モスが崩壊《ほうかい》した今では間違《まちが》いなく、最強の騎士団であるはずだった。

しかも六年前に建てられたばかりなので、建物には最新の技術が使われていたし、国王カシューの実務的な性格も影響して、小さいながらも、もっとも強固な城としての評判が高かった。

パーンとディードリットは、前の日「流砂溜まり亭《りゅうさだまりてい》」で夜までずっと骨を休め、そのまま近くの宿屋に落ちつくと、早々にベッドに入ってしまっていた。

あまり酒に強くないパーンは、安物のエール酒にきっちりやられて、朝のうちはあまり調子が出なかった。彼が元気を取りもどしたのは、昼を過ぎてからのことだった。

そして、カシュー王に会うために、城までやってきたのである。

今や無残に川底をさらしている砂の川の中州に、石造りの城の姿が目に入る。外壁には見張りの塔《とう》が橋に向かってふたつ、裏側にひとつ設けられている。その塔の上には、大型の投石機《カタパルト》がひとつと、固定式の石弓《バリスタ》が据《す》えおかれていて、数人の兵士が行来《ゆきき》する姿が遠目にうかがえた。

中州まで渡るための橋は、緩《ゆる》やかなアーチを描《えが》いている。他の国ではめったに見られない独特の建築様式である。ライデンの商人が語るところによれば、これは大陸ではよく見られる橋の構造だという。

そのため、カシュー王は大陸から渡ってきたのではないかとの噂も流れていた。武勇で知られる傭兵王《ようへいおう》であるが、王国を建てるためにどこで手に入れたものか、巨万《きょまん》の富を供出していたし、しかも砂漠の生活をよりよいものにするために、いくつかの新しい技術を紹介《しょうかい》するなど、その経歴を取りざたする種《たね》には不自由しない。

大勢はカノンの第三王子か、大陸から流れてきた貴族の子息だということになっているが、国民の多数を占《し》める砂漠の民「風の部族」に対する配慮《はいりょ》もあってか、カシュー王が自らの経歴を口にすることはない。ただ、彼の人生が決して楽《らく》なものではなかったのは、その若さに似合《にあ》わぬ見識の広さ、そして民に対する細《こま》やかな心配りから、容易に想像できた。

パーンにしても先の大戦のときには、この若き傭兵王とじかに話をする機会に恵まれていた。それはまさしく幸運だった。剣匠《ソードマスター》の誉《ほまれ》高いこの王に、剣《けん》の訓練をつけてもらう光栄にもあずかったし、その人柄《ひとがら》にはずいぶん感化されている。

橋の前には板金の胴鎧《ブレストプレート》を着て、鉾槍《ハルバード》を構えた衛兵の姿があった。ハルバードは長い棒状の武器《ポールウェポン》で、ちょうど槍《やり》と斧《おの》とを組み合わせたような形をしている。衛兵たちが平時に持つ武器という印象が強いが、その破壊力《はかいりょく》をあなどることは決してできない。洗練された万能武器なのである。

衛兵の数は二人だが、すぐ横には彼らの休息《きゅうそく》小屋があり、ここにも同じ武装の兵士たちが数人たむろしていて、軽い話題で談笑していた。

ヴァリスの兵士ならそれだけで厳罰《げんばつ》ものだが、フレイムの規律はかなり緩《ゆる》いらしい。

もう一度城の姿をながめてから、パーンはディードリットをともなって、衛兵の一人に礼儀《れいぎ》正しく話しかけ、カシュー王に会いたい旨《むね》を伝えた。

もちろん戦時のこと、衛兵たちはパーンを疑い、なかなか取りついでくれなかったのだが、結局はパーンの気勢が勝《まさ》り、とにかく国王にうかがいをたてることを承知し、その間、この場所で待つことで収《おさ》まりがついた。

これでカシュー王が自分たちの事を忘れていようものなら、間違《まちが》いなく牢獄《ろうごく》行きだとパーンは内心ではずいぶん不安になったものだ。

かなり待たされてから、ようやくアーチの向こう側から何人かの人影《ひとかげ》が姿を現わした。人数は四、五人ほど。まず、頭が見えて、それから全身の姿が現われる。

その一行のあまりの物々しさに、自分の不安が実現したのかとパーンは一瞬《いっしゅん》心配したが、その集団が近づくにつれ、不安は完全に拭《ぬぐ》いさられた。

その中に傭兵王カシュー自らの姿があったからだ。パーンはカシューに向かって、静かに頭を下げたあと、片膝《かたひざ》を地面に落として彼が来るのをじっと待った。

パーンがそうしたので、しかたなくディードリットもそれにならう。むきだしの膝に乾《かわ》いた土が張りつく。その不快な感触《かんしょく》に、彼女は顔をしかめた。

「ずいぶんと礼儀正しくなったものだな」

カシューのあの無遠慮《ぶえんりょ》とも思える声がまぢかで聞こえたので、パーンはようやく顔を上げた。

「久しぶりだな。オレには礼は不要との言葉を忘れたか」カシューは白い歯を見せて笑い、パーンの正面に立つと彼に立ちあがるように合図をした。

パーンはもう一度頭を下げてから、ゆっくりと立ちあがる。

「ふむ、背が伸びたか？　いや、違《ちが》うな」カシューは独《ひと》り言《ごと》のようにつぶやき、彼の全身を頼《たの》もしげに見た。

「こんな暑いところで立ち話もなかろう。せっかく来てくれたのだ、城の中を案内しよう。ロイドの聖王宮には劣《おと》るが、ここはここで味わいの深い城なのだぞ」

「ロードスでもっとも守りの固《かた》い城との評判を耳にしています」

パーンは少し打ちとけて笑顔になった。少しタイミングが遅《おく》れたもののディードリットが穏《おだ》やかな笑《え》みを浮かべて頭を下げた。

「御無沙汰《ごぶさた》しております、陛下」

「おお、おまえか。覚えているぞ。いつも怖《こわ》い顔でオレを睨《にら》んでいたエルフの姫君《ひめぎみ》ではないか」言ってから、カシューはそれが冗談《じょうだん》であることを示すように豪快《ごうかい》に笑った。

たちまち、ディードリットは憮然《ぶぜん》とした顔をする。

「そう、その顔だ」カシューはもう一度大きな声で笑った。

城の中は外に比べると、まるで別天地のように涼《すず》しかった。

カシュー王に連れられて、豪華《ごうか》な造りの客間に通されたパーンとディードリットは、ソファーを勧《すす》められて、今はそこで心地よくくつろいでいる。

土ぼこりにまみれているので、調度品が汚《よご》れぬかと、一度は遠慮してみたものの、カシューがそんなことを気にしない性格なのは、パーンもよく知っている。結局、勧めに従って、パーンはその傭兵王の向かいのソファーに、クッションに体を埋《うず》めるように腰を落ちつけた。

その隣《となり》にディードリットが軽やかに座る。

「久しいとは言うものの、あの戦いからまだ二年もたっていない。その間、いかにしていた。その鎧《よろい》の様子《ようす》から騎士《きし》資格は返上したようだが、例のカーラとかいう魔女《まじょ》をまだ追いかけているのか？　それに、他の仲間は？」

「その話なのですが……」

パーンはマーモとの最後の決戦のあと、カシュー王と別れてから自分がたどってきた軌跡《きせき》をゆっくりと語りはじめた。あまりうまい話し方とは思えなかったが、カシューは真剣《しんけん》な顔で聞いてくれた。

パーンの話はロイド郊外《こうがい》での決戦後のマーモの敗残兵狩《が》りから始まって、静寂《せいじゃく》の湖ルノアナでのカーラとの対決、そしてウッド・チャックを追っての探索《たんさく》の経過にまで及んだ。

「……なるほどな、おまえらしいとは言えるが、危険で報《むく》いのない道を選んだものだ」カシューはいくぶん彫《ほ》りの深くなった若者の顔を見つめながら、深くため息をもらした。彼の真摯《しんし》な瞳《ひとみ》はあの頃《ころ》よりさらに深みを増しているように感じられる。

「今のロードスの状態には、オレも満足してはいない」

カシューはソファーから立ちあがってパーンに背を向けた。

「我々が炎《ほのお》の部族と戦っているあいだに、アラニアでは国王を殺した王弟派と先王の側近派とに分かれて、激《はげ》しい内戦が今も続いている。モスにしても王国第二の都市ドラゴンスケイルの太守《たいしゅ》が反旗をひるがえし、首都ドラゴンブレスが攻め滅《ほろ》ぼされている。その後は諸都市の太守たちが、モス建国前の戦国時代さながらに互《たが》いに争っているそうだ。ヴァリスとて例外ではない。ファリス神殿の力で国が滅ばなかったのはよかったのだが、逆にファリスの神官たちの中には世俗の権力を求める者もあり、生き残りの騎士たちとの間で反目が激しいそうだ。

そういえば、エトという名の司祭はおまえの連れだったな。あの者は騎士団とファリス神殿との間に立って、両者の和解のために駆《か》けまわっていると聞くぞ。あの司祭がいなければ、神聖騎士団はすでに国を捨《す》てていただろうとの、もっぱらの評判だ。最高司祭ジェナートの信任厚く、しかも噂《うわさ》では王女フィアンナと恋仲《こいなか》らしいが」

「エトがですか？」驚《おどろ》いてパーンは立ちあがっていた。

「ヴァリスがそんな様子だったことさえ知りませんでした」「まして、あいつが……いや、あいつならそれぐらいやってのけるな」

後ろの部分は自分に言い聞かせるような感じだった。

（あいつはオレより信念を持っていた。それに力もあった。ロイドに行っていちばん驚いたのは、ファリス神殿の司祭たちの無力さだった。彼らは神聖魔《ま》法《ほう》を使って、怪《け》我《が》人《にん》を癒《いや》すことさえできなかった。それで司祭を名乗っているなんて、オレには最初信じられなかった。だが、エトには間《ま》違《ちが》いなく魔法を使うことができた。あいつはその力で何度オレを助けてくれたことか）

「さすがね」

ディードリットがソファーに腰をかけたまま、下からパーンに微《ほほ》笑《え》みかけた。

「オレの親友だからな」

パーンは自分が褒《ほ》められたようにうれしそうな表情を浮かべた。

「おまえだって、ヴァリスにいれば選べた道かもしれないぞ」カシューが笑いながら、声をかけてきた。彼は客間に隣《りん》接《せつ》したバルコニーに出ていて、ブレードの街《まち》をまぶしそうに見下ろしていた。

「わたしには無理ですよ」パーンは答えながら、無礼なことかもしれないと思ったが、カシューが見ている風景を自分もながめたくて、彼の隣《となり》まで歩いていった。カシューはチラリとパーンの顔を一瞥《いちべつ》しただけで、何も言わずにまたもとどおりの姿勢にもどった。

「いい景色だろう」カシューは誇《ほこ》らしげに言った。「小さくて、それに乾《かわ》いた街だ。昔はこんなところによく人が住んでいるなと思ったものだ。だが一緒《いっしょ》に暮《くら》してみると、彼ら砂漠の民の生活力にオレは驚かされたのだ。素朴《そぼく》だが力強い部族。そんな彼らを気に入って、オレは彼らの仇敵《きゅうてき》、炎の部族と戦った。そして、オレの知っているわずかばかりの知恵を使って新しい井戸も掘《ほ》った。砂漠に強い草木を大陸から買いとって植えもした。しかし、まさかこの街の住人たちが、オレに国王になってくれと申し出てくれるとは思わなかった。何の地位もなく、ましてや血のつながりなど何もない他所者《よそもの》のオレを王として迎《むか》えてくれるなど……。だからオレはこの景色が好きなのだ。そして、ロードスという地がな。野蛮であるとか、呪《のろ》われているとか大陸の者は言うが、自らの運命を切りひらくように暮《くら》しているこの島の人々が、たまらなく好きなのだ。

オレはフレイムを立てなおしたあと、ロードス島に巣《す》くう魔物どもを一掃するぞ。そして正義を奉《ほう》ずる王国の建国に力を貸し、ファーン王の遺志を継《つ》ぐつもりだ。何年かかるか分からんが、やるつもりだ。やれる自信はある、もっとも根拠《こんきょ》はないがな」

そして最後に、ハハと乾いた笑いをつけくわえる。冗談とでも聞きながせと言っているのだろう。

「陛下ならできますよ」

お世辞《せじ》とか追随《ついずい》などではなく、心の底からそう思った。

「オレの選んだ道にもいつかカーラが現われるはずだ。それまで待つことはできないか」

その言葉は、この国に仕えぬかというパーンへの誘《さそ》いだった。

「もったいないお言葉ですが……」

一瞬間《いっしゅんま》をおいてから、パーンは答えた。

「そう言うと思ったよ。まったく、おまえには欲がないのか。今のおまえなら騎士隊長ぐらい任せられるものを」

「わたしには……無理ですね。自分の面倒《めんどう》を見るので精一杯です。それに人の上に立つ柄《がら》じゃありませんから」

それは謙遜《けんそん》だろうと答えて、カシューは傾《かたむ》きはじめた太陽を目を細めて眺《なが》めてから、薄暗《うすぐら》くなってきた室内を振りかえった。

そこには、まぶしそうな顔でこちらを見ているディードリットの姿があった。

「退屈《たいくつ》な思いをさせたか」カシューはエルフ娘に言う。

「いえ、陛下」

ディードリットは答え、立ちあがって二人を迎えた。パーンはディードリットに微笑みかけながら、カシューのあとから部屋の中に入ってくる。

「今夜はここで泊《と》まるがいいだろう。夕食でもつきあえ。ここには蒸留《じょうりゅう》した真水がある。それともブレード特産の薄塩《うすじお》の効《き》いた水のほうがいいか」

「その水の味は、ここに来てもう十分に堪能《たんのう》しましたよ」

パーンは笑って言いかえした。もちろん、カシューの言葉には喜んで応じるつもりだった。

3

カシュー王がパーンたちの歓迎《かんげい》のために催《もよお》してくれた宴《うたげ》は、戦時だけにささやかなものだった。しかし、パーンにしてみれば、それでも大変な厚遇《こうぐう》である。

カシュー王との縁《えん》があったとはいえ、考えてみればあのヴァリスでの宴の席とその後の数日間、それにウォートの館《やかた》から帰ってきた後のほんの二、三日ほどなのだから、親密であったとはとてもいえない。

その間、いかにカシュー王と話す機会があったとはいえ、一国の王と下級の騎士《きし》である。身分の違《ちが》いはあきらかなのだ。それにもかかわらず、まるで親しい友のように自分を扱ってくれるのだから、まさしく身にあまる光栄だった。

宴には傭兵《ようへい》隊長のシャダムや風の部族の長であり、この国の第一執政官《しっせいかん》でもあるムハルド老らの重鎮《じゅうちん》が顔をそろえていた。

その他にもフレイムの国を支える文官に武官らが参列し、そしてヴァリスの宮廷《きゅうてい》ほどの華《はな》やかさとは言えぬものの、幾人《いくにん》かの女官の姿が見られ宴に花を添《そ》えていた。

しかし、普段ならば間違《まちが》いなく宴の一方の主役になるはずの宮廷婦人たちも、その日ばかりはさすがに霞《かす》んで見えるようだった。

ディードリットが珍《めずら》しく正装《せいそう》することを承知したからだ。

パーンに手を取られながら宴の間に姿を見せるやいなや、居ならぶ出席者の間から賞賛《しょうさん》のため息がもれ、すべての視線がこのエルフの娘に注がれたものだ。

その服は彼女のために作られたものではなかったが、宮廷つきの仕立師が短時間のうちにみごとな技を見せて、彼女の身体に合うように仕立直していた。

薄《うす》い緑色のシュミーズ・ドレスはエルフであるディードリットにピッタリの色だったし、大きく開いた胸もとにつけられたブローチは、銀で作られた木の葉に透明《とうめい》度の高いルビーが二つつけられ、熟《じゅく》した木の実をあしらっている。

袖《そで》は肩《かた》のところで一度大きくふくれ上腕部《じょうわんぶ》まで伸びてから、そこで絞《しぼ》られている。スカートは腰のところで一度持ちあげられてから、あとはゆるやかに広がっている。裾《すそ》は床に届《とど》かんばかりだった。肱《ひじ》まである長手袋《ながてぶくろ》は、レースで細かな模様が縁取《ふちど》られている。そしていつもは無《む》造作《ぞうさ》に流されているだけの髪《かみ》は、頭の上で高く結《ゆ》いあげられていた。

一方、パーンも汚《よご》れた鎧《よろい》を脱《ぬ》ぎすて、湯で体を拭《ふ》き髪を洗ったあとで、白色の衣服を与えられ、それに着替えていた。もっとも、こちらは上質の麻《あさ》で織られた飾《かざ》り気の少ないチュニックである。

袖はなく、両肩はそれぞれ三本の紐《ひも》で合わされているだけ。裾にはひだがなく、まっすぐ膝《ひざ》のところまで延《の》ばされている。腰には青の帯を巻き、体の横で結んでいる。額《ひたい》に巻いた布製の額冠《がくかん》は、風の部族の戦士の象徴《しょうちょう》とのことだった。

カシューもパーンとほとんど変わらぬスタイルだったが、その上からマントを羽織《はお》り、右肩のところで飾りつきのピンで止めていた。そのマントの左肩にはフレイム王家の象徴である鷹《たか》の紋章《もんしょう》が刺繍《ししゅう》されている。額冠がパーンたちのものとは違《ちが》い、飾りが多いものなので、おそらく略式の王冠《おうかん》を兼《か》ねているのだろう。

「皆の者に紹介《しょうかい》しておこう。この二人が先の大戦のおりに最後までオレとともに戦ってくれた騎士パーンと、精霊使《せいれいつか》いのディードリットだ」

カシューがパーンたちを紹介すると、出席者のあいだから拍手《はくしゅ》が起こった。

パーンは返礼のため人々に向かって深々と頭を下げる。ディードリットのほうは軽く膝を曲げて優雅《ゆうが》に挨拶《あいさつ》を送った。ヴァリスの宮廷婦人の作法を見よう見まねで憶《おぼ》えたものだったが、なかなか堂にいったものだった。

「わたしのような流れの騎士にこのような宴を開いていただき、本当に感謝の言葉もありません」

言ってから、もういちど軽くパーンは答礼する。いささか緊張《きんちょう》した様子だった。

「まあ、そう固くなるな。砂漠《さばく》の民は礼儀にはうるさくない。オレもそれで気が楽《らく》なのだがな。ヴァリスでは戦よりもそれで苦労させられたものさ」

一同から笑いがもれる。その笑いには追随《ついずい》の気配《けはい》はなく、本当に面白《おもしろ》かったので笑ったという感じだ。なるほど、砂漠の部族は気さくな民のようだ。

「面倒《めんどう》な作法はぬきだ。とにかく戦の続く昨今のこと、何かと皆の者には気苦労が多いだろう。今日だけは戦のことを忘れて、存分に騒《さわ》ごうじゃないか。酒はいくらでもある。もっとも、水のほうは少々遠慮《えんりょ》願いたいがな」

ふたたび起こる笑い。

宴はヴァリスの宮殿でパーンたちが経験したものとは違い、単純なものだった。同じテーブルで食事をしながら談笑する。音楽は砂漠の民の聞きなれぬ旋律《せんりつ》だったし、ダンスも男女がペアになるわけではなく、何人かで輪になって同じ踊《おど》りをおどるというものだった。

「ヴァリスの宮廷との違いが、気になるか」

食事を取ることも忘れて、そういった宮廷の儀礼を見つめているパーンにカシュー王は言葉をかけた。

「違いを驚《おどろ》くほどには、ヴァリスに長く仕えていたわけではありませんから」

パーンは答えて、我に返ったように肉料理を一切れフォークで取り、それを口に運んだ。温かい肉汁《にくじる》が口一杯《いっぱい》に広がり、香辛料《こうしんりょう》の強い香《かおり》が鼻にぬけていった。

「ヴァリスの宮廷儀礼も田舎《いなか》育ちのわたしにはなじめませんでした。しかし、砂漠の人々の生活はまるで同じロードスにいるとは思えないほどの違い。見慣れていないので、正直驚いています。でも、肩はこらなくていいですね」パーンは素直《すなお》な感想を述べた。

その後、フレイム風の踊りにパーンたちもむりやり参加させられた。ディードリットはすぐなじんだのだが、パーンはけっきょく最後までうまく踊ることができず、奇妙な動きを見せては、カシュー王に遠慮なく笑われた。

「オレはアラニアの田舎者ですから」とパーンは憮然《ぶぜん》とした顔で言ったものだ。

そして、ささやかな宴《うたげ》は終わり、宴の間《ま》にはパーンたちの他に、カシューとシャダム、それにムハルド老だけが残った。宴の間《あいだ》とはうって変わって、皆、ひどく厳《きび》しい表情になっている。話題が戦の話になっていたからだ。

パーンもそんなカシューらの表情を見て、重い気持ちになった。戦いの行方《ゆくえ》は思った以上に好ましくないようだ。

「敵の動きが活発になってきたのは、ここ数か月のことなのだ」カシューがパーンに向かって苦笑まじりに説明した。「我々の軍勢は、それまで炎《ほのお》の部族を一方的に追いつめていた。もっとも広い砂漠のこと、決定的な打撃は与えられなかったのだがな。だが、いったんはオアシスの街《まち》ヘヴンさえも手にいれ、相手の拠点《きょてん》と頼《たの》む場所は残らず押さえることができたのだ。炎の部族の民たちは山のほうへと逃げ、もはや反撃の気力さえないと思っていた。ところがだ。三《み》月《つき》ほど前にヘヴンの守備隊からの連絡《れんらく》が絶えた。様子を見に行った兵士の報告では、その地に炎の部族のテントが張られていたという。おそらく守備隊は一兵残らず全滅《ぜんめつ》したのだろう。

当然ながら、我々はヘヴンへ向けて迎撃隊《げいげきたい》を出したのだが、これも手痛い敗北をきっしてしまったのだ。敵があやつる炎の魔法《まほう》の前にな」

「その魔法はどんな奴《やつ》が使ったのですか」パーンが勢いこんで尋《たず》ねる。

「まあ、話を急がせるな」カシューは笑いながら、パーンを制した。「オレはその戦いに参加していないので何とも言えないが、どうやらサラマンダーが大量に現われ、味方を炎の息で焼いてくれたらしい」

「あのサラマンダーですか？」パーンは思わず尋ねかえしていた。

パーンはサラマンダー――炎の精霊――とかって一度だけ戦ったことがある。マーモとの決戦の時に黒《ダーク》エルフが召喚《しょうかん》してきたからだ。

精霊は正義でも悪《あく》でもなく、召喚者の命令を忠実に守る。敵が呼びだした精霊は恐るべき敵であり、味方が召喚した精霊は心強い味方となる。

あの時はスレインが自分の剣《けん》に魔法をかけてくれたおかげで、相手が実体化した直後に難なく切りすてることができた。あとで彼に話を聞いたが、精霊は魔力を帯びた武器でなければ傷つけることさえできないとのことだった。

ディードリットの顔も曇《くも》っていた。

「どうした、ディード？」パーンが彼女の様子に気づいて言葉をかける。

「いえ、あたしたちエルフは、火《サラマンダー》とかげなど炎の精霊が嫌《きら》いなのよ。炎は破壊《はかい》の力にすぎないから。他の役には立たず、たんに奪《うば》いさるだけの力」

ディードリットはエルフの村で、長老たちからそう教えられ、育ってきた。長老たちの語る炎の精霊に関する教えは、それだけではなかったようにも思うが、ディードリットにとって炎の精霊は、もはや嫌悪の対象以外の何物でもない。

「しかし、相手がサラマンダーを使うということは……」パーンはうめくように言った。

「そう、敵はあたしと同じ、精霊魔法の使い手ということになるわね」ディードリットはあきらかに気落ちしたパーンの様子を見て、気遣《きづか》いながらそっと言った。

魔法にあまりくわしくない者は、魔法を一種類の力だと思っている。魔力を持っている者をすべて〝魔法使い《ルーンマスター》〟と呼ぶのは、そんな理由からだ。しかし、実のところ魔法は大きく三つの系統に分かれている。

そのひとつが精霊魔法である。この魔法は精霊たちの力を利用してかける。そのため、この系統の魔法を使う者は、〝精霊使い《シャーマン》〟と呼ばれている。

いっぽう、古代語魔法と呼ばれる魔法もある。これは五百年以上前に栄えていた古代王国で、研究され発展してきた魔法の体系で、上位古代語《ハイ・エンシェント》のルーンを修得することで使える。古代語魔法を使う者は〝魔術師《ソーサラー》〟と呼ばれ、彼らは学問のように上位古代語を研究し、そして自らの魔法の技《わざ》を磨《みが》くのだ。

そして、もうひとつの神聖魔法は、神に仕える〝司祭《プリースト》〟たちが使う魔法だ。司祭は自らが信じる神の代行者として、その神に祈《いの》り、力を授かることで、神の奇跡《きせき》を再現してみせるのだ。

つまり、魔法使いと一口でいっても、それぞれが使える魔法の系統は限定されているのである。精霊使いは精霊魔法しか使えぬし、魔術師は古代語魔法にだけ長《た》けている。司祭たちにしても、神聖魔法以外の魔法を使うことはない。

古代王国の生き残りであるカーラは、神聖魔法も使ったが、それはカーラが支配していたマーファの司祭、レイリアの力を利用しただけで、カーラ自身はあくまで古代語魔法を使う魔術師なのだ。当然精霊使いでもない。少なくとも、パーンはカーラが精霊魔法を使ったのを見たことがない。

「まだ敵がカーラ以外の者と決まったわけじゃない」カシューはパーンを慰《なぐさ》めるように言った。と同時に、唇《くちびる》を強くかんでいるパーンの様子を見ながら、カーラに対する彼のこだわりの大きさが危険ではないかとの不安を強く感じていた。

そのこだわりがパーンの身を滅《ほろ》ぼさねばよいが、とも思う。ふと、ディードリットのほうを見ると、彼女はまるで祈るような目でパーンを見つめていた。

「精霊魔法とやらがどのようなものかは、知らぬが」ムハルド老が、話を元にもどそうとする。パーンはまだ衝撃《しょうげき》からさめていなかったが、とにかく失礼のないように老人に注目した。

「わしら風の部族と炎の部族とは、古来からの敵同士だった。この砂漠の地で五百年以上も、尽《つ》きることのない争いを続けておる」

「五百年以上も、ですか？」その数字のあまりの大きさに驚いて、パーンは目を丸くしながら、頭に白い布を幾重《いくえ》にも巻いている老人の顔を見つめた。

「そう、わしが生まれる前から、ずっと続いておる」ムハルド老は若者に答える。

「なぜ」

「遠い過去にその争いの原因はあるのだ」ムハルド老は静かに話を始めた。

「わしら風の部族と炎の部族はもとをただせば同じひとつの部族なのだ。その部族は、古来からこの地に住み、貧しくはあったが自由な民として平和な暮《くら》しを営んでおった。しかし、この地にも古代王国の魔術師たちが現われたのだ。彼らはわしらの先祖に服従を要求し、断れば戦をしかけると脅《おど》したのだ。わしらの先祖は勇敢《ゆうかん》であった。この脅しに屈《くっ》することなく、自らの平和と自由を守るために魔術師どもと戦う決心をしたのだ。だが、敵の操る魔法は強力だ。これに対抗《たいこう》するためには、こちらにも力が必要だ。そこで、わしらの先祖は二つの守護神、風の王と炎の王の力を借りることにしたのだ」

「風の王と炎の王？」今度はディードリットが驚いて声をあげる。「もしかして、ジンとエフリートのこと。風と炎の上位精霊じゃない」

「わしは精霊についても詳《くわ》しくはないのだ」

「おまえの言うとおりだ。二つの守護神とは、ジンとエフリートに間違《まちが》いない」カシュー王が横から助け船をだす。

「わしらの部族に伝わる古い伝説によれば、風の王はこの地を守り、炎の王は敵を攻《せ》めるとある。さしもの古代王国の魔術師たちもこの二つの守護神には、打ち勝つことはできなかったのだ」

「ジンとエフリートって、そんなに強いのかい」興味にかられて、パーンはディードリットに尋《たず》ねてみる。

ムハルド老の顔をうかがってから、ディードリットはパーンにというよりも、全員に聞いてもらうように発言した。

「ジンやエフリートなどの上位精霊は神にも等しい力を持っています。ムハルド老が言われたとおり、まさしく、守護神と呼ぶにふさわしい存在でしょう。彼らは自然の力を支配する者として、この世界にも大きな影響力《えいきょうりょく》を持っています。簡単に言えば、風が吹くのも、火が燃えるのも、彼らがいるからこそなのです。ジンやエフリートが魔術師を寄せつけなかったとしても、何も驚くことはありません」

「すると、カーラよりもジンやエフリートのほうが強いってことか。そんな馬鹿《ばか》な！」パーンが信じられないというように叫《さけ》ぶ。

「カーラが上位精霊たちより弱くて幸いじゃない。もし、カーラのほうが彼らより強いのなら、あたしはあなたとの旅から降りさせてもらいたいぐらいよ」

「伝説に間違いはない。わしらの先祖は守護神とともに戦い、魔術師たちを寄せつけなかったのだ。あの炎の部族の裏切りさえなかったらな——」

「裏切りですか？」パーンの眉《まゆ》がつりあがる。それは彼がもっとも嫌う言葉だった。

「そうだ、裏切りだ。わしらの先祖は、それぞれの守護神を祭るために二つ神殿《しんでん》を建てた。二つの神殿は、それぞれ砂塵《さじん》の塔《とう》と炎の神殿と呼ばれておる。二つの神殿が建てられた場所は、かなり隔《へだ》たりがあったため、わしらの先祖はそれぞれの神殿を守るために二つに分かれて暮すようになった。これが風と炎の部族に分かれた理由なのだ。二つの部族の民はそれぞれの守護神を崇《あが》めて暮した。守護神の力があるかぎり、わしらは古代王国の魔術師たちからも永遠に自由でいられるはずだった。しかし、炎の部族の神官が二つの部族の結束を破り、あろうことにか風の王を封《ふう》じこめてしまったのだ。そのため、風の部族は魔術師どもに敗れてしまったのだ。自由を誇《ほこ》るわしらの先祖は、隷属《れいぞく》よりも放浪《ほうろう》の道を選び、故郷であるこの地を離《はな》れ、荒野《こうや》をさまよわねばならなかった」

「なぜ、そんな裏切りを？」ディードリットも怪訝《けげん》そうに尋ねる。それはエルフである彼女にとって理解できない感情であるようだった。

「おおかた、古代王国の宝物に目がくらんだのだろう。炎の部族は卑劣《ひれつ》な連中だからな。それは昔《むかし》も、そして今も変わらぬ。ただその後、やつらの守護神も封印《ふういん》されたとみえる。結局は、やつらもだまされておったのよ。愚《おろ》かな話だ」

「それだけの理由で、五百年以上も戦ってきたのですか？」ディードリットはそれでも納得《なっとく》できないのか、質問を続けた。

「それだけの理由、だと」たちまち、ムハルド老の顔色が変わる。「それがいかに卑劣なことなのか、あんたには分からんのか！」

「エルフと人間の考え方は違うのですよ」すかさず、カシューが仲裁《ちゅうさい》に入った。

そんなに違わないわ、とディードリットが小声で文句を言うのを聞き、パーンは彼女の背中を軽く叩《たた》いた。

「砂漠の民は名誉《めいよ》を重んじる部族なのだ。卑劣な裏切り行為は、絶対に許すことができない」

それまで無言だった傭兵《ようへい》隊長のシャダムが、カシューの後を受けた。

彼はいかにも砂漠の民らしく、浅黒い精悍《せいかん》な顔をしている。パーンとまったく同じ服を身につけているが、さすがに傭兵隊長らしく、腰には今も剣《けん》を吊《つ》るしている。その剣はパーンが持つ長剣《バスタードソード》とは違い、三日月形に湾曲《わんきょく》している。

砂漠の戦士は厚い鎧《よろい》を着ないため、力をこめて切りつける必要がない。そのため戦には鋭利《えいり》で、後ろ反りの刃を持った片刃の刀がよく使われるのだ。相手の身体を切りさくには、そのほうが適しているからだ。

シャダムの持っているのは、曲刀の中でも広刃のタイプのもので、偃月刀《ファルシオン》という名で呼ばれている。他にも細身の新月刀《シミター》や、両手持ちの大刀《シャムシール》などを砂漠の戦士は愛用している。

シャダムは冷静な男らしく、まったく表情を変えずに淡々《たんたん》としゃべる。パーンにとって苦手なタイプだったが、切れ者であることは間違いがないようだ。聞けばシャダムはムハルド老の長子で、次には風の部族の長になるはずだったのだそうだ。

ところが、カシューを王に迎《むか》え、フレイムという国を作ることを最初に進言したのは、他ならぬこのシャダムだという。その話は宴《うたげ》のときにカシューから聞いたものだ。決して冷たい人間ではないのだろうが、それにしてもつかみどころがない。パーンは、シャダムに対し不思議な人物だとの印象を強く抱《いだ》いていた。

「しかし、エルフ娘の言うとおり、古い伝説だけでは戦《いくさ》が数百年も続いたりはしない。理由は、もちろん、他にもある。なにしろ、このフレイムは砂漠の国。お世辞《せじ》にも豊かであるとはいえない。おまえたちも知ってのとおり、飲み水にさえ苦労するありさまだからな。人間が生きていくために必要な土地は、決して多くはない。ヒルト、ブレード、そしてオアシスの街ヘヴン、この三つの都市の近辺を除けば、あとは不毛の砂漠なのだ。もちろん、西へ行けば肥沃《ひよく》な草原が広がっていることは知っている。しかし、我々にとってこの砂漠は故郷なのだ。いかに不毛な土地であれ、故郷を見捨てることがどうしてできよう。それだけは、炎の部族にしても同じらしい。だから、両者は少ない水と土地を巡《めぐ》って、争わねばならなかったのだ」

シャダムはやはり無感動に言った。彼の考えというよりも、部族の考えを代弁したというような感じだ。

「そういう理由なら、分かります」ディードリットはうなずいた。

「最近の戦《いくさ》の状況《じょうきょう》についてはさっきも言ったとおりだ。前の族長の時代になると、炎の部族は暗黒神《ファラリス》を信じる勢力と同盟して、戦いを挑《いど》んできたのだ。そのため我らは苦戦を強いられ、傭兵を雇《やと》って対抗《たいこう》しなければならなかった。そして、その傭兵の中にカシュー王という勇者がいたのだ。カシュー王の力で、戦はいちおうの決着を得た。敗れた炎の部族は砂漠の奥《おく》深くへと逃げていった。そして、我らの守護神である風の王を、砂嵐の荒れくるう砂塵の塔におもむき、解放してくれたのも、やはりカシュー王なのだ。だから——」

「そのことは、今は関係ないだろう。恥《は》ずかしくなるではないか」カシューは苦笑しながら、片手を上げてシャダムを黙《だま》らせる。

「ジンを、解放したのですか？」ディードリットは、もう口をはさむまいと決心していたのだが、今の言葉を無視することはできなかった。

「オレは確かに、ジンの封印を解いた」カシューは事もなげに言う。「だから、二つの守護神が古代王国の魔術師と戦ったという伝説は、間違いなく真実だよ」

「伝説に間違いなどはありませんよ。だからこそ、わしらはカシュー王に部族を治めてもらうことをお願いしたのだ。伝説の最後の章に、このような予言がある。——いつしか、盟約の者が現われ、二つを解きはなち、二つを蘇《よみがえ》らせる」

「〝盟約者〟の一節ですな。お言葉ですが、わたしは伝説によって選ばれた男などでは、断じてありませんよ」カシューはムハルド老に抗議《こうぎ》するように答える。

「分かっております。しかし、わしらにとって、その予言は支えだったのです。予言の意味はもはや忘れさられていますが、解放されるものは風の王と風の民、そして蘇るものは森や畑であるとわしらは信じておりました。それはまさしく、カシュー王がなされたこと、そして目指しておられることではありませんか。たとえ伝説の者でなくても、わしらにとっては同じこと」

「伝説には人を変える力はありません。伝説を信じ、変わっていったとしてもそれは人の力のはずです」パーンは力をこめて言った。

「まったくだ」カシューは同意する。

「でも、カシュー王が風の王——ジン——を解放したというなら」ディードリットがかすれたような声で言う。「炎の部族も、もしかしたらエフリートを解放したのかもしれない。エフリートの力を借りればサラマンダーを操るくらいわけないもの。サラマンダーは下級の炎の精霊、炎の上位精霊であるエフリートの命令には、逆《さか》らえないもの」

パーンはディードリットが脅《おび》えているのに気がついて、そっと彼女の肩《かた》に手をまわして、その身体《からだ》を引きよせてやる。

「オレもそれは考えた」答えるカシューの表情は真剣《しんけん》そのものだった。「しかし、エフリートを支配することは、決してやさしくはなかろう。我々にしても、解放したジンを支配する術《すべ》を知らずにいるというのに」

「簡単に上位精霊が支配できてはたまらないわ」ディードリットは叫《さけ》ぶ。「あたしにだって、上位精霊は手に負えない。もし、今のロードスで上位精霊を支配できる者がいるとすれば、あたしの村の長老たちぐらいなものよ」

「かつては、わしらの部族にも守護神の意志を伝えることができる神官がいたそうだが、その血筋は絶えて久しいのだ。だから、せっかくカシュー王が風の王を解放してくれても、その力を借りることとさえできない」ムハルド老の声は沈《しず》んでいた。

沈黙《ちんもく》がしばらく、宴《うたげ》の間《ま》に流れた。

「可能性を論じていても始まらんようだな」その沈黙を破って、カシューは深く息を吐《は》いた。

「自分の目で確かめなくては、なんとも言えん。ともかく、話は長くなりすぎたようだ。パーンの目的には、あまり役に立てない話ですまなかったな」

「いいえ、いろいろと参考になりました」言いながら、パーンはディードリットの肩においたほうの手に力をこめた。それを感じてディードリットがパーンの手に自分の左手を静かに合わせる。その合わせた手から、彼の落胆《らくたん》ぶりが伝わってくるようだと、彼女は思った。

「パーン――」ディードリットが慰《なぐさ》めの言葉をかけようとしたときだった。

パーンは突然、ディードリットに顔を向け、その透《す》きとおった青い瞳《ひとみ》をまじまじと見つめたのだ。

ディードリットは驚《おどろ》いて目を丸くした。

「そういえば、ディードは精霊使いじゃないか。だったら、サラマンダーにじかに尋ねれば、簡単に事の真相が分かるはずだ」

パーンにしてみれば、素晴《すば》らしい思いつきのつもりだった。しかし、ディードリットの反応は、パーンが予期しないほどに激《はげ》しいものだった。パーンの手を振りほどくように身体《からだ》の向きをかえ、正面からパーンを睨《にら》みつける。

「なぜ、あたしがサラマンダーなんかを呼びださねばならないの！」

普段は雪のように白い顔が、怒りで赤く染っていた。怒りのこもった視線をパーンに向ける。あっけに取られて、パーンは彼女の紅潮《こうちょう》した顔を見つめた。

「あたしはエルフなのよ。エルフは風と水の精霊が仲間なの。さっきも言ったように、炎は破《は》壊《かい》だけの力。すべてを焼きはらい、そして無に帰すおぞましいもの。そんな邪悪《じゃあく》な精霊となんで交信をしなければならないの！」

まわりの者に気づかい、語気を少し和《やわ》らげたものの、あいかわらず怒りのこもった口調だった。

「そんなに怒ることはないだろ。サラマンダーと話せば、ことの真相が分かると思ったからじゃないか」

言ってから、サラマンダーの名を聞いたときのディードリットの反応を思いだした。エルフにとって、炎は禁忌《きんき》の力なのだ。パーンは、最近、彼女がエルフであることを、ほとんど意識していなかったから、エルフ独特の感情を忘れていたのだ。

悪いことを言ったかなと後悔《こうかい》の気持ちが心をよぎる。

しかし、ディードリットの言葉は、同時に彼女がサラマンダーと話せることを肯定《こうてい》していた。ならばこの炎の精霊と接触《せっしょく》を図ることが、真実を知るための一番の近道であることには間違いなかった。カーラが関係しているのか、していないかもたぶん分かるだろう。

「無理にとは言わないが、できれば協力を願いたいものだな」カシューも、真剣な顔でディードリットに言葉をかける。

ディードリットはカシューを一瞥《いちべつ》しただけで、あとはパーンと無言で視線を合わせていた。いろいろな感情のうねりが彼女の心の中を駆《か》けぬけていた。それが、激しくディードリットの心を揺《ゆ》さぶる。意識にもやがかかったようなものだ。冷静な判断ができない。あきらめて、彼女は自然な感情だけを心の中で戦わせた。すると、ひとつの感情が大きく沸《わ》きたち、他の感情をゆっくりと制していった。

「分かったわ……」ディードリットはうなだれて小さく答えた。「そのかわり、これっきりよ。エルフにとって炎《ほのお》の精霊と接触するのは恥ずかしい行為なのだから」

4

「精霊《せいれい》を呼びだすためには、その精霊が属《ぞく》する精霊界への門を開くための鍵《かぎ》が必要です。たとえば、大地の精霊ならむきだしの地面、風の精霊ならば戸外に吹く自然の風に触《ふ》れていなければなりません。そして、水と炎の精霊は、水や炎そのものが門を開く鍵となります。だから、火とかげ《サラマンダー》を呼びだすためには、何かが燃えていなければなりません」

ディードリットはいつもの草色の服に着替えると、召喚《しょうかん》の準備をしながら、精霊がいかなるものかをカシューらに語ったのだ。

「精霊は地、水、火、風の自然の力を司る四大精霊が有名ですが、精霊はそれだけではなく、あらゆる物や力に住んでいます。たとえば森の木々には森の精霊が宿っていますし、精神の働きにも精霊が関係しています。あたしたち精霊使いは、精霊を呼びだし、その力を利用して魔《ま》法《ほう》を使います。重要なことは、精霊自らはこの世界において魔法を使えないということです。彼らがこの世界で影響力を持つためには、かならずこの世界の住人によって、召喚されねばならないのです。一度召喚され支配された精霊は、他の精霊使いでは接触《せっしょく》することさえもできなくなります。これは下級の精霊の場合には問題ありませんが、ジンやエフリートなどの上位精霊が支配された場合は重要です。なぜなら、エフリートがすでに何者かによって支配されているとするなら、他の精霊使いはその眷族《けんぞく》であるサラマンダーの力を利用することさえできなくなるからです」

ひとしきり精霊に関する話をしたあとで、ディードリットは召喚の儀式《ぎしき》を始めた。

そして、今はおごそかな表情で、宴の間《うたげま》の中央に立っている。

彼女の前にはサラマンダーを呼びだすために、巨大な鉄製の皿《さら》が置かれ、油の燃える黄色い炎が揺《ゆ》らいでいた。

そして、ディードリットは激《はげ》しい旋律《せんりつ》を刻む精霊語を詠唱《えいしょう》しながら、その炎に向かって〝呼びかけ〟を行なっていた。

真剣《しんけん》な面持《おも》ちで、パーンたちはそれを見守っている。儀式が始まってから、すでに一時間ほどが過ぎようとしていたが、いっこうに炎の中からサラマンダーが現われるような気配はなかった。

熱さと疲労《ひろう》のためか、ディードリットの額《ひたい》には玉のような汗《あせ》が噴きだしていた。パーンの顔が不安で曇《くも》っている。揺らめく大皿の炎以外にはこの大きな宴の間を照らす明かりはまったくないので、パーンたちの影《かげ》はそれぞれの背後に放射状に伸びている。

「ずいぶん、時間がかかるものだな」カシューがパーンに感想をもらした。

「そうですね。他の精霊を呼び出すときには、一瞬《いっしゅん》なのですが……初めて呼ぶ精霊だからかもしれません」

「カシュー王、今炎が揺らぎましたよ」シャダムがささやく。

注意を戻《もど》して炎の様子を観察すると、なるほど炎の上がり方に変化が訪れているようだった。

ディードリットの精霊語がいっそう激しさを増す。

次の瞬間だった。

炎がゆらりと揺らいだ。

そして、炎は渦巻《うずま》くように吹きあがり、その炎の中からゆっくりと形を取って現われたものがあった。

サラマンダーだった。

のそり、と這《は》い出してくる四つ足の獣《けもの》。大きさは狼《おおかみ》ほどもある。しかし、その肌《はだ》は獣皮《じゅうひ》ではなく、赤熱《せきねつ》する炎だった。

（オレを呼び出したのはおまえか）

ディードリットの頭の中に、サラマンダーの意識が滑《すべ》りこんできた。彼女は長時間の召喚の儀式のために、疲労の極致にあったが、気力を振りしぼって炎の精霊に意識を集中した。

「そう、おまえを召喚したのはあたし。名を告げなさい、火とかげよ。そしてあたしに従いなさい」ディードリットは精霊語を言葉に出して言った。

相手の言葉は頭の中に直接入りこんでくるが、こちらの言葉は声に出さねば強制力を持たない。それは精霊と交信するときのゆるがすことのできない規則だった。

ゾロリと炎の舌《した》を口からのぞかせてから、サラマンダーは一歩足を踏《ふ》みだした。

その事実はディードリットをぞっとさせた。自分の言葉はサラマンダーに少しの圧力も与えてはいないのだ。精神の集中が足りなかったのか。それとも、自分の気力が相手を圧倒《あっとう》するほどではなかったのか。

「もう一度命令するわ。あたしに名を告げなさい。そして、命令に従いなさい。さもないと、炎の精霊界ではなく、水の精霊界におまえを送りかえすわよ。水の精霊《ウンディーネ》はあなたのちっぽけな炎を、一片も残さず消してくれるでしょう。そうなりたくなければ、あたしの命令に従いなさい」

サラマンダーは動きを止めた。ディードリットがおどしのために、水のルーンを一言発したからだ。彼女は水の精霊《ウンディーネ》を制する魔法はよく心得ている。常に一人のウンディーネを、支配下においているほどだ。普段は腰に吊《つ》るした水袋《みずぶくろ》に封《ふう》じているのだが、今は用心のためにその口《くち》紐《ひも》をほどいている。

(笑わせるな、エルフの娘よ。このオレを制する力を本当に持っていると思うのか。ウンディーネごときでは、オレの体の一部だって消すことはできぬ。それを今教えてやろう)

ディードリットは緊張《きんちょう》した。あきらかに様子が変だ。いかに初めて触《ふ》れる力とはいえ、相手はしょせん下級精霊のサラマンダーである。自分の存在さえも危《あや》ういというのに、こうまで対《たい》抗《こう》してくるはずがない。彼女はそんな動揺《どうよう》を悟られぬよう、さらに語気を強めてサラマンダーに圧力を加えた。彼女が発する精霊語に応じて、腰からウンディーネがゆっくりと湧《わ》きだしてきて、そして彼女の体の前に薄《うす》い膜《まく》となって広がっていく。

「この膜がおまえを包みこんだとき、おまえの存在はなくなっているのよ!」ディードリットは、サラマンダーに警告《けいこく》を与えた。

「おまえにはできぬ、と言ったであろう!」サラマンダーの声が応じた。

(声?! そんなはずは)ディードリットの緊張は恐怖《きょうふ》に取ってかわった。サラマンダーは決して声を出したりはしない!

彼女の目の前でさなぎから成虫が生まれるように、ゆっくりとサラマンダーは異形のものに変わっていった。それは巨大な塔《とう》のように湧きたち、そして巨人《きょじん》の姿を取りはじめた。

「あなたは、エフリート」

(なぜ! あたしはあなたを呼んではいない)絶望が彼女を捕《とら》えた。死はハイ・エルフである彼女にとって、もっとも遠い存在であるはずだった。しかし、今、それは彼女の目の前に立っている。

「様子が変だ!」パーンとカシューはことのなりゆきを黙《だま》って見守っていたが、ディードリットの顔に恐怖が走り、そしてサラマンダーの形が変わりはじめたのを見て、同時に反応していた。

パーンはディードリットの前に走りこむように動き、カシューは長剣をぬき突っこんだ。

「パーン、来ては、だめ!」ディードリットの切れ切れの悲鳴が宴の間に響《ひび》く。

パーンはディードリットの言葉を無視して駆《か》けよると、彼女に飛びかかりその身体《からだ》を抱《だ》きかかえ、エフリートのほうに自らの背を向けるように倒《たお》れこんだ。

「ウンディーネ！　あたしたちを守って」

パーンのたくましい体がぶつかってくる。

その衝撃《しょうげき》の中で、ディードリットは水の精霊にそれだけを命じた。主人の命令に従い、ウンディーネは、二人の身体を包みこむ。

「魔神《まじん》め！」そして、カシューの魔法を帯びた長剣は、確かな手ごたえで変化するエフリートの胴《どう》を切りさいた。

しかし、エフリートの発した炎の精霊魔法は、一瞬《いっしゅん》前までディードリットがいた場所を中心に炎の嵐《あらし》となって渦巻いていた。

それらはほんの束《つか》の間《ま》の出来事だった。

その一瞬のあまりの激《はげ》しさのためか、そのあと、空白の時間がしばらく宴の間に流れた。大皿の炎はあとかたもなく消えさっていた。ただ、煮《に》立《た》った油がぐつぐつと泡《あわ》を吐《は》きだしている。カシューは剣を振るったままの姿勢で、硬直《こうちょく》したように立っていた。出《で》遅《おく》れたシャダムとムハルド老は最初からいた場所で、こちらもさながら彫像《ちょうぞう》のようにたたずんでいた。パーンとディードリットは床《ゆか》に伏せたままでまったく動こうとはしない。

「歯をくいしばれ！」

その時、誰《だれ》かが息を吐いた。

呪縛《じゅばく》は解けた。

カシューは何事もなかったように剣を鞘《さや》に戻《もど》した。

「陛下、御無事で」口調こそいつもと変わらぬものの、カシューのそばに寄ってきたシャダムの顔は心なしか青かった。ムハルド老は言葉を失い、ただ無言でカシューに頭を下げ、国王の無事に安堵《あんど》していた。

「オレは大丈夫だが……」カシューは倒れたパーンたちのほうに向きなおった。

パーンはすでに立ちあがっていた。その手にはディードリットを抱えている。

ディードリットの右腕と頭が力を失い、垂《た》れさがっている。

「大丈夫か、パーン？」

「はい、何とか。足を少し焼かれましたが、たいしたことはありません。ディードのウンディーネが炎の勢いを弱めてくれたようです」

パーンの履《は》いている革製《かわ》のブーツの片方が焦《こ》げて、白い煙をあげていた。あたりにはきな臭《くさ》い臭《にお》いも漂《ただよ》っている。

「ディードリットのほうは？」

「息はしています。頭を打っていないことは確かですし、それに火傷《やけど》もありません。おそらく、気を失っているだけでしょう」

パーンは自分の腕《うで》の中でぐったりとなっているディードリットの体を抱《かか》えなおした。怒りがこみあげてくる。ディードリットを襲《おそ》ったエフリートと、そして彼女を危険な目に合わせた自分に対しての怒りだった。

「どこかで休ませてやりたいと思いますが」

「そうだな、薬師《くすし》を手配してやろう。おまえの足の火傷、オレが見るところではそんなに軽くはないぞ」

カシューは近寄って、ディードリットの顔色を確かめてから、パーンの肩《かた》をポンとたたいた。

「こんなことになって、申しわけありません」パーンは頭を下げた。

「それはオレの台詞《せりふ》だ。無理じいして済《す》まなかったな」

その時、後ろでシャダムの何事だという声が聞こえた。

二人が振りかえると、一人の兵士が入ってきていて、何やらシャダムに耳打ちしている。

「かまわんから、大きな声で言え。ここにいる男は信用できる」

カシューが命じると、その兵士はかしこまって不動の姿勢を取った。

「はい、報告いたします。ただいま、ヒルトの守備隊からの報告ですと、炎の部族の大規模な攻撃《こうげき》を受けて防戦中。援軍《えんぐん》を請《こ》うとのことです」

カシューは思わず、パーンと顔を見合わせていた。

「悪いことというものは、続けて起こるものだな」つぶやくように、カシューは言った。

「よし、オレが出る。敵の様子をじかに見ておきたいからな。街《まち》にもふれを出せ、敵の本当の狙《ねら》いがこの街ということも十分考えられる。義勇兵と守備隊は街に残し門を固めるように。残りの者はすべて出動させるぞ。出発は日の出と同時。兵装は各自に任せるが、金属の鎧《よろい》を着ける者は絶対に上から日除《ひよ》けの外套《がいとう》を着るように伝えろ。でないと、日差しで焼け死ぬとな。あとの指示はシャダムに任せる」

「御意」シャダムは深々と頭を下げてから、退出していった。

「ムハルド老、留守《るす》をお願いします。敵が出向いて来てくれたのはかえって好都合《こうつごう》ですよ。街の中と外から挟撃《きょうげき》して、一気に片を付けてしまいましょう」

「気をつけてくだされ、国王。それに街にはあまり気をつかわれないように。砂漠の民は、砂の中でも暮《くら》していけますからな」

心得ておりますよ、と答えてカシューはその場を辞《じ》した。その後にディードリットを抱えたままのパーンがつきしたがっている。

「カシュー王、わたしも行かせてください。エフリートとそれを使う者は、もはやわたしの敵です」

カシューはじっと、パーンの目を見た。その目は怒りに燃えてはいたが、理性を失ってはいない。

「分かった。しかし、無駄死《むだじ》にはするなよ」

「それはカシュー王と初めてお会いした時に、教わりました」

「その娘はどうする?」

「連れては行きません。かなり消耗《しょうもう》している様子ですし、それにこれ以上ディードを危険な目に合わせたくはありません」

「それがいいだろう。娘は客間に寝《ね》かせてやれ。おまえも薬師から足の治療《ちりょう》を受けることを忘れるなよ。それから、いつもの鎧はかえって邪魔《じゃま》になる。硬皮《ハードレザー》の鎧と馬を貸してやる。それを使え。それに、相手が精霊である以上、普通の剣では通じぬだろう。オレの予備の剣を使うがいい。両手持ちの大剣《グレートソード》だが魔力がある。使えるだろうな」

「ありがとうございます。御恩は戦場でお返しします」

「そう願おう」

二人の戦士はアーク・ロードの王宮の廊下《ろうか》をならんで歩いていった。

石を蹴《け》る乾《かわ》いた音が薄暗《うすぐら》い廊下に幾重《いくえ》にも弾《はじ》きかえっていた。

第Ⅱ章　ヒルトの戦い

1

フレイム軍は大きく分けて三軍から構成されている。

一つは軍の中核《ちゅうかく》である砂漠《さばく》の鷹騎士団《たかきしだん》。彼らは象牙色《ぞうげいろ》で統一された硬皮《ハードレザー》の鎧《よろい》を身につけ、右の肩当て《かたあ》に鷹の紋章《もんしょう》をつけている。武器は広刃の直刀《ブロードソード》で、方形の楯《ヒーターシールド》を与えられている。彼らの中には騎兵槍《ランス》を片手に持つ者もいるなど、さすがに騎士団らしい武装で、今も整然と隊列を整えつつあった。その数は五百あまり。

彼らの先頭には、騎士と同じ武装だが、頭にはヘルメットの代わりに白い布を巻いただけの傭兵王《ようへいおう》が馬のたづなを握《にぎ》り、親衛隊の印をつけた騎士数名と何やら熱心に話しこんでいる。それは、敵にも味方にも自分の存在をはっきりと示すためである。

国王の姿を確認しながら、戦えるのと戦えないのとでは兵の士気はずいぶんと違《ちが》う。それにカシューは自らが、軍神と謳われていることをよく承知していた。そう言われるのを普段は面《めん》倒《どう》なことだと思っているのだが、それで味方が安心して戦えるのならばとあえてその賛辞《さんじ》を受けいれていた。

その騎士団の側面で気勢を上げているのは、風の部族の戦士たちだった。民軍と呼ばれる彼らは正規軍とはいうものの、平時には家に戻《もど》りそれぞれの仕事を持っている。

そのため武器や装備は統一されていない。ほとんどの者は偃月刀《ファルシオン》や新月刀《シミター》などの曲刀を持っているが、中には刃が前反りしている不気味な形の刀剣を持っている者もいる。楯《たて》を持つ者と持たない者との割合は五分五分といったところだ。今度の戦いには千人ばかりが動員されている。

彼らはカシュー王と同じように、すべて白い布を頭に巻いている。

そして、思い思いの武装に身を固めた三百人ほどの傭兵たちは、シャダムの声を限りにして叫ぶ号令にもなかなか応ぜず、隊列を整えるのが遅《おく》れている。しかし、彼らは実戦慣れした猛者《も》《さ》ぞろいであり、戦場ではもっとも頼《たよ》りになる戦士たちだった。彼らは騎士団をはさんで民軍の反対側に集合している。

砂漠の民はいつも軽装で戦う。それは暑さと照りつける日差しの強さが、重装備のまま戦うことを拒絶《きよぜつ》するからだ。

そのため兵士のほとんどは鎧をまったく身につけないか、身につけてもせいぜい革の鎧《レザーアーマー》どまりで、鎖かたびら《チェインメイル》や板金の鎧《プレイトメイル》を着る者はほとんどいない。わずかに傭兵たちの中に愛用の鎧を脱ぐことへの抵抗《ていこう》からか、それら金属製の鎧を装備している者がいるくらいだ。

パーンは傭兵隊の一員として戦列に参加することになっていたが、他の傭兵たちと違って一度は正式に叙勲《じょくん》を受けた騎士である。シャダムからは指揮系統から離《はな》れて自由に行動してもよいとの許可を得ていた。

その特権を利用して、パーンの姿はいまだにディードリットが寝《ね》かされている客間にあった。彼女が横たわるベッドの隣《となり》に木製の椅子《いす》を運びこんで腰を下ろしている。

そして、城の二階にあるその一室から、城の中庭でフレイムの軍勢が整列する様を見下ろしているのだった。

もちろん、戦《いくさ》の支度はすべて整えていた。彼は騎士たちが着ているのと同じ硬皮の鎧を身につけている。色は少し違って黄色みを帯びた白。それは愛用の聖騎士の鎧と比べると防御力という点ではいささか頼りないが、軽さと動きやすさという点ではだんぜん優れていた。土地にはそれぞれ合った戦い方があるものだからと納得して、パーンはその軍装を身につけることにした。

カシュー王から貸しあたえられた魔法《まほう》の大剣《グレートソード》を持ち、携帯《けいたい》用の食料などはすべて背負い袋《ぶくろ》に詰《つ》めこんでいる。

大剣の長さと重さにはパーンは不慣れではあったが、長剣を両手で構えて戦う戦法にはパーンは習熟していた。手になじませるために、しばらく、基本の型をなぞって剣を振るうちに、普段どおりの剣さばきができるようになった。

剣を振るったあとに、白い光の残像が残るところがさすがに魔法の剣である。しばらくすると、パーンはすっかりこの大剣が気にいるようになっていた。

それらの準備を終えても、夜明けまではまだ数刻の余裕があったので、ディードリットの様子を見ようとやってきたのだ。

ヒルトまでは馬に乗っても三日はかかる道のりとのことだった。ならば、戦がたとえ一日で片付いたとしても次にディードリットに会うのは、一週間も先のことになる。黙《だま》って戦場に出かけたことを彼女は怒るかもしれないが、カーラと関係があるかどうかも分からない今度の戦いにディードリットを連れていくつもりは毛頭なかった。

ディードリットはすでにその役目を果たしてくれたのだ。まさか、こんな結果になるとは考えてもいなかったが。しかし、エフリートがすでに何者かによって支配されているというのは間違《まちが》いないようだった。上位精霊を支配し、他の下級の精霊たちを意のままに操《あやつ》っているのだろう。

古代王国の魔術師たちでさえ退けたという炎の上位精霊エフリート。パーンはひざの上で手をかたく握《にぎ》りしめた。

そして、注意をまたディードリットに戻《もど》す。彼女は安らかな寝息を立てている。薬師《くすし》の話ではどこにも異常は見られないとのことだった。もっとも、エルフの身体《からだ》が人間と同じであればだが、とその薬師はつけくわえていたが。

長時間の召喚《しょうかん》の儀式《ぎしき》とエフリートと接触《せっしょく》を持ったことで、精神的に疲労《ひろう》したのだろうとパーン自身は判断している。

その時、ディードリットがかすかに寝返りをうった。パーンは息を殺すようにして彼女の寝顔をのぞきこんだ。べつに寝苦しそうな様子はない。

自分の気配に気がついたのかもしれないと、パーンは少し気がとがめ部屋を出ていくことも考えたが、何の断りもなく戦場に出かけるのもまずいだろうと考えて、目を醒《さ》ますまで待つことに決めた。

しばらくすると、ディードリットはもう一度寝返りをうったので、パーンは彼女が目を醒まそうとしているのだと確信した。

「ディード……」どうせ目を醒ますものならと、パーンは声をかけてみる。

ディードリットはその声に反応して、わずかに目を開け、そしてパーンの方に静かに向きなおった。外がかなり白んできているので、彼女の端整《たんせい》な顔の輪郭《りんかく》までがはっきりと見てとれた。

「パーン……」意識がはっきりしていないのか、かすれたような声だった。

パーンはディードリットの名前をもう一度呼んだ。

「気分は？」

「気分？　そうね、あまりよくはないけれど……。大丈夫よ、もう起きられる。それより、あなたこそよく無事で……」

言いながら、彼女は上体を起こした。

「運がよかったよ。相手は本気でこちらを殺すつもりがなかったのかもしれない」パーンは顔を少し傾《かたむ》け、彼女の長い耳に直接ささやきかけるように言った。そして彼女の肩《かた》にそっと手を置く。

「……戦に出るのね」ディードリットはようやく意識がはっきりしてきたのか、パーンの軍装を見ながら、絞《しぼ》りだすような声をあげた。

「ああ、相手の正体をじかに見てこようと思うんだ」

ディードリットは深くため息をついた。パーンの行動に反対しようとする言葉が次々と頭に浮かんでくる。しかし、それを言ったとしても、聞きとどけるような男ではない。ディードリットは軽く首を横に振って、パーンの首に両腕をまわし、軽く頬《ほお》に唇《くちびる》を寄せた。

「助けてくれて、ありがとう」

柔《やわ》らかい感触《かんしょく》のあと、彼女の熱い息が感じられた。

パーンは彼女の頭に軽く手を乗せて、彼女を抱《だ》きよせようとした。すると、力を失ったようにディードリットの細い身体が倒《たお》れこんできた。そのため、彼女の頭を胸当てのところで受けとめる格好になった。

彼女は顔だけを上げて下からパーンの顔を見つめた。その目には大粒の涙が浮かんでいた。肩がかすかに震《ふる》えている。

パーンはなぐさめの言葉をかけようとしたが、さきにディードリットのほうが口を開いていた。

「情けないわ。長い召喚の呪文《じゅもん》の果てに、ようやく火とかげ《サラマンダー》を捕《つか》まえて接触したと思ったら、その正体はエフリート。黒エルフ《ダーク》の真似《まね》をしてまで炎の力に触《ふ》れたのに、何の役にも立たなかったばかりか、あなたやカシュー王を危険にさらしてしまって。しかも、自分の身を守るためにウンディーネを犠牲《ぎせい》にまでして……」

「悪かったと思っている。ディードに無理を頼《たの》んだのはオレだ。失敗したのだって、べつにおまえのせいじゃないさ」

「でも、あたしが正しく火とかげを呼びだしてさえいれば、エフリートを制する力があれば……」

「ディードが言っていたじゃないか。別の者に支配されている精霊と接触しても、成功するわけがないって。おそらく、この地の炎の精霊はすべて何者かの支配下に置かれているんだ。カーラか、それとも別の精霊使いかによって」

ディードリットは体をもう一度起こして、パーンの顔を正面から見つめた。

「それは違うわ。あたしは確かにあのエフリートと接触を持ったの。接触を持てるということは、エフリートに支配者がいないということよ」

「すると、エフリートは自分の意志で炎の部族に協力しているってことかい。精霊が自らの意志だけではこの世界で魔力をふるうことができないと言ったのは、ディードじゃないか」

「そのとおりよ。だから、それが謎《なぞ》を解く鍵《かぎ》なんだわ……」ディードリットはしばらく何事かを考えこんでいる様子だった。うつむきかげんにじっと自分の指の先を見ている。そしてしばらくしてから、毅然《きぜん》とした表情を浮かべてパーンに顔を向けた。

「その秘密を確かめなくては。鎧《よろい》とそれにレイピアを取って。あたしもあなたについていくわ」

「駄目《だめ》だ！」パーンはするどく言いはなった。「ディードは、今満足に戦えるような状態じゃない。それに今度の戦がカーラと関係しているかどうかさえ分かっちゃいないんだ。オレにはカシュー王に対する恩もあるし、それに……」

「それに？」

パーンははっとして言葉を切った。照れたようにそっぽを向いてから、そしてポツリと言う。

「オレは炎の精霊が嫌《きら》いになったってことさ」

ディードリットには、彼が飲みこんだ言葉まではっきりと伝わってくるようだった。こみあげてくる感情が、彼女の喉《のど》をつまらせた。

「……分かったわ。あなたが言いだしたら聞かないってことぐらい、最初から分かっているのよ。でも、気をつけてね。それと何があってもエフリートに手を出しては駄目」

パーンは窓の外を見て、闇《やみ》が薄《うす》れはじめているのを確認した。出発の時間に遅《おく》れるわけにはいかない。

「もうすぐ出発の時間だ。ディードは無理をせず、ここでゆっくりと休んでいるんだ。戦はそんなに長くはかからないと思う。十日もしたら戻《もど》ってこれるだろう」

「気をつけて」ディードリットはもう一度パーンの体に腕をまわしてから小さく言った。

その手をほどき、パーンは立ちあがる。そして、目で別れを告げ、彼は部屋《へや》を後にした。


城の中庭に出たパーンは、城門の中に整列している傭兵隊《ようへいたい》の荒くれたちに合流した。傭兵たちの中には、パーンにあからさまに奇異《きい》の視線を投げかけてくる者もいた。しかし、そこは相互に干渉《かんしょう》しないことを不文律としている傭兵隊のこと、シャダムの号令が飛ぶとすぐにその視線も離《はな》れていった。

パーンはかつて、フレイムの傭兵隊に身を寄せた経験があったが、さすがに今の傭兵たちの中に見知った顔はいないようだった。

やがて、東の空に太陽の光の最初の一筋が放たれた。それを合図として、カシュー王の手がさっと上に伸ばされる。

「全軍騎乗！」隊長たちの声があちこちで響《ひび》く。フレイムの軍隊は全員が騎兵である。傭兵たちにも馬が与えられていたし、風の部族の戦士は自前の馬を持っている。

パーンも芦毛《あしげ》の牝馬《めすうま》に跨《また》がり、大剣を油を染みこませた布で巻くと馬の鞍《くら》の横側のベルトにむりやり差しこんだ。

そして、ギーッという鉄の軋《きし》む音が響いて城門が開かれる。

喚声《かんせい》がそこかしこで湧《わ》きあがる。それに剣と鎧《よろい》とが触《ふ》れあう乾《かわ》いた音が唱和した。フレイム軍は騎士団を先頭に整然と王城アーク・ロードを後にしていった。パーンは視線を城の二階の窓に走らせ、そこにディードリットの白い顔がのぞいているのを確かめた。

「出発だぜ、新入り」パーンの隣にいた戦斧《バトルアックス》を担《かつ》いだ巨漢《きょかん》の傭兵が、パーンに下品な声をかけてよこした。

すでに順番がきていたのだ。

パーンは男にニヤリと笑いかけ、そして右手を大きく突きあげた。

もちろん、それはディードリットに送ったしばしの別れの合図だった。

ヒルトはフレイム第二の街《まち》である。このヒルトの一帯では砂の川は、まだ水を湛《たた》えているし、川の両岸には乾燥《かんそう》に強い作物が植えられていて、フレイムの食料庫としての役割を果たしている。

また、この街は石の壁《かべ》を周囲に巡《めぐ》らせた城塞《じょうさい》都市であり、街全体の守りの固《かた》さでは、ブレード以上である。過去、何度も炎の部族との戦いの場になったことがあり、その度に守りの固さで、風の部族の危機を救ってきたという実績がある。

そのヒルトの街が今、燃えていた。

あちらこちらから、真っ黒な煙《けむり》が吹きあがっている。

敵は予想もしなかった攻撃をしかけてきた。突然ヒルトの街のあちらこちらから火災が起こり、その混乱に乗じて門が打ちやぶられたのだ。

街は混乱の中で炎の部族の軍勢に蹂躙《じゅうりん》された。守備隊は逃げまどう市民の混乱に巻きこまれ、思うように反撃態勢が整えられなかった。もともと都市の外壁《がいへき》を守って、本隊の到着を待ってから行動に出ようという作戦だったのである。

一度に街の十数箇所《かしょ》に火をかけられるとは、思ってもいなかったのだ。

一時のこととはいえ、統制を失った軍隊ほどもろいものはない。ヒルトを守っていた千人あまりのフレイム軍は大きな損害を受け、敗走を余儀《よぎ》なくされた。炎の部族の軍は街の要所を占《せん》拠《きょ》し、すでに街を完全にその支配下においていた。

逃げおくれた市民は、彼らの命令にむりやり従わされ、今は火を吹きあげている建物の消火作業に当たっている。はじめて味わう敗北感に打ちのめされ、建物に水をかける腕《うで》は重く、これから自分たちを待っている運命を考え、彼らは不安に打ちひしがれていた。

「敗残の兵は、残らず捕《とら》えよ。手向かう者は容赦《ようしゃ》するな。しかし、市民には決して手出しをしてはならん。我らはこの街を占領したのだ。彼らとて砂漠の民の仲間である。カシューの首を取ったあかつきには、臣民となってもらわねばならないのだから」

凜《りん》とした声が、周囲の喧騒《けんそう》をつらぬいて響きわたった。

白馬に跨《また》がった女性から発せられた号令だった。

女性にしては長身である。

ゆったりとした白い衣裳《いしょう》に身を包んでいて、頭から日除《ひよ》け用の白い麻布《あさぬの》をかぶり、銀製のリングでその布を固定している。長い黒髪《くろかみ》はその布の中にすべてまとめられていた。

彼女のまわりをかためる兵士たちが、命令を受けて四方に散っていった。

「意外に簡単でしたな、ナルディア様」側近の一人が豪快《ごうかい》に笑いながら、彼女のそばに馬を寄せてきた。

ナルディアと呼ばれた女性は、みごとなたづなさばきで馬の向きを変えると、その側近に鋭《するど》い視線を向けた。

「油断するでない。今は混乱しているのでおとなしいものだが、この街の市民たちももとは砂漠の戦士。いつ、反抗《はんこう》に立ちあがるか知れたものではない。火災がおさまりしだい、家に帰して外出を禁止しろ。カシューを倒《たお》すまでの間、この街を支配下に置く作業、決して易しくはないのだからな」

「分かっておりますよ、族長。しかし、アズモ殿《どの》がおられる以上、我らの勝利はもはや確かなもの。我ら部族の守護神が、きっとお導きくださいますよ」

(そうだといいがな)ナルディアはそっと、後ろを振りかえった。そこにはラクダの背《せ》に跨《また》がった痩《や》せた男が、彼女の様子をじっとうかがっていた。

この男が側近の言ったアズモだった。彼は炎の部族の神官として、守護神を操る力を持っている。

彼は自ら〝炎の神殿《しんでん》〟におもむき、その地に封《ふう》じられていた守護神を解放し、炎の力を部族に取りもどしたのだ。

その功績はナルディアも認めるところだが、この神官をこころよく思っているわけではない。彼には得体《えたい》のしれないところがあり、それが彼女に警戒心《けいかいしん》を抱《いだ》かせるのだ。

その不気味な視線で見つめられると、彼女の全身にはいつもおぞけが走る。それを悟《さと》らせないために彼女はふたたび馬の頭を巡《めぐ》らし、目の前で火を吹きあげている建物を見た。

泣きながら何人かの女性が建物に水をかけている。石造りの建物だから、中のものを燃やしつくしたあとは、火勢は自然に弱まるはずだった。延焼の心配もそんなにあるわけではない。

しかし、炎に焼かれた漆喰《しっくい》は非常に脆《もろ》くなっているので、焼けた建物をふたたび使うのは危険だった。いつ天井が崩《くず》れてくるか分からないからだ。

（暗黒神《ファラリス》の力に頼《たよ》ったために父は多くの敵を作り、そして敗れた。今、わたしは新しい力を手にしている。しかし、その力が、伝説のとおりにわたしたちを導いてくれるのだろうか。これほどまでに恐ろしい破壊《はかい》の力が……）

ナルディアには、燃えさかる炎の中に高らかに笑う巨人《きょじん》の姿が目に浮かぶようだった。アズモが解放したというその巨人は本当に我らの守護神なのだろうか。

「何をお考えですかな、族長殿」その時、アズモのひからびた声が耳に届《とど》いた。押し殺せない不快感で、ナルディアの背筋が震《ふる》える。

「べつに。次の戦のことを考えていただけだ」

彼女はアズモを振りかえることもなく、声だけで返事をした。

「それは頼もしい、亡きお父上もさぞお喜びでしょう。仇敵《きゅうてき》たる風の部族についにとどめをさせるのですからな」

アズモの不気味な忍び笑いに耐えきれず、ナルディアは馬の腹に蹴《け》りを入れた。

「わたしは敗残の兵を見まわってくる。神官殿は、守護神へのいけにえでも選んでおいてもらおう。そうすれば次の戦でも、守護神は力を貸してくれるのだろう」

彼女はついに、一度もアズモのほうを振りかえらなかった。

その女族長を見送るアズモの目に怪しい炎が揺《ゆ》らいでいた。それは怒りとも、憎《にく》しみとももとれる炎だった。

2

ブレードの街《まち》を出て二日目の夕刻のこと、夜営の準備に入ろうとしていたフレイム軍は、自分たちが向かっている南の空が赤く染まっているのに気がつき動揺《どうよう》の声を上げた。

「ヒルトが燃えている」震《ふる》える声があちらこちらから聞こえた。

カシューは側近の者と各隊の隊長以上の者を集めて、緊急《きんきゅう》の軍議を開いた。パーンも特別にその軍議に参加していた。集まったすべての者の顔が曇《くも》っている。

ヒルトが襲《おそ》われてから、まだ五日とたっていないのである。あの、守りの固い城塞《じょうさい》都市がこうも簡単に落ちるとは誰《だれ》もが予想しえなかったことだ。

「本当にヒルトが落ちたのでしょうか？」一人の騎士隊長がカシューに尋《たず》ねた。

「この目で見るまでは確かなことは言えん。しかし、あの空の赤さ、ヒルトが燃えているとしか思えんだろう。まして、敵が炎《ほのお》の魔《ま》法《ほう》を使うのは承知の事実。ヒルトが落ちたものとして、作戦を組みなおしたほうが現実的だろうな」

カシューの声に集まった一同のあいだからどよめきが起こった。

まずい、とカシューは感じていた。不安は実力を半分にも、それ以下にも変えてしまう。こんな状態で敵と当たるのは好ましいはずがない。しかし、さしものカシューにも彼らの動揺を静めることはできそうになかった。

ヒルトは難攻不落《なんこうふらく》の都市だと、フレイムの民は自負している。その守りの要《かなめ》がこうも簡単に落とされたのだから、彼らの気持ちはもっともなものなのだ。

（今度の戦、負けるかもしれぬ）カシューの心にも影《かげ》がよぎっていた。そう思ったとき、ふと、パーンのほうに視線を向けていた。視線が合うとパーンは小さくうなずいた。彼の心の影に気がついたのだろう。

信じるものを失った時の人間のもろさをパーンは痛いほど知っている。ファーン王を失ったあとのヴァリスがそうだった。あの英雄王はヴァリスの民にはほとんど神とさえ信じられていたのだ。彼が戦死したあとのヴァリスの荒れようは、彼の想像をはるかに超えるものだった。

しかし、カシューもまたフレイムのすべての民が頼《たよ》りとする国王なのだ。ここで彼までもが動揺すれば、フレイムの国は一気に崩壊《ほうかい》してしまいかねない。パーンは目でそのことを伝えようとした。

もちろん、カシュー自身そのことはよく心得ていた。彼はパーンと一度顔を合わせたあとは、このままヒルトに進攻すべし、という意見とブレードに引きかえして策を練りなおそうという意見の対立をじっと聞いていた。

「ヒルトの民にこのままでは申しわけが立たない。また一戦も交《まじ》えず、ブレードに逃げかえったとあれば、ロードス中の笑いものにもなろう。我々は決して臆病者《おくびょうもの》ではない、せめてそのことだけでも示さなければ」一人の騎士の言葉に何人かが深くうなずいた。

たとえ命を捨てようと守らねばならんものがある、という意見を若い騎士隊長が唱《とな》える。

「ずいぶんと、深刻な意見ではないか」

カシューは苦笑いを浮かべながら、ゆっくりと立ちあがった。すでに落ちかけた西日が彼の顔をてらしだした。南の空の赤さもまた、日が落ちるにつれて、より鮮明《せんめい》に見えるようになっている。それが一同の不安をいっそうかきたてる。

「ヒルトが落ちたのは、おそらく事実だ。これは素直《すなお》に受けとめよう。しかし、我々はまだ一度も敵と剣を交えてはおらん。にもかかわらず、引き返そうという意見もあれば、死を覚悟して戦いに臨むべしとの声もある。いつも言っていることだが、死ぬ気になれば確かに人間は強い。しかし、その強さは危険なのだ。破滅《はめつ》と背中あわせに戦えなどとオレは絶対に言わない。一時の戦いで全力を尽《つ》くすというのも確かに一つの方法ではあるが、何度も戦ったあとに真の勝利をつかむのもまた一つの方法なのだ。そして、それがオレのやり方だ。笑いものになることを気にしていては、命がいくつあっても足らん。一度は正面から戦ってみて、そして敵の実力を知ろう。そして敵のほうが強いと判断したら、その時はすみやかにブレードの街に取ってかえせばいい。

オレがここで軍議を開いたのは、死ぬための方法を論じるためでもなければ、ブレードへの戻《もど》り方を聞きたいためでもない。自分の剣で喉《のど》を突けば簡単に死ねるし、逃げる時は真っすぐ後ろを向いて逃げればいい。そんなことを尋《たず》ねるために、オレは軍議など開かない。いかに戦いそして勝つか、その意見だけをオレには言ってくれ」

人々の顔がすべて自分たちを見下ろす傭兵王に向けられた。彼には圧倒的なまでの自信があった。それは生き残ることに対する絶対的な自信であった。そして生きているかぎり、かならずいつかは勝つものだと彼は言っているのだ。

ヴァリスの軍議でこんな意見は通じないだろうな、とパーンはふと思ったが、今、この場に居合わせた者には彼の言葉は十分に納得がいくものなのだ。同時にそれはヴァリスの騎士団を離《はな》れて二年を経たパーンにも理解することができた。

かつての彼は正面からしか戦うことを知らぬ不器用な男だった。それをスレインは危険な若さであると指摘《してき》し、そしてそのとおりパーンはギムとウッド・チャックを失うはめになった。彼は皆に支えられて旅をしたが、逆に彼らの支えになっていただろうか？　過去を振りかえって考えてみても、そうとは思えなかった。

自分が慎重《しんちょう》であれば、二人を救うことができたのかもしれない、そうも思う。ならばどうすればよいか、自問はしてみるもののパーンには、いまだに新しい生き方を見つけられない。

だから、パーンは今もカーラとなったウッド・チャックを追いかけているのだ。

カシューの言葉は騎士道とはまったく反対のものであるが、それを認められるぐらいにはパーンは大人になっていた。

風の部族は砂漠の民である。たとえ家を、国を失っても生きていける。彼らははるかな昔《むかし》、古代王国の軍勢に居留地を征服《せいふく》されたのだ。そのとき、部族の先祖たちは奴隷《どれい》となることよりも流浪《るろう》の民となることを選び、ロードス中を渡り歩いたとの伝承がある。

恐るべき力を秘めた古代王国の魔術師《まじゅつし》たちが、何かの原因で魔力を失ったのちは、先頭に立って彼らと戦った。

古代王国が滅《ほろ》び、自由を取りもどした時、彼らの先祖はふたたびこの砂漠の地に戻ってきたのだ。そして、我がもの顔でこの地を支配していた炎の部族を砂漠の南に追いかえし、聖なる砂の川を手中に収めたのだ。

この勝利を忘れてはならない、これは風の部族の誇《ほこ》りであるから。しかし、それまでの苦難の時代も忘れてはならない、それは守護神が与えた試練であるから。

ふたたび苦難の時が来ようとも、やがては守護神が民を勝利に導いてくれるだろう。彼ら風の部族は長老たちが語るその言葉を聞きながら育ってきた。今、カシューが伝えたいのは、まさしくそのことなのだ。

軍議は終わった。

カシューの言葉は完全とは言えぬまでも、兵士の不安を静めることができたようだった。

軍議は最後にはヒルト郊外《こうがい》に陣《じん》を張り、敵が出てくるところを迎《むか》え討とうということで決した。

消極的ともいえる作戦だったが、ヒルトが攻《せ》めるには難しい街《まち》というのは、彼ら自身がいちばんよく知っている。それに市街戦になれば市民にも被害《ひがい》が出よう。

もし、相手がヒルトの街で籠城《ろうじょう》するつもりならば、それに応じるつもりだった。占領下の街で長期に逗留《とうりゅう》することは、決してやさしいことではない。外と内との両方に気を配らなければならないので、精神のほうが参ってしまうからだ。

集まった者は解散し、それぞれ自分の隊に戻っていった。

軍議が終わり、パーンは傭兵隊の集合場所へと戻ってきた。傭兵たちはたきびを囲《かこ》んで、酒を飲みながら、談笑している。誰《だれ》が弾《ひ》いているものか、楽器の音も聞こえてくる。澄《す》んだ歌声がそれにあわせて流れていた。

パーンはその輪の中に入っていこうとする。

「たいしたものだな、新入りさんよ」誰かがパーンに向かって声をかけてよこした。その声は決して好意でかけられたものではない。

いつのまにか、音楽も止んでいた。

「おまえはいったい何者なんだ。新入りの傭兵が軍議に参加するなどおかしいじゃないか」別の声が飛んだ。

パーンは驚《おどろ》いたが、うろたえたりはしなかった。彼らが何を誤解《ごかい》しているのかはしらないが、それを気にしているとかえって不自然になりそうだ。

「そういや、おめえ、集合の時も遅《おく》れてきたよな。シャダムのおっさんともずいぶん親しそうだし、カシュー王ともじかに話をしていただろう」

一人の巨漢《きょかん》がパーンを睨《にら》みながら、どすのきいた声を出して立ちあがった。

確か出発の時に声をかけてきた男だ。〝斧使《おのつか》い〟とか仲間から呼ばれていたが、名前は何だったろう。

巨大な両刃の戦斧《バトルアックス》を軽々と担いでいるのが、よく似合《にあ》っていた。日除《ひよ》けの外套《がいとう》の下の上半身には、鋲《びょう》を打った幅広の革製《レザー》のベルトをたすき状にかけているだけで、砂漠焼けした隆々《りゅうりゅう》たる筋肉があらわになっている。

「なんとか言ったらどうだい、新入りさんよ」斧使いは人を小馬鹿《こばか》にしたような笑いをその顔に浮かべていた。

これには、さすがにパーンも頭にきた。

「オレにはパーンという名前がある。それに傭兵に新入りがどうの古株《ふるかぶ》がどうのなんて、規則はなかったと思うぜ。気にいらないことがあるんなら、はっきりと言いな。奥歯《おくば》にものがはさまったような言い方は、むしずが走るぜ」パーンは巨漢にやりかえした。

「ほう、言ってくれるじゃないか、パーンさんとやらよ」のそりと巨漢の斧使いは立ちあがった。「オレさまにそこまで言うくらいなら、覚悟《かくご》はできてるだろうな」

これは一戦を避《さ》けないわけにはいかないようだった。パーンは腰を低くして、相手の出方を待つ。

「気にいらないことがあれば言え、とかわめいていたな。なら、遠慮《えんりょ》なく言わせてもらおう。まず、おまえの澄《す》ました顔、これが気にいらねえ。それに何かを秘密にしているような態度も気にくわねえ。まるで自分が重要人物でございって、吹聴《ふいちょう》しているみたいだぜ。どうせ、オレたちのことを薄汚《うすぎたな》い傭兵風情《ふぜい》と軽蔑《けいべつ》しているんだろうが。どうせ、おまえはフレイムの貴族か何かで、オレたちの戦いぶりのお目付役に選ばれたんだろうさ！」巨漢は吠《ほ》えるように叫んだ。

なるほど、とパーンは男が何を言いたいのかようやく納得した。

「傭兵の義理を欠いていたというなら、あやまるさ。しかし、あんたの言葉は根も葉もない言いがかりだぜ。オレはフレイムの貴族でもなければ、あんたらのお目付役でもない。正真正銘《しょうしんしょうめい》の傭兵だし、待遇《たいぐう》はあんたらとまったく変わらないよ。軍議に呼ばれたのは、オレがある情報を知っていたからで、そのため意見を言わなければならなかったからだ。それにオレは先の大戦の時に、カシュー王のそばで戦ったりしているから、それで気やすく声をかけて下さるのさ。カシュー王が気さくな人物だってことぐらい、あんたも知っているだろう」

「嘘《うそ》じゃないだろうな」たきびをはさんで〝斧使い〟の向かい側に座っている楽器を抱《かか》えた男が声をかけてきた。さっきまで曲をかなで歌を唄《うた》っていたのはこの男だったのだ。

金色の巻毛が月光に反射している。

その長い髪《かみ》が邪魔《じゃま》にならないように、男は額《ひたい》のところで真紅《しんく》の布を巻きつけている。線が細く、上品な顔をしている。まさに美しいと形容すべき容貌だ。

傭兵というより、吟遊詩人《ぎんゆうしじん》といったほうが似合いそうな男だった。

「優男《やさおとこ》」と、彼の隣《となり》にいた目つきの鋭《するど》い小男が声をかけた。なるほど、確かにこの美貌の男にぴったりの二つ名だ。

声をかけたほうの小男は、髪の毛の大半が異常に抜け落ち、無気味な雰囲気を漂《ただよ》わせている。そして表情を殺し、自分の考えを他人に悟らせないような男だ。

二人ともシャツのような上着に、裾《すそ》の短いスリムなズボンを身につけている。布製のブーツは長く、膝《ひざ》まで届《とど》きそう。身体を守っているのは革製《レザー》のジャケットだけだが、相手の武器を触《ふ》れさせせないような身のこなしをしている。二人とも、昔《むかし》は盗賊《とうぞく》ギルドにいたとのもっぱらの評判であった。

「マーシュ。そいつはそんなに偉《えら》ぶった男じゃなさそうだ。むきにならずに、酒でも一緒《いっしょ》に飲んで、仲直りするんだな」〝優男〟は笑いながら〝斧使い〟に声をかけ、そして抱えた楽器を一度大きくかき鳴らした。そして、華《はな》やかな演奏を始めようとする。

「うるせぇぞ、シュード！　理由はどうあれ、こいつはオレのことをこけにしやがった。そいつを許すことはできねぇな。それともこいつの代わりにおまえが相手をするっていうのか！」

シュードというのは優男の名前なのだろう。男の脅《おど》しに彼はヒューと口笛《くちぶえ》を鳴らし、おどけるように両手を広げ、肩《かた》をすくめた。

「それは、オレも相手にするってことだな。斧使いよ」シュードの隣に座っていた小男が、獲物を狙《ねら》う狩人《かりゅうど》のように目を細めた。

この男は〝両腕落とし〟のデニと傭兵仲間から呼ばれている。二本の小　剣《ショートソード》を同時に使い、敵将の両腕を切りおとしたという由来から名付けられた二つ名なのだ。もっとも、その現場をじかに見たという者は、誰もいないのだが……。

やれ、やれ！　と無責任な声援《せいえん》が、あちこちから飛ぶ。

「もういい！　おまえたちとは関係ねぇ。デニもシュードもよけいな口出しはいらねぇぜ！」

巨漢はこれは分が悪いと思ったのか、目標をパーンだけに決めて、いきなり突進してきた。優男が優雅な曲をいきなり変えて、激《はげ》しい旋律《せんりつ》の戦いの曲を演奏しはじめる。

パーンは巨漢が突進してくるのを見ても、まったくあわてなかった。相手の動きをよく見て、体当たりを受けないように直前で身をかわす。そして、避《さ》けざまに左の足を残して、相手の足に引っかける。単純なやり方だったが、〝斧使い〟マーシュの身体《からだ》はみごとに宙を舞っていた。

そして顔から砂にめりこむ。

たちまち、喚声《かんせい》が飛びかう。

男は倒《たお》れたまま、しばらく起きあがってこなかった。

パーンはうちどころが悪かったのかな、と不安になって男のそばに近寄っていった。

「大丈夫か？　斧使い」身をかがめて、声をかける。そのとき、足首に恐ろしい圧力が感じられた。

男はパーンが近寄ってくるのを待っていたのだ。

(しまった！)パーンは自分の人のよさを呪《のろ》った。

マーシュという男がガハガハと下品な笑い声をもらす。体力勝負ではパーンのほうが圧倒的《あっとうてき》に不利だ。

「あまり長生きできないタイプのようだな、新入りよ」マーシュはむくっと、起きあがってきた。パーンの足首をつかんだまま、無造作《むぞうさ》に立ちあがる。パーンは砂に後ろむきに倒れた。マーシュは気にせず、そのままパーンの身体《からだ》を片手で宙釣りにする。パーンはあばれたが、こんな状態では、どうあがこうとも無駄《むだ》だった。

「卑怯《ひきょう》だぞ！」パーンは精一杯《せいいっぱい》の憎《にく》しみをこめて怒鳴《どな》った。

「もちろん」マーシュは平気な顔で答えた。

パーンは身体を固くして、相手の攻撃《こうげき》にそなえた。筋肉でふくれた丸太のような足が、パーンの目の前にあった。これで力一杯蹴《け》られようものなら、それだけで内臓が破裂《はれつ》しかねない。

しかし、その蹴りはやってこなかった。

「気にいったぜ、新入りよ」マーシュは大声で笑いながら、パーンをゆっくりと砂漠の地面に下ろした。

唖然《あぜん》としてパーンは、マーシュの顔を見る。見れば、彼は手を差しのべている。

「おめえも、馬鹿正直な男だな。だが、シュードの言うとおり、悪い奴《やつ》じゃねぇようだ。それにずいぶん腕も立ちそうだしな。強い仲間が一人でも入ってくれることは大歓迎《だいかんげい》さ。それだけ、戦に勝てる確率も、それにオレたちが生きのびられる確率も高くなるからよ」

パーンは男のごつい顔が子供のように無邪気《むじゃき》に笑っているのを見て、怒りもすべて吹きとんでいた。パーンは男の手をとって起きあがろうとする。

「よろしくな、オレはマーシュ。斧使いでもいいけどよ」

「オレはパーン」パーンは答える。

パーンの身体は太い腕に引かれて、すっとあがっていく。マーシュという男は、見た目のとおり、恐るべき怪力《かいりき》の持ち主だった。

と、上に引っぱられる力が急に失われた。マーシュが手を離《はな》したのだ。

たまらず、パーンはふたたび砂の上に落ちた。笑い声が居合わせた全員から、巻きおこった。

「ほんとにお人好しなんだな」

マーシュがあきれながら、パーンの顔をのぞきこんでいた。

パーンもまさにそう思っているところだった。


翌朝、戦に敗れて落ちのびてくるヒルトの守備軍と、カシューの軍は合流した。彼らの多くは手傷を負っていたし、疲労《ひろう》も激しい様子だった。

混乱の中を逃げのびた市民たちも一緒《いっしょ》で、カシューはヒルトの守備軍にこのまま難民を護衛し、ブレードの街まで戻るように命令を下した。

敗残の兵と共に戦うことによる士気の低下を恐れたからだ。

しかし、炎の部族との戦いの様子の報告を受けることができたのは幸いだった。

街のあちらこちらで発生した火事は、かまどの火が爆発したのが原因だった。中には、炎の中からはいでるサラマンダーの姿を見た者もいた。間違いなく敵は炎の力を手に入れているのだ。

「敵と戦うときは、いかなる類《たぐい》の火の使用も禁じねばならんな」カシューはシャダムにそうこぼしたものだ。

そして、カシューはふたたび全軍に号令を出した。このまま早駆《はやが》けでヒルトの街まで進み、敵の出方を待つ、そういう腹づもりだった。

進軍は再開された。砂を蹴りたてて、フレイムの軍勢が疾走《しっそう》する。彼らが巻きあげた砂ぼこりは、遠くヒルトの街からでも見分けがつくだろう。もし、敵が出戦《でいくさ》をしかけるつもりならば、昼過ぎには敵と遭遇《そうぐう》するはずだった。

そして、まさしく敵はそうしてきた。

先駆けの兵士から、敵の姿を発見した旨《むね》の報告がカシューにもたらされた。その数は一千あまり。対して、カシューは一千八百あまりの全軍に停止を命じると軍を三軍に分け、左右の二軍を円を作るように展開させた。

敵の戦法はおそらく一点突破である。それが砂漠の民の基本的な戦い方だからだ。この突撃を中央の騎士団で受けとめて、左右に展開した民軍と傭兵隊で敵軍を包みこもうという作戦だ。作戦の成否は騎士団のふんばりいかんにかかっているが、カシューは自ら率《ひき》いるこの部隊に絶対の信頼《しんらい》を置いていた。

敵はカシューの軍が止まったのを気にせず、そのまま一直線の隊形で馬を進めてくる。

カシュー軍の防戦態勢が整わないうちに、陣形を分断させようとの試みであったが、戦慣《いくさな》れしたカシューの軍はその怒濤《どとう》の進軍にもひるむことなく、隊列を整えることだけを急ぐ。

中途半端《はんぱ》な態勢で戦うのは、いたずらに兵を消耗《しょうもう》するだけであると、カシューは判断したのだ。

「来たぞー!」戦の声があちらこちらで上がる。敵の勢いを止めるために、後陣《こうじん》の騎士たちはまず長弓で矢を射かけた。

長弓から放たれた矢は、見事な放物線を描《えが》いて敵陣に突きささる。先頭付近で何人かが矢をまともに受けて転がり落ちる。

続いて二の矢が放たれ、また何人かの敵兵を射落とした。

が、そこで騎士団は弓を捨てねばならなかった。それほど敵の動きは迅速《じんそく》だったのだ。

第一陣の騎士たちは敵の進路を塞《ふさ》ぐように左右に馬を操りながら、騎兵槍《ランス》を構えて敵の突進を受けとめようとする。

普段は突撃隊として敵陣に飛びこむことが彼らの任務だったが、今は逆に敵の勢いを食いとめるために配置されている。

がつっ、というような鈍《にぶ》い音があちらこちらで響《ひび》く。

敵の兵士は鎧《よろい》を着ていないので、ランスの一撃を与えるだけで、かんたんに戦闘力《せんとうりょく》を奪《うば》うことができる。ランスに突かれて、敵の兵士が真っ赤な血を噴きだしながら絶命していく。

しかし、最初の一撃をかわされ懐《ふところ》に飛びこまれた騎士は、武器を持ちかえる暇《ひま》もなく、敵の反撃を受けて倒《たお》れていった。

すかさず第二陣、第三陣から剣を振りかざした騎士が味方の援護に入る。

中には敵の馬に自らの騎馬をぶつけて敵の足を止める騎士もいた。

この捨て身の戦法は敵軍よりも味方の騎士団のほうに被害《ひがい》が大きかったが、それでも当初の目的どおり敵の出足を完全にくじくことができた。

しかも、そのあいだにも左右に広がった傭兵隊と民軍は、敵軍を完全に輪の中に閉《と》じこめようとしていた。

そして、その包囲陣は完成した。

作戦は完全に成功したのだ。

パーンはカシューの作戦をみごとだと思った。そして、大剣《グレートソード》を振りかざしながら、敵陣の中央に向かって突っこんでいった。すでに敵の退路は断っている。乱戦になることは間違《まちが》いない。

そして、乱戦になればなるほど、大規模な魔法《まほう》は使いにくいものなのだ。

（敵には炎《ほのお》の精霊《せいれい》が味方にいる）そのことを忘れては戦に敗れる、パーンはそう確信していた。

スレインやディードリットと旅をし、カーラという古代王国の魔女を追いかけてきたからこそ、魔法使い相手の戦い方もパーンは心得ている。

「ていっ！」パーンの気合いが響く。

カシューから与えられた魔法の大剣はその長さのわりに軽く、たやすく振るうことができる。狙《ねら》った相手の戦士は剣を立て、それを受けながそうと試みるが、パーンの太刀筋の勢いを殺《そ》ぐことができずに、頭に致命傷《ちめいしょう》を受けて馬から転げ落ちていった。

（次だ）パーンは後ろを振りかえらずに、ひたすら前方にだけ注意を向けた。

次の兵はパーンの振るう大剣をかろうじてかわしたが、そのため間合いをつめることができずに、パーンの動きを止められなかった。

あきらめて、次の相手を探そうと振りむいたとたん、その首が身体《からだ》を離《はな》れて宙に舞っていた。

戦斧《バトルアックス》の一撃が見舞われたのだ。

「やるじゃねぇか、新入り」例のマーシュとかいう巨漢の戦斧使いがニヤニヤ笑いを浮かべながら、パーンの隣《となり》に馬を寄せてきた。「若いが実戦なれしている。それにその剣さばき、正規の訓練を受けたこともあるな」

「戦闘《せんとう》の間に、無駄話《むだばなし》をしていると後悔《こうかい》もできなくなるぞ」パーンはニヤリと笑って、マーシュに答えた。

次のパーンの相手は楯《たて》を持っていた。しかし、パーンはあえてその楯をぬこうとはせず、かえってその楯を狙って強く打ちつけるように剣を見舞った。

その戦術は功を奏した。相手は剣の勢いに負け、バランスを崩《くず》して馬から落ちていったのだ。

下は砂なので命に別状はなかろうが、騎兵戦で馬から落ちれば、まず無事ではいられまい。

チラリとマーシュに視線をやると、彼は無造作とも思える斧《おの》の一撃で、一人の敵兵の新月刀《シミター》をぶち折り、頭を砕《くだ》いていた。

ドロリと青白いものをしたたらせ、その戦士は馬の首に倒れこんだ。

自分の体力を計算に入れた上での戦いぶりであった。

(みごとなものだ)パーンはマーシュに軽く剣先を振って合図を送った。(もっとも、体力を使いすぎるから戦が長引けば不利になるが……)

「勢いを止めずに、このまま敵陣を駆けぬけてしまおう」

「引きかえすより、安全だわな」マーシュは答えて、戦斧を片手で振りまわしながら次の敵を求めた。

一方、中央での戦いも激《はげ》しいものだった。

敵の勢いを止めることはできたものの、騎士団の三陣目までは破られ、カシューは自ら敵兵と剣を交えねばならなかった。

もちろん、親衛隊の騎士は王を守ろうという努力はしている。しかし、次々と押し寄せる敵兵に飲まれ、思うように王の援護ができない。

もっとも、カシューに援護の手が必要とはとても見えなかった。彼は襲《おそ》ってくる敵の戦士の動きを冷静に見ながら、ほとんど無駄な動きもせず、相手を打ちたおしていく。彼の持つ、魔法の剣は太陽の光を受けて白く輝《かがや》き、犠牲者《ぎせいしゃ》の身体《からだ》をいとも簡単に切断してしまうのだ。彼の動いたあとには、かならず何体かの敵兵の屍《しかばね》が残されていた。

その死神のような戦いぶりに敵兵は恐れ、そして味方の士気は上がった。

「してやられたな」

ナルディアは最初の思惑《おもわく》をみごとに破られ、感心するようにフレイム軍の動きを観察していた。彼女の近くまで敵兵が押し寄せてきているのが、手に取るように分かる。激しい動きと剣の打ちあわされる金属音がはっきりと聞こえてくる。

見れば、完全に周囲を囲まれている。

敵が円を描《えが》くような隊形を取ろうとしていたのは、気がついていたのだが、正面の騎士団を突破できると過信したのだ。

ナルディアの判断の誤りである。

族長と誰《だれ》かが叫《さけ》ぶ声が聞こえたが、その声の主が誰か確かめることはできなかった。

ナルディアは冷静に敵の包囲網を観察した。

自分たちが進行してきた方向、つまり炎の部族の軍にとっては後ろにあたる部分が、敵陣の輪の厚さがいちばん薄《うす》く、突破しやすいように思える。

「いちばん弱いのは後ろである！　鐘《かね》を鳴らして、合図をしろ！　一度兵を引き、守護神の力を借りる！」

ナルディアの号令とともに、鐘の音がいくつも鳴りひびく。

その音を聞いて、炎の部族の軍勢は方向を転じ、フレイム軍の包囲を破って、引き返そうと試みる。

「アズモ！　守護神の力を」

「心得ております」神官から答えが返ってきた。

声をかける時も、ナルディアはアズモと呼ばれる男の顔を見ようとしない。

「盟約に従いて、我に力を貸しあたえよ！　偉大なる守護神よ。猛《たけ》き炎の王よ！」

乱戦の中を炎の部族は馬を進めた。敵の包囲網をぬけることはそう簡単なことではない。

しかし、フレイム軍のほうも乱戦になってしまっていたため、統制を欠いていた。

各隊の隊長らは、逃げようとする敵の追撃を命じたのだが、あいにく兵士たちは目の前の敵兵を討《う》ちとるのに夢中《むちゅう》で、その命令も耳に入らないようだった。

この戦にはもはや勝ったとの慢心《まんしん》が、冷静な判断を狂わせたのかもしれない。

それが致命傷《ちめいしょう》となる。

逃げおくれた兵士もかなりの数にのぼったが、この犠牲がかえってフレイム軍の追撃を遅《おく》らせる結果につながったのは、ナルディアにとっては幸運だった。

もっとも、フレイムの傭兵隊の一部だけが、後退する炎の部族の軍に後れをとることなく追撃を続けている。傭兵たちは皆かなりの使い手のようで、炎の部族はまだ押されている様子だった。

しかし、フレイムの主力と距離《きょり》を保つことはできた。

見れば、敵軍は逃げおくれた兵士を虐殺《ぎゃくさつ》しつづけている。ナルディアの胸が怒りに震《ふる》える。

「アズモ、敵を皆殺しにしろ！」ナルディアは叫んだ。

フレイム軍は逃げおくれた兵士をおおかた討《う》ちとったのか、ようやく追撃に移ろうとしていた。

その目前に、ぼうと赤い塊が浮かびはじめる。

サラマンダーだった。

それを見て、フレイム軍のあいだに、動揺《どうよう》が駆けぬけた。そのため、また追撃のタイミングが遅れる。

「ひるむな！　一気に駆けぬけろ！」カシューの号令が響《ひび》く。

彼は味方の追撃が遅れたことに激《はげ》しい苛立《いらだ》ちを覚えていた。自分の思いどおりに軍が動かないのが、もどかしいのだ。

彼は自ら軍の先頭に立って馬を進めると、ゆっくりと形を取りはじめる炎の精霊《せいれい》に向かって突っこんでいく。

そして、魔法の長剣を一閃《いっせん》し、一匹《ぴき》のサラマンダーの胴《どう》を両断する。

だが、他の兵士の剣はみな、魔法の剣ではない。精霊を切ることなどできないのだ。

結局、サラマンダーを見てひるんだのが、命取りになった。サラマンダーたちは完全に実体を現わし、かっと口を開くと、猛然《もうぜん》と炎を吐《は》きはじめたのだ。

先頭を走っていた者が、次々と炎に焼かれ、転げおちる。カシューも一匹に背中を焼かれかけたが、それに気がつくとすばやく馬を操り、そのサラマンダーの横にまわりこみ、上からの一撃で仕留《しと》めた。

だが、彼のまわりで新たに数匹のサラマンダーが実体を取りはじめた。

「間に合わなかったか」カシューは歯噛《はが》みした。見れば、味方の軍は完全に混乱している。あきらかに浮き足だっていた。

やむをえん！　敵陣に傭兵隊の一団が取りついているのが目に入ったが、このまま無理に突撃しても、被害《ひがい》が増えるだけだろう。

カシューは馬の腹に蹴《け》りを入れ、全速力で自陣《じじん》に取ってかえした。彼の横を数本の火線が通りすぎていったが、幸運にもその炎は彼の身体《からだ》には当たらなかった。

もっとも、背中が痛んでいるので、おそらく火傷《やけど》をおったのだろう。二番目のサラマンダーが吐いた炎の息をかわし切れなかったに違いない。

　引き返して来るカシュー王を、蒼白《そうはく》な顔でシャダムが出迎《でむか》える。

「無理をなさらないでください。寿命《じゅみょう》が縮《ちぢ》むかと思いましたよ」

「心配したとおりだ。魔法に慣れていない分、味方の足が出遅れた」カシューは悔《くや》しそうにうめいた。「こちらにも魔法の使い手がいればな」

　注意を背後のサラマンダーに向けると、彼らは一度姿を消して、また近くで実体化しようとしていた。

「勝てませぬな」身体を寄せてきて、ささやくようにシャダムは言葉をかけてよこした。

「勝てぬな」カシューもそれを認めないわけにはいかなかった。

　その時、遠くで悲鳴が上がった。軍勢のまんなかに炎の塊が姿を現わし、それが巨人《きょじん》に変わろうとしていたからだ。

（エフリートか！）カシューはそれを見て反射的に叫んでいた。「全軍退け！　息の続くかぎりブレードの街に向かって馬を走らせろ。いらん小細工《こざいく》はするな。まっすぐ後ろを向いて駆けろ！」

　勇敢《ゆうかん》であるがゆえに、犠牲となった傭兵隊の戦士たちのことを思うと心が痛むが、彼らを助けだそうとすれば、味方は致命的な痛手を負いかねない。

　チラリと後ろを振りかえってカシューは彼らの最後の姿を目に留めようとした。

　そして、彼らの中にパーンの姿を認めて愕然《がくぜん》となった。

（パーン……）

「カシュー王、お早く」シャダムの声が聞える。

自分が先頭に立って逃げてこそ、整然たる撤退《てったい》が行なわれるのだ。それを痛いほど知っているカシューであった。

（すまない……）

悔恨《かいこん》の念が彼を包む。しかし、パーンの運命を変えることはもはや彼にはできない。

（どうでもいい、生きのびろよ）カシューは胸の中でパーンに呼びかけていた。

それは祈《いの》りにも似た心の絶叫《ぜっきょう》だった。

3

パーンは戦の状況《じょうきょう》を見極められなかった自分を呪《のろ》っていた。

「味方が大勢として押しているか、押されているかの判断をつけることが大切なのだ」先のマーモとの決戦の時にカシューが言った言葉が思いだされる。が、すでに手遅《ておく》れだった。パーンは判断を誤ったのだ。

敵軍が態勢を立てなおさぬようにと、逃げようとする敵軍を追撃するように、パーンたちは馬を進めたのだ。しかし、乱戦には強いものの、魔法が介在した戦いに慣れていない砂漠《さばく》の民は、追撃のタイミングを完全に失っていた。

見れば味方の軍はすでに退却《たいきゃく》しようとしている。

その判断は間違《まちが》いではない。もはや、敵の魔法は完成していた。このまま戦場にとどまっていれば、いたずらに犠牲者《ぎせいしゃ》を増やすだけだ。

それにしょせんは傭兵隊《ようへいたい》、犠牲もやむをえぬという考えがあってもおかしくない。また、それを承知の傭兵稼業《かぎよう》である。取りのこされたと文句を言うこともできない。

(もしこれがヴァリスの聖騎士《せいきし》なら、ここで死ぬまで戦って味方を逃すための捨《す》て石《いし》となることを考えるだろう)

しかし、パーンは、今、死ぬわけにはいかないのだ。やらねばならないことがある。ウッド・チャックを救い、カーラをこのロードスから葬《ほうむ》りさらねばならない。

そして──、さびしげな瞳《ひとみ》でこちらを見るエルフ娘の顔がふと頭に浮かんだ。

(ディード)

パーンは隣《となり》で荒い息をつきながら戦斧《バトルアックス》を振りまわしているマーシュのほうに馬を寄せていった。

「このまま、四方に散って逃げよう。運の強い奴《やつ》は逃げられるだろう。敵だって、こんな少数の兵を追って、軍を四散させる愚《ぐ》はおかさないと思う。逃げながら他の者に呼びかけてくれ」

「なるほどな。無駄《むだ》に死んでも金は入らねえ。まったく、あの国王も案外だったな。魔法を恐れては戦《いくさ》に勝てないことぐらい、兵に教えておけばいいものを」

もっともな意見だとパーンは思ったが、話で聞くのと目で見るのとでは魔法の恐ろしさはまったく違う。

確かに聖騎士団だったなら、魔法など恐れなかっただろう。彼らの中には至高神《ファリス》の神聖魔法を使う司祭級の男もいる。まして、彼らは正義のために死ぬことを名誉《めいよ》とするのだ。たとえ勝てぬと分かっている相手でも、決してひるむことはない。

「それを今、言っても仕方がないからな。それより今言った件よろしく頼むぜ。傭兵だからって、死んでもいいという法はない。──それじゃあ、運があったらブレードの街で会おう」

「おうっ。そのときは、酒をおごれよ」

「約束しよう」

二人は一度顔を見合わせて、そして左右に散った。

「傭兵隊の者、皆退け！　ばらばらに逃げるんだ。命の続くかぎり、馬を走らせろ。余計な敵兵にかまうな。ファリスの加護を信じよ！」パーンは絶叫《ぜっきょう》しながら、戦場を駆《か》けぬけた。

そして彼はあえて敵陣《てきじん》の厚いほうを逃げ場所に選んだ。他の傭兵たちが手薄《てうす》なところを目指すと思ったからだ。散開して逃げなければ何の意味もない。

（ファリスの加護を信じよ、か）

それは陳腐《ちんぷ》な言葉だった。なぜなら、ファリスの名前は退くときには決して使われないからだ。

パーンはファリスを心の底から信じたことはなかったのではないだろうかと、このごろ思うようになっていた。彼が信じていたのは、親友エトの優しさをともなった強さと、そして思慮《しりょ》深い信念だった。

彼は必要なときには嘘《うそ》をつくこともあった。それで相手が救われると信じるならば……。しかし、それはファリス神殿《しんでん》の定めた掟《おきて》には反することなのだ。

「神は我々の心をご覧になられるだけだよ。いかに立派《りっぱ》な行動であれ、心によこしまな考えがあっては決してお認めにならない。反対に自分が本当に善だと信じて行なったことならば、たとえそれが神殿の定める掟に反していても、神は決してお見捨てにはならないさ」と、エトはパーンにそっと言ったことがある。

それは父テシウスの噂《うわさ》について、パーンが悩《なや》みをもらしたときだった。

もちろん、聖騎士たちの勇気は本物である。彼らはファリスの定める正義のために戦い、そしてそのために死ぬ。

(今のオレにはそんな真似《まね》はできない)パーンは心からそう思った。

パーンはこれまで、心の中では自分のことを聖騎士だと考えていた。

しかし、それはもはや違《ちが》うということを教えられた。たとえ、ファリスの名前を唱《とな》えたとして、真似《まね》のできない魂《たましい》がある。オレは今、己《おのれ》の目的のために戦っている。ファリスの正義のためではない。

敵と切りむすぶ回数は極端に少なく、ほとんど一直線に彼は馬を走らせている。向こうにもうひとつ敵の集団がいたが、それさえぬければあとは無限に広がる砂漠である。砂丘《さきゅう》に身を隠《かく》すように移動すれば、もしかしたら逃げのびられる可能性だってある。

そのとき、向こうの一団から一人の戦士が進みでてきた。

その姿をチラリと眺めて、パーンは息を飲んだ。

相手は女性だったのである。

ナルディアは、少し離《はな》れたところで善戦する敵の傭兵たちのうち、大剣《グレートソード》を持った若い戦士に、奇妙《きみょう》にひきつけられるものを感じていた。砂ぼこりを舞いあがらせながら、たくみに馬を操《あやつ》り、そして大剣を振るう。かなりの手練《てだ》れと見えた。正規の訓練を受けたことがある剣の運びだった。

他の傭兵たちとはまったく戦い方が違うのだ。邪念《じゃねん》が見られないとでも言おうか。常にまわりの様子に気を配りながら、仲間に犠牲者が出ないように細心《さいしん》の注意を払《はら》っている。

そして、彼が仲間に撤退《てったい》を呼びかけながら、こちらに向かって馬を進めてきたとき、彼は確かにファリスの名前を唱えた。

それは傭兵の唱える名前ではない。

傭兵たちの中には戦の神《マイリー》を信じる者はいる。自らの幸運と大金が入ることを願って幸運と商売の神チャ・ザの名前を唱える者もいる。しかし、ファリスの信者だけはいないはずだ。傭兵はファリスの定める正義とはあきらかに反する職業だからだ。

しかも、彼の持つ大剣《グレートソード》！

それは刃から魔法のオーラを発していた。照りつける日差しを受けて、反射する光に混ざって、ひときわするどい白光《はっこう》を放っている。一介の傭兵が魔法の剣など持っているはずがない。

「あの男、ヴァリスの聖騎士なのか」ナルディアはそう判断したのだ。

この戦いにヴァリスの騎士が参加している。

それは無視するわけにはいかないことだった。だから、その男が自分たちの方向に馬を走らせてきたとき、ナルディアも反射的に馬を進めていた。

相手の戦士に魅入られたと言ってもよかったかもしれない。

まわりの者が制止する声もまるで耳に入らなかった。

側近のうちの何人かが、馬を進めようとするナルディアの前を塞《ふさ》ごうとした。

ナルディアは側近たちに「邪魔《じゃま》をするな！」と激《はげ》しく言いすてて、結局パーンの前に進みでてきたのである。

「これは、一騎打ちである。決して邪魔をするな」ナルディアは声高く宣言した。

そして、愛用の新月刀《シミター》を抜いて、意匠《いしょう》の凝《こ》らされた半円の楯《たて》を構える。

ナルディアは幼いころから剣の訓練を受けている。砂漠の民を率《ひき》いる者として強くなければならぬ、彼女の父親はそう言って、容赦《ようしゃ》なく彼女に剣の稽古《けいこ》をつけた。彼女の身体《からだ》にはその時つけられた刀傷がいくつも残っており、そこだけは白く身体に刻みこまれたままだ。

「そこの戦士！　わたしは炎の部族の長ナルディアである。わたしと勝負なさい！」

パーンは進みでてきた敵の女性の姿を唖然《あぜん》として見つめていた。

相手はパーンに一騎打ちを望んでいるのだ。

「なぜだ？」パーンは思わず叫んでいた。しかし、そのまま相手から逃げるにはパーンはまだ純粋《じゅんすい》すぎた。

一騎打ちに応じれば、もはや逃げだしている暇《ひま》はない。

しかも、相手は炎の部族の族長だという。もし、勝とうものなら、敵は何があっても追いかけてくるに違いない。

しかし、負ければ当然ながら、そこで一巻の終わりだ。

もはや、彼に助かる道はないのだ。

（ディード、すまない）

彼は胸もとに両手を運んで、大剣を眼前に立てて、正式な一騎打ちの礼を取った。

それは聖騎士団で最初に教わった儀礼《ぎれい》である。

女とはいえ、敵の族長である。あなどれぬ相手と見えた。身体《からだ》の運び、剣の構え方。それらの一挙手一投足《いっきょしゅいっとうそく》がパーンの心に警告を投げかける。

(やはりヴァリスの聖騎士か)

相手が答礼を返してきたのを確かめて、ナルディアは馬を右にまわした。パーンは馬の腹を両足で強くはさみ、身体を固定したまままっすぐに相手との間隔《かんかく》をつめる。

(切れるか、女を?)パーンは自問していた。

正直言って自信がなかった。彼はこのごろはディードリットが戦場に出ることさえ嫌《きら》う。女は家にいて、子供を産み育てるものだとの古い偏見《へんけん》すら持っている。アラニアの田舎街《いなかまち》では少なくともそうだった。ヴァリスでも女性は騎士叙勲《じょくん》を認められない。

二人は斜《ななめ》に対峙《たいじ》した。

パーンは右から相手の武器を狙《ねら》って最初の一撃を放った。細い新月刀《シミター》にまともに当たれば、刃を砕《くだ》くことはたやすいはずだった。

しかし、相手はその攻撃を受けとめたあと、たくみに剣を反《そ》らせてパーンの剣の勢いを完全に殺《そ》いでいた。

パーンは自分の振るった剣の勢いで、体勢を崩《くず》さぬように、剣先を大きく弧《こ》を描《えが》かせながら、もとの体勢に戻《もど》す。

そのすきを突いて、向こうが間合いをつめてきたのに対し、パーンは馬を左にまわして距離《きょり》を保とうとする。間合いをつめられれば、シミターの距離になるからだ。

相手のシミターが縦《たて》に振りおろされてきた。

パーンは上半身を横に振って、その攻撃をかわし、敵に第二撃を与えさせないための牽制《けんせい》に大剣をなぎ払うように真横に振るう。

ナルディアはそれを、身体《からだ》をひねって半円の楯《たて》で受けとめた。

パーンはそのために、無理なく剣を引いて次の攻撃の機会をうかがうことができた。

しかし、相手はパーンが剣を引くタイミングに合わせて、さらに間合いをつめてきていた。

長い武器の利点と欠点とをよく心得た戦いぶりだった。

後ろに下がっても間に合わないとパーンはとっさに判断して、逆に相手の剣に勢いがつかないあいだを狙って自らも距離をつめていった。

どうっ、と馬がぶつかり合って、パーンの肩当《かたあ》てにシミターの剣の根もとがにぶく当たる。

硬皮《こうひ》の肩当ては簡単に切り裂《さ》かれ、パーンの肩に痛みが走った。しかし、その傷は決して深くはない。

ナルディアが楯でパーンの動きを止めようとするのを無視して、パーンは自分の馬から倒《たお》れこむように、相手に身体をぶつけていった。大剣の刃が相手の左腕を偶然《ぐうぜん》にも切りさいたが、それはたいした手傷にもなっていないだろう。

そのとき、パーンの目の前を一瞬《いっしゅん》黒いものが覆《おお》った。

彼女の髪《かみ》を押さえていた銀製のリングが飛んで、布の下から黒い髪の毛が流れでてきたのだ。

バランスを失ってナルディアは馬からあおむけに転がりおちる。

砂が彼女の身体《からだ》を受けとめてくれたが、背中を打った痛みでしばらくは息ができなくなり、彼女は小さく喘《あえ》いだ。

その彼女の身体の上に、支えを失ったパーンが転げてくる。パーンがうまく状況《じょうきょう》を利用して、相手に身体を被《かぶ》せるように落ちていったのだ。

落下したときに、パーンは足を強く打って顔をしかめたが、その痛みを無視して腰から短剣《ダガー》を引きぬいた。

そのままうめいているナルディアの身体に馬乗りになり、彼女の喉《のど》もとに短剣を押しあてる。

彼女の白い衣服にパーンの肩からしたたり落ちる血がしみとなって広がっていった。

「オレの……勝ちだ」パーンは息をきらしながら言った。

そして、ナルディアは顔を上げて、パーンを睨《にら》みつけていた。

黒い瞳《ひとみ》が豹《ひょう》を連想させる。日焼けした肌《はだ》に、黒く染めた絹糸《きぬいと》のような髪の毛が何本か流れて、張りついていた。そして、目の細かい砂漠の白い砂が、星のように彼女の頬《ほお》にいくつも輝《かがや》いている。

美しい、とパーンは素直《すなお》に思った。

宮廷《きゅうてい》婦人たちの上品な美しさとは違《ちが》う。

ディードリットの少女の面影《おもかげ》を残したような清純な美しさとも違う。

それは、知性と強い意志を秘めた野性的な美しさだった。

まさに、炎のもつ激しさと強さを感じさせるものだ。

「わたしの負けのようだな。殺すかそれともわたしを人質《ひとじち》にして、ブレードまで逃げのびるか」

さすがにその息は荒かった。

パーンは判断に迷った。このまま殺してしまうのは簡単だが、それはパーンにはできそうにもない。

いや、剣を交えている間ならば、はずみで切り倒《たお》すこともできたかもしれない。しかし、勝負がついてしまったあとでは、もはやそんな気にはなれない。

「やはり女は殺せぬか。ヴァリスの騎士よ」

パーンの一瞬の油断をついて、ナルディアの足が振りあがった。

それは激しくパーンの後頭部を打ち、パーンは前のめりに転んだ。

短剣がナルディアの皮膚《ひふ》を切りさいて、赤い筋が走ったが、パーンはとっさに短剣を引いていたので、それはほんのかすり傷ですんだ。

「危ないだろう」我ながらおかしな台詞《せりふ》だと思ったが、それ以外に言葉が浮かばなかった。一回転して、身体を起こしたところに波打った刃をした短剣を腰から抜いて、ナルディアが走りこんできていた。

「勝負はもはやついたんだぞ」パーンは無駄《むだ》だと思いながらも叫んで、相手の短剣の動きを注意深く追いかけた。

　そのときだった。

　パーンの背中が燃えあがった。サラマンダーの炎をまともに浴《あ》びたのだ。

　ぐう、とうなって苦痛に耐《た》えようとしたところに、ナルディアの短剣が迫っていた。かわそうとしたのだが、全身の神経が焼ききれてしまったかのように動かない。

「アズモ！」と叫ぶ彼女の声を聞いたような気がした。背中が焼ける激痛《げきつう》に負けて、意識が遠のいていくのが、パーンにはむしろありがたかった。

（苦痛が一度ですむのだからな）だから、パーンは短剣の痛みを感じないのだと思った。

　薄《うす》れいく意識の中で、ディードリットの涙《なみだ》まじりの顔が一瞬《いっしゅん》浮かんでふたたび消えていった。

　そして、パーンの意識は暗闇《くらやみ》に閉ざされた。

第Ⅲ章　救出！

1

カシュー王敗れる。

この知らせがヒルトの市民にもたらされた時、彼らは最後の望みが断《た》たれたかのように感じ、絶望の淵《ふち》に追いこまれた。

一方、カシュー軍の首都ブレードへの撤退《てったい》は、きわめてすみやかに行なわれた。戦に敗れたことを知らせるための早馬さえ、必要がないほどの手際《てぎわ》のよさだった。

戦に敗れはしたものの、フレイム軍はそれほどの痛手を受けたわけではない。騎士隊と傭兵《ようへい》隊《たい》の一部に大きな被害《ひがい》が出たぐらいである。犠牲者が増える前に軍を退いた、カシューの英断の成果だと言えた。

しかし、負け戦であることには変わりがない。ブレードの街《まち》に帰還《きかん》してきた兵士たちの顔は暗く、無事を喜ぶようなゆとりさえまったくなかった。

炎《ほのお》の部族はまちがいなく守護神であるエフリートを味方につけている。この事実がなにより衝撃的《しょうげきてき》だったのだ。

風の部族の守護神と伝えられるジンも、すでにカシュー王の手によって解放されている。しかし、その守護神は部族に力を貸してくれているわけではない。一方のエフリートはかつて古代王国の軍勢を寄せつけなかったという伝説そのままに、今や確実にフレイムにとどめをさそうとしているのだ。

「えーい、腹立たしい！」カシューは怒鳴《どな》りながら、脱《ぬ》いだ胴鎧《クイラス》をアーク・ロードの床《ゆか》に叩《たた》きつけていた。

激《はげ》しい音が響《ひび》き、側近の者がビクッと肩《かた》を震《ふる》わせる。カシューはめずらしく荒れていた。戦に敗れたこともさることながら、敵の炎の精霊《せいれい》たちが思った以上に手ごわかったことと、そしてパーンたち傭兵隊を見捨ててしまったことが、とげとなって彼の心に突きささっているのだ。

会議の間《ま》で戦《いくさ》の報告をするあいだも、機嫌《きげん》の悪さを隠《かく》そうともしなかった。

「そう、ご自分を責《せ》めなさいますな。聞けば、カシュー王のご決断見事というより他なく、軍は最少の被害《ひがい》ですんでおります。完全にわしらの命運がつきたわけではありますまい。むしろわしらには奴らの倍以上の兵力があり、このブレードの街を守りぬくのに何の支障もありますまい」

ムハルド老が気をつかって、カシューに慰《なぐさ》めの言葉をかけていた。

「分かっていますよ、老。しかし、もう少し兵に魔法に対する戦い方を教えておけばよかったと思うのです。敵が退こうとした時に、すみやかに敵兵を追いかけてさえいれば勝ちは我々のものでした。しかし、乱戦の中で逃げおくれた敵兵と戦うことに夢中《むちゅう》で、追撃の機会を失ってしまうなど、これでは野盗《やとう》の群と変わりませんからな」

「我らには騎士道精神などありませんので」シャダムが関心がなさそうに言う。

カシューがこのように感情を爆発させるのは、めったにないことだ。しかし、カシューとて人間である以上、感情を抑えきれない時もあるだろう。もともと、砂漠《さばく》の民は感情的な人間をそれだけの理由で嫌《きら》ったりはしない。感情に任せて行動することを戒《いまし》めないわけではないが、心の内を見せない人間より、よほど信用できると考える風潮《ふうちょう》さえある。

「オレだって、砂漠の部族が騎士道とは無縁《むえん》であることぐらい知っている」カシューは声の調子をやわらげて、シャダムに答えた。「我々はあくまで自由な部族だからな。しかし、戦においてはそれが命取りになることだってあるのだ。もっと、組織的な戦い方ができるよう訓練しておけば、みすみすパーン、いや傭兵たちを見殺しにせずにすんだのだ」

「まったくですな」シャダムは平然と答えた。「傭兵隊のほうが状況《じょうきょう》判断もよく、組織的に戦えたというのは確かに情けない話です。わたしは彼らに一度も組織戦など教えていませんからな。実戦なれした勘《かん》というもの、決して軽くは扱えませんな」

「オレの兵法もしょせん、実戦から会得《えとく》したものばかりだ。傭兵は様々な戦を経験している。

小規模な戦い、大規模な戦い、平野での戦い、山岳《さんがく》での戦い。もちろん、魔法使いが敵味方にいるような戦も経験していよう。だからこその傭兵であり、高い金を払って雇《やと》っているのだ。しかし、傭兵はしょせん、傭兵。金しだいでは敵にまわるかもしれん。やはり最後に頼みとなるのは、騎士団であり、そして民軍なのだ」

「御意。さっそく、魔法に対する戦術を考え、それを訓練することにしましょう。わずかな期間で上達するとは思えませんが、やらぬよりやったほうが納得がいきますからな。少なくとも後悔《こうかい》することはありますまい」

シャダムのいつもとまったく変わらぬ調子に、怒りを覚えないでもなかったが、むしろ拍子《ひょうし》ぬけしたような気分になり、それは任せると言って、カシューは会議の間から退出した。

大方の軍議はすでに決まっていた。

結局はこのままブレードにかまえ、敵が進撃してくるのを待つことに決したのだ。そして、決戦はブレードの街の中で行なう。乱戦に持ちこむためには、せまい路地を利用するにかぎると判断したからだ。

そのために市民にはいつでも街から逃げだせるように準備を整えよ、とのふれを出していた。同時に火の使用の制限を徹底《てってい》するむねも通達している。そのふれを見て、動揺《どうよう》する者もいるだろうが、市民を戦に巻きこんで犠牲者《ぎせいしゃ》を増やすよりはいいと、カシューは考えていた。

アーク・ロードの廊下《ろうか》を歩く音が、こうも虚《むな》しく響《ひび》くとは、カシューは今まで思いもしなかった。パーンを死なせたことは彼にとって予想以上に大きな損失であるようだった。

カシューは最初にパーンと会ったとき、その直情的なところに好感を抱《いだ》いたものだ。ところが、その若者は運命の波に揉《も》まれていくうちに急速に成長をとげていた。今では、パーンを配下として、いや仲間として欲しいと思っている。

しかし、もはやその望みは永遠に絶たれたのだ。

それも皮肉なことに、パーンだけがヒルトの戦いで正しい状況判断を下せたからなのだ。

その時、自分の足音を追ってくる気配がしたので、カシューは振りかえった。見れば、シャダムが足早に彼を追いかけてきていた。おそらく、カシューが去ったあと、簡単に会議をまとめて、部屋《へや》を出てきたのだろう。

カシューは立ちどまって、片腕《かたうで》と信頼《しんらい》する傭兵隊長がやってくるのを待った。

「国王陛下、お耳に入れねばならないことをひとつ忘れておりましたので」

シャダムは彼のそばによると、彼の機嫌をうかがうように顔をのぞきこんでから、うやうやしく頭を下げた。

「礼など不要だ。それより、さっきは取りみだしたところを見せてすまなかったな」

「魔法の大剣《グレートソード》を失われたことがお気に触《さわ》ったのでしょう。まったく、惜しいことをしましたな」

「まさか。オレはものには執着《しゅうちゃく》せんよ。大剣を貸し与えるにふさわしい男を失ったことがつらいのだ」

「ハハ、分かっております。そんなことだろうと思いました。陛下が感情を高ぶらせる時は、たいてい気に入った人間に何かがあった時ですからな。わたしを留守番《るすばん》にしてヴァリスまで飛んでいかれた時も、まったく風のごとき速さでしたからな。そして、いつまでたっても帰ってこられない」

「それは言ってくれるな。あの時のことはいろいろと後悔《こうかい》してもいる。いかなる理由があれ国王である以上、まず自分の国を大事に考えねばならん。だからオレのやったことは、国王としては完全に失格だったと思っている。ここに帰って来たときには、おまえに首でもはねられるかと覚悟していたぐらいなのだ」

シャダムは乾《かわ》いた笑いをもらした。

「まさしく、そうですな。しかし、それでも我らが王は、民から慕《した》われておいでです。そのことさえ、お忘れにならないうちは、民はあなたのなされることにどこまでもついていきますよ。それよりも、例の大剣を貸し与えた男――パーンとか言いましたな、その男について耳寄りな情報がありまして……」

とたんにカシューの顔が真剣《しんけん》な表情に変わった。いかなる動きも止めて、シャダムの言葉を待つ。

「なるほど、ずいぶんとご執心の様子ですな。情報といっても、わたしの配下の傭兵の話なのですが、実はパーンという男、生きているかもしれぬとのことなのです」

「それは本当か？」

「自分の目で確かめたわけではないので、絶対とは言いかねます。しかし、ある傭兵の言葉によれば、彼はナルディアと一騎打ちをしたさいに背後から炎の魔法で倒《たお》されたそうです。そしてその後、馬の背に乗せられて運ばれていったとのこと。敵の戦死者を馬に乗せて運ぶとは思えませんからな。生きている可能性が高いと、その者は申しているわけです」

カシューはあいかわらず身動きせぬまま、シャダムの言葉を心の中で検討していた。傭兵の言葉に嘘《うそ》はないだろう。嘘をついても、得になるような話ではないからだ。そして、その男の判断は間違《まちが》っているとは思えなかった。味方の死体はともかく、敵の、しかも一介《いっかい》の傭兵の死体をわざわざ馬に乗せて運ぶようなことをするはずがない。

ナルディアがなぜ、パーンを連れ帰ったのかまでは分からないが、パーンが目立つ男であることはあきらかだ。まして、目の確かな者ならば、彼の持っていた大剣が魔法を帯びていることぐらい、一目で見抜けよう。

噂《うわさ》では、ナルディアという女族長は非常に立派《りっぱ》な人物であると聞く。

カシューはこの新しい族長が、先代から仕えていた暗黒神《ファラリス》の司祭たちをすべて追放したという話を聞いて、この砂漠の二部族間の長い争いに終止符《しゅうしふ》を打つことができるのではないかと考え、休戦の使者を出したこともあった。

さすがにそれは他所者《よそもの》であるカシューのあまい判断であり、両者の争いの根の深さを痛感させられる結果に終わったが、それでもカシューはかつてほどの冷酷《れいこく》さで、彼らを駆《か》りたてることだけはしなくなった。

それが新たな力とともに反撃されたのは、彼の完全な誤算《ごさん》だったのだが……。

「なるほど、それは朗報《ろうほう》だな。あのエルフ娘に知らせてやろう。あの者、まるで魂《たましい》のぬけがらのようなありさまだが、この知らせを聞けばきっと元気になるだろう」

元気になるのはエルフの娘ばかりではないようですな、と心の中でつぶやいて、シャダムは彼のことなどもはや眼中にはないといった様子で足早に廊下《ろうか》を進むカシューの背を追った。

「それは、本当ですか」ディードリットは客間のベッドから立ち上がり、カシューの顔を見つめていた。

「ぬか喜びさせることになるかもしれん。しかし、死んだと決まったよりも、よほど明るい知らせと言えるだろう。本来ならばオレが自ら助けにいきたいのだが、さすがに王という立場ではそうもいかんのでな」

カシューは自分が部屋《へや》に入ったときには、このエルフの娘は死んでいるのかと思ったほどだった。それほどディードリットには存在感がなかった。生きようとする意志を失ったかのように、彼女はうつろな目を開いたままで、ベッドの端《はし》に腰を下ろしていた。

だが、今は永遠の生命に満ちたエルフらしく、彼女は全身から生気を放ち、動きにも躍動感《やくどうかん》が満ちあふれていた。

「そんなこと、陛下には頼《たの》みません。生きていると分かった以上、たとえあたしの命に代えてもパーンを救いだしてみせますわ」

「エルフの寿命《じゅみょう》と比べれば、パーンの命がどれだけ買えるか分からんがな。無理はするな。傭兵隊の中から特別報酬《ほうしゅう》を出して仲間を募《つの》ろうと思っている。彼らと協力していけ」

カシューはディードリットの明るい調子に胸の中につかえていたものが、消えていくような満足感を覚えていた。

「ありがたいお言葉ですが、一人のほうがかえって敵に見つからずにことを運ぶことができるでしょう。あたし一人なら、何とでもなりますから」

ディードリットは早くこの会話を打ちきりたくて仕方がない様子だった。おそらく、カシューらが去れば、すぐにでも飛んでいくつもりなのだろう。

「まあ、そう言わなくてもいいだろう。実は傭兵隊の中にもあいつを助けたいから暇《ひま》をくれ、と言っている者がけっこういてな。しかも、傭兵たちの中でも古株《ふるかぶ》の男ばかり。連れていけばきっと役に立つだろう。かつては冒険者《ぼうけんしゃ》として暮《く》らしていた奴《やつ》もいるから、隠密《おんみつ》行動も手慣れているはずだ。おまえの足を引っ張ったりはせんよ」

横から入ったシャダムの軽い言葉に、ディードリットとカシューが同時に反応して、彼の顔を見つめた。

二人のけげんな様子に動じることなく、澄《す》ました顔でシャダムは続けた。

「ああ、これは言っていませんでしたな。実は彼のお陰《かげ》で命が助かったという者が、傭兵たちの中にはかなりいまして。その内の一人が、危険を冒《おか》して彼の様子を最後まで見届けていたのです。で、その男の言うことには、パーンなる男は傭兵隊の仲間に撤退《てったい》を呼びかけながら、自らはおとりとなり、女族長との一騎打ちに臨《のぞ》んでいった様子で……まあ、そんなことがあれば敵の兵士は逃げる傭兵の追撃どころではなくなりますからな。それで、多くの傭兵が命拾いをしたということなのだそうです」

「バルディア（馬鹿）」それを聞いてディードリットは反射的にエルフ語で吐《は》きすてていた。

まだあの男は聖騎士根性がぬけていないのかしら、とも思う。他人のために自分を犠牲《ぎせい》にするな、とディードリットは何回パーンに言ったかしれない。傭兵仲間に慕《した》われることまで考えなくてもよいものを。だからいつまでたっても、彼女には心配の種が減《へ》らないのだ。

「まったく、たいした男だよ。聖騎士の鏡というところだな」

カシューも感心したようにつぶやいていたが、心の中では自己犠牲の精神が強すぎることを責めたい気持ちにかられていた。

「志願している傭兵は十人ばかり。しかし、これでは明らかに数が多すぎますからな。腕の立つのを三人、選んでおきましょう。金がすべての傭兵たちをただで動かすのですから、これはパーンという男の徳でしょうな。わたしに代わって傭兵隊を任せてもよいぐらいです」

「騎士隊長にならんかと誘《さそ》ったが断られたよ。傭兵隊の司令官でも、心を動かしはしないだろう」

ディードリットはもはやこれ以上は待てないという様子で、枕元《まくらもと》に立てかけてあったレイピアを取りあげて腰紐《こしひも》に結びつける。

「行くか。心から成功を祈っているぞ」カシューはディードリットの肩《かた》に手を置いた。

「もちろんよ。エルフは自分の仲間と認めた者を、決して見捨てたりはしないわ」

ディードリットはハイ・エルフである。彼女の生まれた村はこの世界の空間と時間から超越《ちょうえつ》したところに存在している。

その名を妖精界《ようせいかい》という。精霊たちの住む精霊界と人間たちの住む物質界、そのはざまに位置する世界である。

物質界に縛《しば》られて妖精界に帰る手段を失った他のエルフたちと、それが大きな違いだった。しかし、同時に他のエルフがこの世界で知り得たものからも、ハイ・エルフは無縁のまま遠ざかっていたのだ。

ディードリットはそれを知りたいと思い、妖精界を離《はな》れ、この物質界に出てきた。そこで彼女は、いろいろなものを見てきたつもりだった。パーンやギムに会ってからは、エルフであるという優越《ゆうえつ》の気持ちさえ捨てていた。特にパーンは、彼女が探しもとめていた答え——真実の木の葉の一枚——とさえ思っていた。

それはゆっくりとではあるが確実な滅《ほろ》びの道を歩んでいるハイ・エルフたちにとって、救《すく》いの手となるかもしれない、とディードリットは考えている。

その答えをここで、失うわけにはいかないのだ。

（あたしはパーンの生命力の強さを確信している。だから、絶対にパーンは生きているのだ）

生きているうちは、決してあきらめはしないとディードリットは心の中で誓《ちか》っていた。

選ばれた三人の傭兵は、ディードリットを紹介《しょうかい》されてかなり面喰《めんく》らったようだった。

パーンから彼女のことを聞かされていないためだが、事情を聞くうちに彼らが茶化《ちゃか》すような感じになってきたのは、上品とはいえない傭兵のこと、やむをえないだろう。

「救いにいくのがばかばかしくなってきたよな」傭兵の一人デニが頭の上で手を組んで、ニヤニヤ笑いを浮かべた。

「自分がもてないことをひがんでいるのかい。だったら、そのツラを別のと取りかえるこった。戦場にいけばどの死体だって、おまえのよりましな顔がついているからよ」

そう言って、ディードリットに頭を下げた男は、名前をシュードといいデニとは昔からの傭兵仲間だそうだ。

長い金色の髪《かみ》が、まるで宮廷《きゅうてい》婦人のように綺麗《きれい》に巻いている。顔もそれに見合うような整《ととの》った顔をしていた。

「女嫌《ぎら》いに言われる筋合いはねぇ!」と、デニは怒鳴《どな》りかえす。

そういえば、シュードはディードリットからいちばん離れた場所に立っている。彼女が近寄ろうとすると避《さ》けるような仕草《しぐさ》も見せていたので、ディードリットはひそかに気を悪くしていたのだが、デニの言葉を聞いてその機嫌《きげん》をなおした。

ずいぶん女性にもてそうな顔をしているのに、女嫌いとは不思議だった。よほど過去に悪い思い出があるに違いない。

シュードの武器は両手持ちの細剣《エストック》で丸い刀身の先が針のように鋭《するど》くとがっている。その頑丈《がんじょう》な細剣は硬《かた》い金属の鎧《よろい》に対しても十分な貫通《かんつう》力を持っている。ディードリットのレイピアとは違って優雅《ゆうが》さには欠けるが恐るべき殺傷力を持った実戦用の武器だった。

相棒のデニのほうは、お世辞《せじ》にも男前とは言えない顔立ちだった。そりあがった頭が、不気味でさえあった。まるで、人形のように無表情なのだが、鋭い光を放っている二つの目は、ディードリットを値踏《ねぶ》みするように観察している。

彼は左右の腰に小剣《ショートソード》を一本ずつぶら下げて、肩《かた》から吊《つ》るしたベルトには投げ矢《ダート》を六本ばかりさしている。もとから背が低いほうなのに、背筋を屈《かが》めて歩くためによけいに小男に見える。

しかし、その動きは、まったくぬけ目がなさそうだった。

もう一人の巨漢《きょかん》がパーンの一騎打ちの片がつくまで戦場にとどまりつづけたという男で、名をマーシュという。彼はディードリットに対して照れたような笑いを浮かべて、両手を差しのべて挨拶《あいさつ》したものだった。

「あいつも変わった趣味《しゅみ》をしているな」との第一声には、ディードリットはさすがにカチンときたものだが、べつに悪気があっての言葉とは思えなかった。

革のベルトをたすきにかけただけの上半身には、まるで食人鬼《オーガー》のような隆々《りゅうりゅう》たる筋肉が盛りあがっている。

両刃の戦斧《バトルアックス》を背中に背負っている様は、体格こそまるで違っていたが、なぜかギムを連想させた。

「さて、このメンバーであの色男を助けにいくわけだが、エルフのお嬢さんは足手まといにだけはならないようにしてくれたらそれでけっこう。あとはオレたちに任せてくれたらいい」

ディードリットは、そのマーシュの言葉にふたたび怒りを覚えたが、まあ彼ら傭兵から見たら、自分など子供よりも頼《たよ》りなく見えるのだろう。

「わたしにとっては、あなたがたのほうが足手まといにならないか心配だわ。大男さん。あなたの身体《からだ》はきっとブレードの街を出たとたんに相手に気づかれるでしょうからね」

「違いない」シュードはふくみ笑いをもらした。「エルフのお嬢さんはおそらく精霊と会話ができるんだろう。なら、いちばん頼りになるのは、本当にこの人かもしれないぜ」

「精霊魔法を使えるのか？」デニが相棒の顔を見て、驚《おどろ》いたような声を上げた。「それは本当に助かる。なら、黒《ダーク》エルフのように姿隠《すがたかく》しが使えるってわけだ。これは簡単にことが運ぶ」

黒エルフと一緒《いっしょ》にしないでちょうだい、とディードリットは抗議《こうぎ》の声を上げる。

「魔法使いってわけかい？　オレは魔法使いっていうと、杖《つえ》を持った痩《や》せこけた男しかいない、と思っていたんだがな。これからは耳のとがった奴《やつ》を相手にする時も、気をつけることにしよう」

「エルフと戦うことなど、まずないさ。今のロードスの混乱にもエルフの一族は無関心みたいだしな」

シュードはマーシュに答えて、そろそろ行こうかと声をかける。

すでに日は暮《く》れていて、あたりは闇《やみ》に包まれようとしていた。四人はそれぞれ馬に乗って跳《は》ね橋を渡り、ブレードの街中へと入っていった。

さすがに、外出している者は誰《だれ》もいない。また、火の使用を禁止されているので、どの家にも明かりはまったく灯っていない。

まるで、死の街と化したような静けさの漂《ただよ》う中を、ディードリットと三人の傭兵は、ゆっくりと馬を進めていった。

「占領下の街に忍びこむのは、なかなか骨の折れる仕事だぜ。何か、策は考えてあるのかい」

マーシュは、先頭を行くディードリットの背中に向かって声をかけた。

「あたし一人なら、それこそスプライトの守りで、難なく中に入れたでしょうけれど、あなたがた全員に姿隠しの魔法をかけるわけにはいかないわ。お互い同士も見えなくなって、混乱するだけだもの」ディードリットは振りかえって巨漢に答えた。

この男は正面から殴《なぐ》りこみにいくつもりだったのだろうか？

「オレはヒルトの街に流れこむ上水道が狙《ねら》いだと思う。あの街では砂の川から街中に運河を掘って水を引いているんだ。流入口には鉄格子《てつごうし》がしてあるんだが、その内の一本が外れていて、人が通れないこともないのさ。もっとも、マーシュには無理かもしれないがね」

「よく、そんなこと知っているなぁ」マーシュが感心したように言う。

ディードリットもこの男は頼《たよ》りになりそうだ、と思った。

「オレはもともとヒルトの守備隊だったからな……」謙遜《けんそん》したような感じで、シュードは答えた。

月明かりが彼の金色の巻毛を神秘的に照らしだしていた。本当に美形と呼ぶのが、ふさわしい男だった。

（まるで、エルフみたいだわ）と、ディードリットはふと思った。

「けっ、何を気取ってやがる。どうせ、敵に包囲されても逃げだせるように自分で細工《さいく》したんだろうが」いつの間にか先頭に立っていたデニが、そう言って唾《つば》を地面に吐《は》きかけた。

「それがいけないのかい」シュードが、むきになってそれに応じた。

なるほど傭兵にはいろいろな人間がいるものだと、ディードリットはあきれ顔で思った。

「それが傭兵隊長に知られないようにね。でも、それは役に立つ情報だわ。ヒルトを大まわりして一度川上に出ましょう。そこから川の底を潜《もぐ》っていけば敵に見つかることはないわ」

「ち、ちょっと待ってくれよ。オレは泳げねえんだ」マーシュが情けなさそうな声を出した。

「モス育ちだからよ」

「泳げなくても大丈夫よ。溺《おぼ》れないってことだけは保証してあげるわ」ディードリットはいたずらっぽく喉《のど》の奥《おく》から忍《しの》び笑いをもらすと、泣きそうな顔をしたマーシュに向かって片目をつぶってみせた。

「ど、どういうことだい?」

それは名案だと頭の中で作戦を組み立てながらディードリットは、そのマーシュの問いを無視した。無意識とはいえ、気に触《さわ》ることばかり言うこの男に対するちょっとした復讐《ふくしゅう》のつもりだった。

2

ファリス神殿《しんでん》の鐘《かね》が、何度も何度も連打されていた。

国王ファーンの葬儀《そうぎ》が、しめやかに行なわれようとしていた。二、三日前まではあれほど元気な姿を人々の前に見せていたのに、もはやその顔には生前の面影《おもかげ》はない。

列席する者もいつもとまったく違《ちが》う顔ぶれだった。

宮廷魔術師《きゅうていまじゅつし》のエルム、近衛《このえ》隊長のレオニスらの姿はもはやない。ヴァリスの武官のおもだったところは、あの激《はげ》しかった戦の中でほとんどが命を落としている。騎士の数も大戦前に比べると十分の一以下に減《へ》っていた。

パーンはファーン王の最期《さいご》を見届《みとど》けた唯一《ゆいいつ》の騎士だった。近衛隊の騎士が一人残らず戦死していたので、今はその代理として国王の棺《かん》を守る役目を仰せつかっている。

フィアンナ王女が真っ赤に泣きはらした目で行列の先頭にいる。

彼女のもの言わぬ後ろ姿に、パーンは責《せ》めたてられるような気になっていた。

ごーん、ごーん。

ふたたび鐘が連打される。今度はいつまでたっても、その音が鳴りやまなかった。

音はどうやら頭の中から響《ひび》いているようだった。たまらず、パーンは頭を抱《かか》えてその場に座りこんだ。

するとあたりの風景がしだいにぼやけ、そして暗闇《くらやみ》が覆《おお》いはじめた。

そして、次にパーンが光を取りもどした時、目に映《うつ》るものは石造りの天井とそしてそこから吊《つ》るされただいだい色のランプの光だった。

意識がしだいにはっきりしてくる。すると突然、背中に激痛《げきつう》が走った。

思わずうなり声を上げて、パーンは毛布を払《はら》いのけ上半身を起こしていた。

そして、口を開けて荒い息を何度もつく。

次々と記憶が呼びおこされてきた。

（オレは敵の女族長と一騎打ちをするはめになったんだ。その勝負には勝ったが、背中をサラマンダーの炎《ほのお》で焼かれて、そして短剣でとどめを……）

パーンは自分の身体《からだ》を見下ろした。上半身は裸《はだか》でそこにたすき状に包帯が巻かれている。しかし胸や腹には傷口らしいものはないし、痛みも背中にしか感じなかった。よく見ると肩口《かたぐち》には包帯の下に真綿が挟《はさ》みこまれているが、これは見覚えのある傷だ。

パーンは今の自分のおかれた状況《じょうきょう》をなんとか理解しようと、まわりを見まわしてみた。せまい部屋だった。寝かしつけられているベッド以外には、そまつな木製のテーブルしかない。その上にはガラス製の水差しがのっている。

「ここは……」自問してみたが、答えが見つかるわけがない。

考えられるのは二つである。一つは仲間が助けてくれたということ。もう一つは敵に捕《とら》えられたということだが、どうも様子では後者の可能性が強い。でなければ、きっとディードリットが隣《となり》にいるか、少なくともその気配が残っているはずだ。そうでないところを見ると、おそらく敵に捕えられてこの部屋《へや》に運ばれてきたのだろう。

「すると、ここはヒルトか？」

よく室内を観察すると、窓は手がまったく届《とど》かないところにつけられているし、それに鉄格《てつごう》子《し》がはめられている。入り口の扉《とびら》もしっかりと閉《し》められている。おそらく、外から鍵《かぎ》がかけられているのだろう。あきらかに軟禁《なんきん》状態といった雰囲気《ふんいき》である。

その時、扉の外側で人の動く気配がした。

「誰《だれ》かいるのか！」大声を出すと、また背中が痛んだ。

その苦痛に耐えながら厳《きび》しい目で、パーンは扉のほうを睨《にら》みつける。外であきらかに人の動く物音が聞こえてきた。誰かが走りさっていったようだ。それでも、まだ人の気配が感じられるところからもう一人見張りが残っているらしい。

やがて、三、四人ばかりの足音が近づいてくるのが聞こえてきて、パーンは立ちあがろうと身をよじった。

ガチャリと扉が開かれ、そして何人かの炎の部族の民があらわれた。その中にはパーンが一騎打ちをした当の本人であるナルディアの姿もあった。

「どうだ、傷のぐあいは？」

ナルディアは、戦場で聞いたときよりもいくぶん、穏《おだ》やかな調子で話しかけてきた。

着ている物もゆったりとした女物のチュニックである。麻布《あさぬの》は水色に染められ、裾《すそ》は足首のところまで届《とど》いている。長い髪《かみ》を一度頭の後ろで無造作《むぞうさ》にたばねてから背中に流している。

しかし、敵の族長であることは間違《まちが》いない。パーンは油断なく相手の表情をうかがい、その真意を読みとろうとした。

「いったい、どういうつもりでオレを助けた？」穏やかに言おうとしたのだが、つい語気が荒くなっていた。

「憎《にく》まれ口をたたけるぐらいなら、傷のほうは大丈夫のようだな。おまえはまる二日ほど眠ったままだったのよ」

「答えになっていないぞ。なぜ、オレを助けたのだ」

「自分の今いる立場が分からないのか。もう少し、捕虜《ほりょ》らしくすることだな」

そう言うと、ナルディアは彼女につきしたがう兵士のほうに向きなおって、席を外すように命令した。彼らは顔色を変えて、その命令に抗議《こうぎ》したが、もういちどナルディアが同じ命令を下すと、おとなしく従って部屋から出ていった。扉がガチャリと音を立てて閉《し》まる。

「あなたの名前は?」

部下がいなくなったとたんに、口調が女性らしくなっていた。族長という立場から、部下の前では意識的に男言葉を使っているのだろう。

「パーン」すねたように答える。

「なるほど、聖騎士らしい名前ね」ナルディアは意味ありげな笑いを浮かべながら、パーンの顔を見つめた。

「なぜ、それを?」誘導尋問《ゆうどうじんもん》されたのだと気がつかず、パーンは驚《おどろ》いて尋《たず》ねかえしていた。

「やはり、そうか」ナルディアの表情が固くなった。「それではヴァリスの聖騎士としての、あなたに聞きたい。なぜ、あなたがこの地に派遣《はけん》されたのか。今はヴァリスは国を守ることに追われ、フレイムに援軍を送ることなどできないはず。なのに、どうしてこの地であなたが戦っていたのか。また、あなた以外に何人の聖騎士が派遣されたのか。ヴァリスは、我らに戦をしかけるつもり？」

パーンはようやく自分が生きたまま捕えられた理由を理解した。

彼が聖騎士であることを何かの理由で知ったナルディアが、ヴァリスが動いているかもしれないと推測したのだ。もちろん、それはただの誤解《ごかい》なのだが——。

「答えは自然と分かるだろう。ヴァリスは聖なる至高神《ファリス》を信仰する国。おまえたちのような邪悪《じゃあく》な部族を許したりはしないからな」

「わたしの部族を侮辱《ぶじょく》する気か？」ナルディアの目が怒りに燃えて、その手が腰の新月刀《シミター》にかけられる。

「侮辱？　暗黒神《ファラリス》の手を借りるような部族が邪悪でないわけがないだろう。おまえたちの部族は罪もない乙女《おとめ》を邪神のいけにえに捧《ささ》げているそうじゃないか」

「それはわたしの父の代のことだ。わたしは暗黒神など信じてはいない。おまえはわたしが、部族の長に即位《そくい》したあと、闇《やみ》の司祭たちを追放したという話を知らないのか？」

その話は、カシューたちから聞いている。しかし、炎の部族といえば、暗黒神とつながっているという印象がどうしても拭《ぬぐ》いきれないのだ。

それにパーンの父親が死んだことにも炎の部族は無関係ではない。彼らがヴァリスに侵攻《しんこう》してこなければ、パーンの父、テシウスが見張りの任務に就《つ》くことはなかったわけだし、山賊《さんぞく》も村を襲《おそ》ったりはしなかっただろう。

炎の部族にはとにかく悪い印象しかないのだ。

「わたしはヴァリスとの争いを望んではいない。もともとは、この戦《いくさ》はこの砂漠《さばく》の居住権をめぐる我が部族と風の部族との戦い。他国に介入《かいにゅう》されるいわれはない。それなのに風の部族は外来の傭兵《ようへい》風情《ふぜい》を王にむかえ、神聖な戦いを汚《けが》そうとしている。正義がいずれにあるかはあえて言うまい。それは神がお決めになることだから。でも、わたしがこの戦いに勝利したあとには、ヴァリスとの友好は確約しよう。だから、ヴァリスにはこの戦から手を引いてもらいたい。ヴァリスは現在、もっと大事な問題を抱《かか》えているはず」

パーンはじっとナルディアの黒い瞳《ひとみ》を見つめた。

彼女の言い分にも一理ある。それに彼女の目からは、誠実さがうかがえる。この戦が二つの部族が生きるための戦いだとは、シャダムも認めている。ならば、いずれに正義があり、いずれに悪があるとも言えないのではないか。

しかし、カシュー王が炎の部族と戦わねばならないことにも変わりはない。パーンはカシュー王という人物が好きだった。騎士として仕えぬかと誘《さそ》われたときにも、ウッド・チャックの件がなければ喜んで彼に剣《けん》を捧《ささ》げていただろう。

カシューは正義を愛する王である。しかし、ナルディアもまた悪い人間とは言いきれない。

「あんたの話はオレにも分かる。なら、この国の二つの部族が共存できないのだろうか。二つの部族が協力して、土地を豊かにしていく努力さえすれば、たとえ貧しくてもなんとかなるんじゃないのか？　カシュー王はその努力をされているし、そしてそれに成功しつつある。土地さえ豊かになれば、二つの部族が争う理由なんて役に立たない古い伝説にしかすぎないじゃないか。確かにあんたらの祖先が五百年前に行なった裏切りは卑劣《ひれつ》だが、今の部族の人々に罪があるわけじゃない――」

「わたしたちの祖先が裏切り者だと？」また、ナルディアの顔が怒りでゆがむ。「本当の裏切り者は、風の部族のほうではないか。やつらの祖先こそ、二つの守護神を魔法の壺《つぼ》に封《ふう》じこめた張本人だ。わたしたちの伝説こそ、真実だ」

パーンは目を丸くして驚《おどろ》いた。彼女が嘘《うそ》を言っているように思えなかった。では、ムハルド老が嘘を言っていたのだろうか？　いや、そんなことはない、とパーンは思った。おそらくどちらかの伝説がゆがめられて伝えられているのだ。しょせん、伝説などそんなものだ。自分たちにとって都合《つごう》の悪い言い伝えなど残ったりはしないのだ。

「風の部族の伝説じゃ、あんたらが裏切り者ということになっているぜ。どちらかの伝説が間違いなのだろうが、オレにはどちらが正しいかなんて分からない。それに伝説なんか、もともといいかげんなもんだしな」

「違いないわね」ナルディアはパーンの言葉を聞いて微笑《ほほえ》んだ。「傭兵王も、今のあなたとまったく同じことを言ったわ。わたしが暗黒神《ファラリス》の勢力を追放したすぐあとに、使者を送ってきてね。伝説などどちらが正しいのか分からないものだから、つまらぬこだわりは捨てて、戦争を止めにしないかってね」

「なぜ、申し出を受けなかったんだ」パーンは素直《すなお》な疑問を口にする。

「カシューもあなたもしょせん外から来た者なのよ。砂漠の部族の気性を知らなさすぎる。もっとも、わたしも族長になって初めて知ったのだけれどね。世の中、理屈《りくつ》だけでそう単純には割りきれるものではないのよ」

「そうかもしれない。あんたも一族の長としての立場があるだろうからね。しかし……」

「わたしがあなたに望むのは！」ナルディアはパーンの言葉をさえぎった。「ヴァリスの指導者にわたしの気持ちを伝えてもらいたいということだけ。意見などしてもらわなくてけっこう。確実にヴァリスの指導者に伝えてくれると約束するなら、このまま国へ返してあげてもいいわ。もちろん、あの魔法の剣もお返しする。魔法の剣を持っているぐらいなのだから、あなたは神聖騎士団の中でもおそらく高い地位にいるはず。あなたの言うことなら、フィアンナ王女も尊重しよう」

パーンの中で一瞬《いっしゅん》黒い考えが浮かんだ。彼女が誤解《ごかい》をしているのはあきらかだ。それを利用すれば、このままフレイムに帰ることができるのだ。

だが、パーンにはそれができない。卑屈な真似《まね》をして生き残っても、残りの一生を後悔《こうかい》しながら送ることになるだけだ。

「じゃあ、まだ当分は捕虜暮《ほりょぐら》しのようだな」パーンは自分の正直さにあきれながらも、それをむしろ誇《ほこ》りたいと思った。「オレは確かに聖騎士だったが、それは昨年までのこと。今はただの傭兵としてフレイムに仕えているだけだ。だから、オレが何を言おうと、フィアンナ様は耳を貸されはしないだろうさ」

「どういうこと？」ナルディアの目が怒りに燃えあがる。

「つまり、あなたがオレを誤解していたってことさ。オレはオレの意志で戦っているだけだ。決してヴァリスに命じられたからじゃない。もっとも、いざとなれば、ヴァリスがフレイムに援軍を出すくらいのことは覚悟しておいたほうがいいぜ」

その言葉に嘘はなかった。パーンが知っているヴァリスなら間違いなくそうするはずだった。

しかし、今、ヴァリスは乱れている。先の戦でファーン王を失い、しかも次の王はまだ決まっていない。フィアンナ姫《ひめ》が王位を代行していると聞くが、彼女に適切な助言を与えるべき人間の多くも失われているのだ。

しかも、騎士と至高神《ファリス》の司祭たちとの反目《はんもく》は激《はげ》しく、現在のヴァリスを動かし、支えているものはファリス神に対する信仰だけというありさまなのだ。そして、その信仰の中心となるべきファリス神殿は、信仰の意味を忘れさってしまっている。司祭が世俗の権力を望んだとき、そこには堕落《だらく》が生まれるだけなのに。

「わたしをだましたのね！」ナルディアは今度こそ本当に怒った様子で、怒鳴《どな》りながら腰の新《シ》
月刀《ミター》を引きぬいた。

「だましたつもりはない。あんたが勝手に誤解しただけだ」

剣を向けられた以上、さすがにパーンも身構えないわけにはいかない。一歩後ろにさがって、
体勢を低くする。

「聞く耳もたぬ！　おまえの首をこの場ではねてしまってもいいのだが、一騎打ちの借りがあるからそれは容赦《ようしゃ》しよう。だが、この戦が終わるまで、この部屋から出られるとは思わないようにな。本来ならば、傭兵の命を救いわれなどないことを忘れるな！」

むきになって怒る様子に、初めてナルディアの若さがのぞいたように、パーンは感じた。よくよく見ると年齢《ねんれい》も自分とくらべてそう変わらないのではないかとさえ思える。

怒りで引きつったような顔がかえって愛らしく見えるのは、きっとこの女性の素直な気持ちが現われているからだ。文句を言うときのディードリットの表情が生き生きしているのと同じなのかもしれないと、パーンはふと思った。

「ついでにひとつ忠告させてもらうと、よい指導者とは努力してなるもんじゃないぜ。無理して背伸びをしないでも、民はきっとあんたについていくだろう。願わくば、この無意味な争いに平和な終止符《しゅうしふ》を打ってもらいたいもんだな」

「よけいなお世話だ！」

言いすてて、ナルディアは部屋を荒々しく出ていった。

外で話し声が聞こえてきて、いくつかの足音が去っていった。

一人になって、自分が囚《とら》われているのだという実感がパーンを襲《おそ》った。不安が心を締《し》めつける。考えてみれば、いつ首をはねられるかしれたものではないのだ。

しかし、ナルディアのことを思うと、その不安がいくぶんかやわらぐようにも思えるのだった。あの女性が族長であるかぎり、平和への道は残されているように思える。炎の精霊を使うことを許したくはないが、魔法を戦の手段として使うことは、べつに卑怯《ひきよう》ではないのだ。

そしてナルディアとカシュー王とが争っているという事実を考えると、パーンの心は痛むのだった。同じ六英雄の仲間だったファーン王とベルド皇帝が争わねばならなかったことをパーンは連想した。両者の戦いのかげには灰色の魔女《まじょ》カーラがいた。

（もし、おまえがこの戦いの糸を引いているのなら、オレは絶対に容赦《ようしゃ》しないぞ）

しかし、実のところカーラが今度の戦に関わっているとは思えなかった。パーンの知っているカーラのやり方は、直接手を下すのではなく、事件の背後に控《ひか》え、綿密な策略を幾重《いくえ》にも張りめぐらせることで自らの目的を達成させる。

（あのカーラが魔法を堂々と使うとは思えないからな。おまけに使うのは精霊魔法ときたもんだ）

不安を押し殺して、パーンはベッドに仰向《あおむ》けに転がった。背中の火傷《やけど》がベッドに触《ふ》れて、パーンは痛みに顔をしかめたが、それを我慢《がまん》して目を閉《と》じた。眠り疲《つか》れたためか、身体《からだ》はだるかった。

剣の稽古《けいこ》でもしたいところだと思った。

「ディード。心配しているだろうな」パーンはエルフ娘の顔を思いだしながら、彼女は自分が死んだと考えているのではないかということに初めて思いいたった。そう思うと胸がしめつけられるようだった。

しかし、自分が生きていることを伝える方法があろうはずがない。

こんなとき魔法が使えれば便利だろうなと、今度はスレインを思いだした。すると、なぜか一人の女性の顔が同時に浮かんできた。

「！」

パーンは、はっとして上体をふたたび起こした。自分がひとつ、大きなことを忘れていたことに気がついたのだ。

「そうか、オレはウッド・チャックにこだわりすぎてたんだ！」

パーンが叫《さけ》んだ時、扉《とびら》がもう一度不気味なきしみ音をさせて開いた。

「ほう、元気そうではないか？　若い戦士よ」

パーンはその男の声に、生理的な嫌悪感《けんおかん》を感じて、思わず身体《からだ》を固くした。手が無意識に腰に伸《の》ばされていた。

もちろん、そこに頼《たの》みとする剣はない。

男は皮肉っぽく笑って、そしてパーンの姿を見くだすようにながめた。砂漠の民には珍《めずら》しく赤い衣を身にまとっている。頭に巻く日除《ひよ》けの布も赤く染められている。肌《はだ》の色はどす黒く、たとえばナルディアの輝《かがや》きのある肌の色とは、まったく違った印象を与えていた。痩《や》せたほおには、ウッド・チャックと同じような傷があったが、それは火傷の跡《あと》のようだ。

ウッド・チャックについていた傷跡は刀傷だった――。

ライデンで出会った傭兵の話をパーンは思いだしていた。どうやら、こいつがナルディアの片腕らしい。カーラは――ウッド・チャックは、やはりこの地にはいなかったのだ。抑えきれぬ失望がパーンを包む。しかし、同時にそれはつい今しがた思いついたパーンの推測を肯定《こうてい》もしていた。

男は右手にたいまつを握《にぎ》りしめている。そして、パーンに炎の部族の神官、アズモと尊大に名乗った。パーンも、いちおう自らの名を言う。

「オレに何のようだ。話ならすでに族長にしたはずだぞ」

パーンは身体を起こすと、ベッドの向こう側に立ち、できるだけ男から距離をおくように気をつけた。男の放《はな》つ〝気〟に邪悪《じやあく》なものを感じるからだ。長年戦場の修羅《しゆら》場《ば》をくぐってきたパーンだけに、自然と危険を感知する能力のようなものが備わっているのだ。

「族長がおまえに何と言ったのかは知らぬが、すべては神官であるわたしの一存で決まるということを教えてやろう。わたしはこの部族の守護神の意志の代弁者なのだ」

男は不気味に口許《くちもと》をひきつらせていた。おそらく、笑っているに違いなかった。こんな不気味な笑いをパーンはいまだかつて見たことがない。

「まだ、命が助かったなどとは思わないことだ。すべての決定は守護神が下される」

「守護神だと？　おまえの意志ではないのか？」

男の態度も言葉もいちいちパーンの気に障《さわ》った。パーンは心の底から湧《わ》きあがってくる怒りに、傷の痛みすら忘れていた。

「憎《にく》まれ口は叩《たた》かぬほうが身のためだぞ。それより、族長との取りひきは失敗したようだな。さっき、廊下《ろうか》で出会ったがずいぶんと腹を立てていたぞ。まあ、あの女にはいい薬かもしれんがな」

「自分の族長にそんな口をきけるのか」

今の言葉も癇《かん》に障った。

「直接言ったりはせんよ。それが処世術というものだからな」アズモは意味ありげにパーンに笑いかけた。「だから、おまえも賢《かしこ》くふるまえばどうだ？　族長とは違い、わたしは間違《まちが》いなくおまえの自由を保障してやれるぞ」

「どうやって？」

パーンはその申し出を受けるつもりは、毛頭《もうとう》なかったが、この男がいかなる提案を持ちかけてくるものか、興味にかられそれを尋ねた。

アズモはそのパーンの言葉を誤解《ごかい》したのか、満足そうに何度もうなずいた。赤い衣が目障《めざわ》りにチラチラと動く。

「なあに、簡単なことだ。おまえはさっき、ナルディアと二人きりでいたろう。その時に、彼女に言いよられたと言ってくれればいいだけだ。そして、おまえはその申し出を拒絶《きょぜつ》したとな。族長の態度は、まさしくそのとおりに見えたからな。それだけを言ってくれれば、あとはわしがうまく計らってやろう」

パーンは、男の卑劣さに底知れぬ怒りを感じていた。この男は間違いなく悪である。戦いを終わらせるためにはかならずこの男を倒《たお》さねばならないだろう。

彼が何を企《たくら》んでいるのかはパーンとて分かる。この男はナルディアを失脚《しっきゃく》させようとしているのだ。そして、自らが族長の地位につこうとしているに違いない。その片棒を彼に担《かつ》げというのだ。

「なるほど、おまえは卑劣な男のようだな。オレがそんなことを承知するとでも思っているのか！」

「ふん、元気のよい小僧《こぞう》め！　そんな憎まれ口を叩いて無事にすむと思うなよ。おまえを守護神のいけにえとする神託をわたしが出せば、ナルディアがなんと言おうと、おまえの命はそれまでなのだから」

パーンは怒りに我を忘れて、あやうく男に飛びかかってしまうところだった。心を落ちつかせるため、深く息をする。

「まるで、おまえ自身が守護神のような言い方だな。おまえなどエフリートの力を利用しているだけの小物にすぎないくせに」

「黙《だま》れ！」

たいまつから、ぱっと炎の舌《した》が伸びてパーンの顔のすぐそばをかすめて通った。凄《すさま》じい熱気がパーンを襲《おそ》い、彼は思わず顔を伏せていた。

と、同時にパーンは男の激《はげ》しすぎる反応に驚いてもいた。自分の言葉がこれほど相手を怒らせるとは思ってもいなかったのだ。しかし、これだけの反応をするからには、なにか自分の言葉に真実があったはずだ。人間、自分の弱味をつかれないかぎり、そう腹を立てたりしないものだから。

いろいろな考えがパーンの頭をよぎった。痛くなるほど頭を働かせる。そして、ついに一つの仮定にパーンは行きついた。

(それを確かめなければ) パーンは平静をよそおい、アズモを見た。

「オレは知っているんだぜ。あんたがなぜエフリートを支配できるかの理由をね」

この言葉は賭《か》けだった。自分の推測がもしも本当ならば、かならずこの男は反応するだろうと思っていた。

「えーい、うるさい！　卑《いや》しい傭兵風情《ようへいふぜい》になにが分かるというんだ。エフリートを支配できるのは、オレ自身の力だぞ！」

激しい身振りとともに、アズモは精霊魔法の呪文《じゅもん》を唱《とな》えた。たいまつからふたたび火線が走り、パーンの顔をかすめる。

男の反応はパーンの予想どおりのものだった。

（やはり、そうなのか！）パーンは自分の立てた推測を確信した。

「今の言葉で寿命《じゅみょう》を縮《ちぢ》めたぞ、傭兵よ。おまえの処刑は三日後の正午との神託が下されたのだ。この決定を変えることは誰《だれ》にもできないものと知れ！」

（この男は危険だ！）アズモの心の中で警告が鳴りひびいていた。（この男は精霊について詳《くわ》しすぎる。ナルディアが、この男を捕虜《ほりょ》にしたのも偶然《ぐうぜん》ではなく、巧妙《こうみょう》な罠《わな》かもしれない。まさかとは思うが、あの女のことも、知っているのか？）

この男を生かしておくことは大きな災厄《さいやく》を招くことになるかもしれない。アズモはそう判断した。陰謀《いんぼう》を企てる者は、ありもしない他人の陰謀を恐れるものだ。この男はパーンのことをナルディアが用意したスパイではないかと考えたのだ。

「おまえに命を助けてもらうくらいなら、炎でこの身を焼かれることを選ぶさ」

唾《つば》を吐《は》きながら、パーンは軽蔑《けいべつ》の笑いを浮かべた。

「ほざけ！」

男は狂気にも似た表情をパーンに向け、扉を開けた。

そして、部屋にはふたたびパーン一人が残された。

パーンは、すべての謎《なぞ》を解く手がかりを得たと思った。

しかし、同時に彼は死刑を宣告されたのだ。

いかに真実を得ようとも、それを伝えぬことには、なんの役にも立たない。殺されれば終わりなのだ。

そのことを考えると、背筋が冷たくなる。今まで死を覚悟したことは何度かあったが、それらはすべて突発的なものだった。死の恐怖と戦う暇《ひま》さえなかったぐらいだ。しかし、今は違う。三日後の処刑までその恐怖と戦わされることになるのだ。

死から逃れるため、そして新たな情報を持ちかえるために、何がなんでもここから抜けださねばならないと、パーンは決意していた。

3

「あの男を守護神のいけにえにするだと」

すました顔でかしこまっている神官に向かって、ナルディアはその真意をつかみかねるというように尋《たず》ね返した。

いけにえに選ばれたというあの男とは、もちろんパーンのことである。

ここは先日までヒルトの守備隊の砦《とりで》に使われていた建物の一室である。今はナルディアが公務のために使っている。この建物の二階には彼女の私室も用意されているが、そこにアズモを近づけさせる気は、まったくなかった。

「はい、守護神の神託が下されたのです。あの者をいけにえにせよと」平然とした口調で、アズモは答える。

「おかしいではないか、今までは人間のいけにえなどほとんど要求しなかったものを」

「わたしは守護神の声を聞くだけです。そのお考えまでは、つかみかねます」

嘘《うそ》をつけとナルディアは心の中で思った。それにしても、アズモがなぜ、あの男をいけにえに選んだのかが、まったく見当がつかない。

（わたしに対する嫌《いや》がらせか？　それともべつに理由があるのか？）

「ご承知くださいますでしょうな」アズモの話し方はいつもと変わらぬ平静さだった。しかし、その心の奥《おく》で何を考えているかは知れたものではない。

「一騎打ちのときに、あの男に礼を欠いただろう。だから、あの男を助けたのだ。その事は知っておろう。その上であの男をいけにえにせよ、と言うのか？」

「それは存じてますが、なにしろ決断されたのは守護神。わたしに文句を言われましても困りますな。それとも、どうしてもあの男をいけにえにできない理由でもおありですかな。敵の傭兵風情の命、救わねばならない理由があるのなら、ぜひお聞かせいただきたいものです」

ナルディアは憎《にく》しみをこめた目で神官を睨《にら》みつけた。ようやく、この男の意図《いと》が分かったような気がした。アズモが前から自分を憎んでいるのは知っている。そして、その権力欲も。部族の者が自分に不審《ふしん》を抱《いだ》くようなことがあれば、彼はそれを見逃さないだろう。

おそらく、ナルディアがアズモの申し出を拒否《きょひ》すれば、その事を民に訴《うった》え、彼女への不信感をあおろうとするだろう。

確かに敵の傭兵の命を助けたことは、側近の中には不満を抱いている者がいる。秘密裏にことを運ぶために、人払《ひとばら》いをして彼に会ったのもまずかった。これで守護神の神託を拒否すれば、その不信感はますます大きなものになるだろう。

(パーンとか言ったな、哀《あわ》れな……)ナルディアは誠実そうな若者の顔を思いうかべていた。ああいう率直《そっちょく》な若者は嫌いではない。むしろ好感さえ抱く。だが、しょせんは敵兵であり、大切な部族の民を何人も殺しているのだ。

「——いいだろう。儀式は三日後の夜だったな」

ナルディアはアズモに背を向け、できるだけ冷たい口調で言った。

「ありがとうございます、族長」アズモは深々と礼をした。

(尻尾《しっぽ》は出さなかったか、女狐《めぎつね》め)心の底では舌打《したう》ちをしていた。しかし、これでナルディアが何を企んでいたとしても、それを阻止《そし》することだけはできたはずだ。

アズモは口許《くちもと》を歪《ゆが》めながら、ナルディアの部屋を出た。

パーンは逃げだす機会をなんとかうかがいながらも、それを見つけだすことができずにとうとう二日目の夜を迎《むか》えていた。今夜中に逃げださねば、機会は永遠に失われると分かっているのだが、パーンはあいかわらず力押しすることしか知らぬ男だった。

いろいろと小細工《こざいく》を考えてはみたのだが、どれも陳腐《ちんぷ》なものばかりで、それを実行しようという気にはとうていなれなかった。盗賊《とうぞく》ではない彼に、隠密《おんみつ》にことを運ぶという技術があろうはずがない。

いちばん確実なのはナルディアに会見を申しこんで、彼女を人質《ひとじち》にすることだろうが、それをするぐらいなら、最初の彼女の誤解《ごかい》を利用して逃げだしていたほうがまだましだった。卑怯《ひきょう》なことをしてまで、生き残りたくはないと思うあたりが、彼の若さだった。

もちろん、そのころ救いの手が近くまでやってきていることを、パーンは知るよしもなかった。

砂の川は砂漠《さばく》を流れる川だけにその水は温かい。砂漠の夜は冷えこむことで有名だが、水の中にいるかぎりは、その寒さも気にはならなかった。

しかし、初めての経験にディードリットをのぞく傭兵たちは、とまどいの色を隠《かく》せなかった。

そう、一行は今、砂の川の底を歩いているのだった。

もちろん、そんな芸当ができるのは、ディードリットの精霊魔法のおかげだった。彼女は水の精霊に命じて、水中での呼吸を可能にする呪文《じゅもん》を自分と仲間にかけたのだ。

ディードリットらは、ヒルトの街《まち》の近くまで馬でやってきたあと、敵の巡視隊を警戒《けいかい》しながら、砂の川ぞいに進んだのだ。そして、途中で馬から降り、あとは徒歩《とほ》でこの街までやってきた。いよいよ、敵の警戒が厳《きび》しくなってからは、水の中に潜《もぐ》ったまま、まったく浮かびあがることなく進んできた。

砂の川はロードス島でも屈指《くっし》の大河である。川幅も広く、水深もかなりのものだ。しかし、ヒルトの辺りまでくると川底の砂地に吸われて、水量は極端に減《へ》っている。だが、それでもディードリットたちの姿が完全に没するくらいの深さは十分にあった。

大河らしく、水の流れは緩《ゆる》やかだ。

しかし、水の中は暗《くら》い、ましてや夜である。普段は透《す》きとおった水の色が、今は薄暗《うすぐら》い壁《かべ》となって、一行を閉《と》じこめていた。

もっとも、マーシュをのぞく三人は夜目がきいた。ディードリットは精霊使いなので、暗視《あんし》の能力が備わっているし、デニとシュードの盗賊《とうぞく》コンビのほうは商売が鍛《きた》えられていたのだ。

幸いなことに夜空には雲がなく、月の光がさえぎられないので、その光を頼《たよ》りにマーシュもなんとか仲間にはぐれずにすんだ。

見上げれば水面には、ほとんど満月に近い月が波のあいだに揺《ゆ》らいでいる。

足元は砂だが、水で引きしめられ、歩きにくいことはない。それに歩くより、泳ぐほうが早いし、第一楽だ。ひんぱんに川底を踏むわけではない。

強すぎる日差しのためかえって水苔《みずごけ》が育ちにくいのか、川の水には臭《にお》いはほとんどない。

ただ、魚の数はけっこう多い。向こうで鱗《うろこ》を月光にきらめかせながら、小魚の大群が踊《おど》るように泳いでいるかと思えば、こちらでは大きな魚が二、三匹の群を作って、ゆったりと流れに身をまかせている。

そして、ディードリットらは、ようやく水門にたどりついた。運河はヒルトの街の飲料水を得るために引かれたものであるが、同時にヒルトの城壁《じょうへき》の周囲を取りまく堀《ほり》としての役割も果たしている。

見上げると高くそびえる石の壁が、暗い水面の上にそびえたっていた。

水門の鉄格子《てつごうし》はシュードが言ったように、一本だけ外れていた。

「これじゃあ、オレは入れねぇよ」

巨漢《きょかん》のマーシュは悲鳴を上げようとしたが、水の中では思うように声にならない。

「やっぱり、無理か」とこれはシュード。彼は水の中での会話もけっこううまくこなしている。

横でデニも何か言ったが、こちらはまったく言葉になっていなかった。

「呪文の力が永久に続くなんて思わないでよ」ディードリットが腰に手を当てながら、冷たい視線を送る。

「おまえの怪力《かいりき》でなんとかならないのか？」シュードがマーシュに声をかける。

「やってみよう」と答えて、マーシュは鉄格子に手をかけて力を入れはじめた。

「むぐむぐぅぅぅぅっ」と下品なうなり声が水の中に伝わっていった。その声に脅《おび》えた魚たちが、あわててその付近から逃げ散っていく。

マーシュの両腕の筋肉はみるみる膨《ふく》れあがり、彼の顔に血管がくっきりと浮かびあがる。あまり正視したくない形相《ぎょうそう》だったので、ディードリットは目を背《そむ》けた。残る二人は面白《おもしろ》そうに彼の怪力ぶりを見物していた。

みしっ、と何かがきしむ音がした。次いで、くぉーんという音が聞こえたかと思うと、鉄格子がゆっくりと広がりはじめた。

「むがぁっ！」

マーシュの絶叫《ぜっきょう》が終わったとき、鉄格子はみごとにひしゃげていた。広がった鉄格子でさえマーシュの巨体はつかえたが、むりやり身体《からだ》を押しこんでなんとか、彼も水門を通りぬけることができた。

「急ぎましょう。早くことを終わらせないと、帰りは息を止めて川底を歩いてもらわないといけないわよ」

ディードリットにせかされて、三人の傭兵は腕を不格好に動かしながら、ヒルトの運河の底を文字どおり泳ぐように進んでいった。


水面から顔を出し、ディードリットがあたりの様子をうかがう。

さすがに占領下の街のこと、あたりには人影が見られない。おそらく外出が禁止されているのだろう。そのほうが助かると、ディードリットは水中からはいあがって、ヒルトの街の大地を踏みしめた。そして、仲間に合図を送る。

デニとシュードがまず水から上がり、そしてマーシュも続いた。

しかし、彼は水から這《は》いあがろうとした時、岸をつかんでいた手をすべらせて、また運河に落ちてしまった。高い水しぶきが上がり、激《はげ》しい水音が響《ひび》く。

「ドジ野郎が！」デニが文句を言いながらも、腕を差しのべ、マーシュがふたたび水から上がろうとするのを手伝う。

「早くこの場を離《はな》れて！　誰《だれ》かやってくるみたいよ」耳のよいディードリットは、近くで何者かが警告の声を出すのを聞いたように思った。あまり遠くに逃げている余裕はなさそうだった。

他の三人もそこは手練《てだ》れの傭兵である。申し合わせたように散らばって、それぞれ自分の身を隠《かく》す。

ディードリットが物陰《ものかげ》から気配をうかがっていると、思ったとおり、足音が近づいてきた。

「二人……」彼女はつぶやいて、肩当てに留めてある小型の短剣を手で探る。行きすぎてくれればよいが、と心の中で願う。

やがて小声で何かを言いあいながら、人影《ひとかげ》が二つ姿を現わした。

「音がしたのは、この辺に間違いないのだがな」

「身投げかな。だとすると、よほどオレたちに負けたのがショックだったのだろうな」

二人は運河の川面《かわも》をのぞきこみながら、言葉を交わしあっていた。

「何もないようだな」しばらく、川面をランプの明かりで照らしていたのだが、何も見つけることができずに、二人は去っていこうとした。

ディードリットはほっと胸をなでおろす。

その時だった。

「まて！」一人がするどく叫んだ。彼は自分の足元をランプで照らしている。ディードリットがはっとして見ると、そこには彼女らの衣服からしたたった水で、地面があきらかに濡《ぬ》れている。

「きっと、誰《だれ》かが運河を通って侵入してきたんだ。ナルディア様に知らせないと」

(しかたない！)ディードリットの目が獲物《えもの》を狙《ねら》う豹《ひょう》のように細められた。

彼女は一気に片をつけるつもりだった。声を立てられて仲間を呼ばれたらまずい。

「風の乙女よ。大気の理を知る者よ。大気の動きを静め、沈黙を導け！」

ディードリットの精霊語の呪文が響くと、二人の炎の部族の戦士はおたがいの言葉が聞こえないという異常な事態に驚いて、あわてて後ろを振り返った。

そこにディードリットの短剣が飛ぶ。

狙いはたがわず、その短剣は片方の男の喉《のど》もとに突きささった。その哀れな男は、後ろによろめきそのまま運河に倒《たお》れこむ。

水しぶきが上がり、激しい波紋《はもん》が川面に広がっていく。しかし、その音もまったく聞こえない。

ディードリットの唱《とな》えた沈黙の呪文のためだ。

ディードリットが物陰から飛び出て、もうひとりの男に間合いを詰《つ》めていく。それより少し早く三つの影が、別の方向から飛び出ていた。

「殺さないで！　パーンの居所を尋ねたいから」ディードリットはその影たちに呼びかけた。

「承知！」マーシュの抑えた声が返ってくる。彼は巨漢とは思えないような身のこなしで、もう一人の男に近寄っていった。砂漠の戦士は腰から偃月刀《ファルシオン》を抜きはなち、そして大きくふりかぶってその刀を振るおうと試みた。しかし、マーシュの拳《こぶし》はそれより早く、男のみぞおちに叩《たた》きこまれていた。

男は白目をむいて、ぐにゃりとなった。

「まだ、生きていて？」ディードリットは男を抱えたマーシュを見ながら尋ねてみた。

「意外にタフな野郎みたいだぜ」カラカラと笑いながら、マーシュは親指をたててエルフ娘に応じた。

「それは幸いだわ。別の兵士を探さずにすむものね。それに、これ以上ことを荒立てたくないし」

「早くこの場を離れましょう。また別の人間がやってくるようだぜ」

シュードの声にディードリットらは、犠牲者《ぎせいしゃ》を運んでその場を離れた。運河に落ちた男の死体が見つかると騒《さわ》ぎが大きくなると考え、ディードリットは精霊魔法の力を使って、その死体から浮力を奪い、水の底に沈めておくことも忘れなかった。

「恐ろしい女だな、おめえはよ」マーシュが感心したような声を上げた。

「好きでしているんじゃないわ!」

ディードリットは答えながら、パーンは今のできごとを見てたら怒っただろうなと心の中で思った。パーンは最近、彼女が魔法を使ったり、レイピアを振るうことをこころよく思っていない様子だった。だから、ヒルトの戦いにも連れていこうとしなかったのだ。

(だったら、世話をかけるなと言いたいわ)ディードリットは心の中でパーンに向かって文句を言っていた。

ディードリットはさっきの場所から少し離れた物陰に、捕《とら》えた敵兵を運びこんだ。そして、マーシュが荒々しく頰《ほお》を張り、捕虜《ほりょ》をたたき起こす。

何とか、パーンの居場所を聞こうと脅してみたが、その男は炎の部族は決して仲間を裏切らないと頑強《がんきょう》に言い張り、パーンの居場所を言おうとはしなかった。しかも、すぐに大声を立てようとするので、腹を立てたマーシュはその男の顔をしたたかに打ち、男は口許《くちもと》から血を流しながら、ふたたび気を失った。

「なかなかしぶといようだが……」デニがつぶやきながら、腰から短剣を取りだした。「指の一本、二本を切りとっちまえばおとなしく白状するだろうよ」

「だから、おまえはそんな性悪《しょうわる》の顔になっていくんだよ」シュードが横から言葉をはさむ。

シュードとデニの関係を、いまだにディードリットはつかみかねていた。いつも、文句を言いあってばかりいるが、そのくせ息が合っているのは間違いないのだ。

まったく喰《く》えない男たちだった。

盗賊《とうぞく》ギルドにいたころからの古いつきあいだというが、それだけでは納得できない親密さが感じられるときもある。

しかし、ディードリットにとってもっと不思議なのは、なぜパーンがこんな得体のしれない男たちを動かしてしまうのか、ということだった。もちろん、ディードリットは、自分こそっとも他人に動かされることを嫌《きら》う種族の一員であるということなど考えてもいない。

「本当に拷問《ごうもん》するしかないようだな」マーシュがぼやく。

「悲鳴を聞かれてしまうわよ。しかたないわね。幸いここには植物が生えているから、何とか森の精霊を召喚《しょうかん》してみる。彼女の力は、あとあと面倒《めんどう》だからあまり使いたくはないのだけれどね。この男、起こしてちょうだい。意識のない相手には、ドライアードの力は及ばないから」

「何をするんだ」興味津々《しんしん》といった感じで、マーシュが尋ねてくる。どうやら、彼は好奇心の強い性格のようだ。

「この男の心に細工《さいく》をするの。ドライアードの魅了《みりょう》の力をあなたは聞いたことがない？」

「男前を自分の木に連れさるという奴《やつ》だろう、知っているぜ」デニが意味ありげに笑う。

ディードリットは目で牽制《けんせい》して、シュードが何かを言おうとするのを押さえた。今は二人に言いあらそってもらいたくはない。精神を司る精霊は、他の激しい感情を嫌うからだ。

マーシュが男の頰を二、三回打つと、男はうっとうなって薄目を開けた。

「優《やさ》しき森の精霊よ。この男の心を縛《しば》り、あたしの友とせよ」

そこにディードリットの精霊魔法がかけられた。

朦朧《もうろう》とした意識に彼女の呪文の声が染《し》みこんでいく。男はそれに抗《こう》することができず、完全に呪文の影響《えいきょう》を受けてしまっていた。

「効果があったみたいね」ディードリットは穏《おだ》やかな表情を作って、そして砂漠の兵士に話しかけた。

「気分はどう？」

「あまりよくないな。どうしたんだろう」

「気にしないで。疲《つか》れているのよ。それより、五日前の戦いで敵の部族の傭兵《ようへい》を一人捕虜にしたじゃない。ナルディア様に一騎打ちを挑《いど》んだ愚《おろ》か者だけど。あの男、今、どこにいるか知っていて」

「あの男か……確か、ナルディア様の滞在《たいざい》しておられる建物の隣《となり》だ。大きな商人の屋敷に閉《と》じこめている……」

「ナルディア様は今、どちらに滞在されていたかしら？」

「以前はヒルトの守備隊の砦《とりで》だった建物だ。……知らないのか？」

「そうだったわね、忘れていたわ。それじゃあ、お眠りなさいな」

ディードリットはマーシュに合図を送った。

マーシュはその意味を理解して、両手を組みそれを哀《あわ》れな兵士の頭に落とした。

ごん、というにぶい音が響《ひび》いた。

「今度は味方に起こされることを期待していてね」

ディードリットは気を失った兵士に、そう声をかける。マーシュは男の身体を建物の陰に押しこんだ。

「さて、これからが本番よ」ディードリットは三人の傭兵に声をかけた。

もちろん、男たちはそのことをよく心得ていた。

4

パーンが閉《と》じこめられているという商人の館《やかた》は、それほど大きな建物ではなかったが、非常に頑丈《がんじょう》な造りをしていた。窓には鉄格子《てつごうし》もはめこまれている。おそらく、この館の主人は盗賊《とうぞく》に対して神経質な男だったのだろう。

そのおかげで、牢獄《ろうごく》代わりに使うには持ってこいの建物となっていた。

正面の扉の前面には鉄板が一定の間隔《かんかく》をあけて何枚か張られて補強が施《ほどこ》されているので、壊《こわ》して侵入することも難しいように見えた。

「さて、どうしたものかしら」

扉が相手では、さすがにディードリットの魔法も力の及ぶところではない。それに正直なところ、彼女はかなり疲労《ひろう》していた。

魔法を使いすぎたのだ。

ここまで走ってきたために呼吸が乱れたのがまだおさまらず、肩《かた》で息をしているほどだった。

「どうやら張り切りすぎたようだな。なら、ここはオレが行くとしよう。あんたはここで誰かこないように見張っていてくれ」

シュードはディードリットの顔を見ず、それだけを言うと、盗賊らしいみごとな忍《しの》び歩きを披露《ひろう》しながら、館の扉にたどりついた。そして、そっと扉に耳をつけて、聞き耳をたてる。

（さすがに盗賊、ウッドとやり方が同じだわ）ディードリットは感心しながら、その手際《てぎわ》を見物する。

シュードはしばらく、そのままの姿勢でピクリとも動かなかった。

そして、その顔が小さく縦《たて》に動いた。何かに納得し、うなずいた様子だった。

（音がする。扉の向こうに人がいるのだ。しかし、二人以上じゃない。話し声はしないし、音のする位置も一定だ。この扉の厚さなら、そう扉から離《はな》れてはいないな。なら、打つ手があるというものだ）

シュードは後ろをそっと振り返る。そして無言のまま、手で複雑な合図を送る。相棒のデニに向かってのものだった。その合図は盗賊仲間の共通の暗号《あんごう》なのだ。

「あいつ、強行するつもりだぜ。用意していてくれよ。いかにすみやかに片をつけるかが勝負だからな」

デニはディードリットらに事情を説明する。そのとき、彼の顔が心なしか不安そうなことに、ディードリットは気がついた。

「分かったわ」ディードリットはうなずいて、レイピアを構えなおす。

三人が見守る中、シュードは背中に背負ったエストックを鞘《さや》からゆっくりとぬいていく。そして、柄《え》を両手で握《にぎ》りしめ、館の扉に向かってその切っ先を向けると、それを微妙《びみょう》にずらしていく。

（ここだ！）

シュードの目に残酷《ざんこく》な光が一瞬《いっしゅん》輝《かがや》いたかのように見えた。

そして、次の瞬間。エストックの切っ先が扉に突きたてられた。

その硬《かた》い刀身は垂直《すいちょく》に扉に突きささり、木製の板をぶちぬいた。

固い感触《かんしょく》、次いで鈍《にぶ》い感触がシュードの手に伝わってきた。細剣の刀身は彼の狙いどおり、扉の向こう側にいる見張りをも捕《とら》えたのだ。

突然襲《おそ》った苦痛に、悲鳴を上げる暇《ひま》もなく、男は鈍《にぶ》いうめき声をもらすと、刀身を腹部に埋《う》めこんだまま息絶えた。

シュードは両手をすばやく後ろに引く。扉の向こうで肉が床板に打ちつけられる音がする。彼が期待した以上に、その音は大きかったので、シュードは作業を急がねばならないと思った。

腰から針金らしいものを取りだし、それを鍵穴《かぎあな》に差しこむ。

彼がその針金を少し動かしただけで、ガリッと何かをひっかいたような音がして、鍵ははずれた。

彼は間髪《かんはつ》をおかず、扉を開けて中の様子を確かめた。いきなり飛び道具で狙われることも予想して、身体のバネを十分にためて、いつでも飛びのくことができるような体勢を取ることも忘れない。

「へっ、運のいい野郎だぜ。まったくよ」デニはそうつぶやいて、扉に走りよる。

ディードリットとマーシュがそれに続く。

ディードリットが扉にたどりついた頃《ころ》には、すでにシュードは完全に建物の中に入りこんでいた。幸い見張りのうめき声と、倒れる音で目を覚ましたものはいなかったようだ。

「扉を閉めて鍵をかけて。外から誰かが来た時に時間稼《かせ》ぎになる」シュードは声を上げた。

「じゃあ、中は完全に掃除してしまうんだな」

「そういうことだ。頼むぜ、斧使《おのつか》い」

「へっ、あいにくこんな所じゃ、オレの戦斧《バトルアックス》は使い物にならねえだろうよ」マーシュはニヤリと笑って、腰から予備の武器らしい小剣《ショートソード》をぬきはなった。

「二つある分、オレのほうが役に立ちそうだな」デニが無機的な笑いを浮かべて先頭に立つ。

「何人、この館に泊まっているのかしら」

ディードリットは傭兵たちがいきなり強行手段に出たことに少なからず動揺《どうよう》していた。

「おそらく七人以上はいないさ。起きているのが二人、交替要員が四人ってところだな」シュードが答える。もちろん、当てずっぽうだった。

廊下《ろうか》はせまく、人が二人並ぶのがやっとというところだった。扉から十歩ぐらいのところに両側に扉があり、さらに数歩進んだ突きあたりにも扉があった。これらは簡単な作りをしている。おそらく、薄《うす》い木の扉だろう。

廊下の天井には、ランプが二つ下げられて油が燃えているので、行動に不自由はない。

先行したデニは左側の扉を無造作《むぞうさ》に開けると、中に踏《ふ》みこんでいった。

「三人！」すぐにデニの声が聞こえてきた。マーシュはそのデニの声を聞いてそちらに走り、どうやら起きたばかりという様子の三人の兵士に接近戦を挑《いど》んでいた。一方、シュードはそのまま廊下を突きぬけ、奥《おく》の扉に走りよると、ふたたび聞き耳をたてる。

ディードリットは右の扉を警戒《けいかい》しつつ、二人の援護にいつでも入れるように身構えている。シュードとデニの手際《てぎわ》のよさに、盗賊ギルドで技術を学んだだけでなく、まちがいなく盗みの経験があると確信した。

マーシュとデニの戦いは簡単に片がついた。悲鳴が三度たてつづけに響《ひび》き、兵士たちはすべて胸を小剣で貫《つらぬ》かれて床に転がっていった。

ディードリットがシュードの方をうかがうと、彼の姿はすでに扉の向こう側に消えていた。

「あたしは奥に」ディードリットはマーシュらに声をかけてから、数歩の距離をすべるように動いた。そして、開けはなたれたままの扉を通って、直角に交わる別の廊下に出る。

正面の壁にはもうひとつ扉がついていた。廊下の右の突きあたりは上に昇る階段があり、反対は逆に下に続く階段がある。そして、そちらの方から、切り合いの音が聞こえてきた。

ディードリットは迷わずそちらに駆《か》ける。おそらくシュードが切り合いをしている相手が、囚人《しゅうじん》部屋の見張りなのだろう。

そして、その考えは正しかった。

パーンは異様な物音が聞こえてきたとき、眠ってはいなかった。ちょうど、夜半を過ぎてから行動に移ろうと思っていたところだったのだ。どうせ助かるまいが、しかし、エフリートのいけにえにだけはなるまいと考えたからだ。

だから、変わった足音が聞こえ、扉の前の見張りが異常を知らせる声を上げたとき、パーンはまよわず行動に移った。

部屋の奥の壁《かべ》までいったん下がり、次いでその扉に向かって左肩から全力でぶつかっていったのだ。

扉は頑丈《がんじょう》だったが、その一撃で完全に破られていた。

勢いがあまって廊下の壁に衝突《しょうとつ》するが、その勢いは扉にぶつかったときに弱められているのでたいした衝撃にはならなかった。しかし、左肩は痛みで痺《しび》れ、使いものになりそうにない。

痛みをこらえつつ、振りむくと金色の髪の男が見張りの兵士二人と戦っていた。男はなかなかの手練《てだ》れに見えたが、せまい廊下で振るうには少々大型の武器を持っているため、押されていた。

その男だけはこちらを向いていたので、顔を確かめることができた。その顔には間違いなく見覚えがあった。

傭兵仲間の一人、名前は忘れたが〝優男《やさおとこ》〟の二つ名で呼ばれていたことは覚えている。

　この男には確か〝両腕落とし〟のデニという相棒がいたはずだ。二人が自分を助けに来てくれたのだろうか？　それとも、フレイム軍が奇襲に成功したのだろうか？　しかし、戦が起こっているような物音はしない。もっとも、ここまで聞こえてこないだけなのかも知れないが……。

　パーンは状況《じょうきょう》判断がまだつかなかったが、とにかく優男を助けるため、見張りのうちの一人に飛びかかろうとした。

　同時に見張りの一人も扉が破られた音で気がつき、丸腰のパーンに向かってくる。

　パーンは相手の偃月刀《ファルシオン》の一撃を右にステップを踏《ふ》んでかわすと、相手の足に低い蹴《け》りを放った。

　その一撃はかわされたものの、相手は後ろに飛びのく体勢になり、そこを〝優男〟が踏みこんで男の背中に死の刃を埋めこんだ。

　もう一人の見張りは仲間が倒されたのを目《ま》のあたりにしたが、それでも動揺せず、踏みこんでいったために体勢の崩れたシュードの右肩に刀を振りおろした。

　ぱっと赤いものが彼の右肩から飛ぶ。シュードは後ろによろけ、そして自分の剣を離し、左手で傷口を押さえる。

　その見張りは今度はパーンに向かって、偃月刀を振るおうとしたが、すでにそのときにはパーンは死んだ男の落とした刀を拾っていて、男の一撃を刀身で受けとめることができた。

しかし、慣れぬ偃月刀だったので、刃の根元まで敵の刀は滑《すべ》ってきて、危うくそのまま腕を切りおとされかけた。

それを身を引くことでパーンはなんとか逃れた。

痛む左の肩が石の壁に触《ふ》れる。

「パーン！」そこに聞きなれた声が耳に入ってきた。

パーンはその声の主に気がついて、心臓が止まるような衝撃を受けたが、それでも鍛《きた》えられた戦士の動きは止まることなく、偃月刀で相手の腹に浅く切りつけていた。

「ディード！　なぜ、ここに！」パーンは思わず大声で叫んでいた。ここが地下室でなかったら、外にも聞こえるような大きな声だろう。

兵士はパーンが声を上げたすきを狙って、奇声を上げながらふたたび切りつけてきた。

しかし、その奇声は次には悲鳴に変わっていた。見れば男の脇腹《わきばら》から短剣の柄《え》が突きでていた。その柄には赤いものが張りついているが、それは見張りの身体《からだ》から出た血ではない。

「よくもオレの身体に傷をつけてくれたな！」

シュードの声が右の耳から入ってきた。彼は壁に身体を預けながら、左手で短剣を投げたのだ。本当なら首筋を狙いたかったのだが、左手ではさすがに動きの少ない腹部を狙うことしかできなかった。

だが、パーンにとっては十分な援護だった。パーンは偃月刀をいつもの長剣を扱うように振るい、男の首筋を切りさいた。しかし、傷は浅く致命傷《ちめいしょう》にはならない。使いなれた剣との長さの違いのため間合いを誤ったのだ。

しかし、そこにもうひとつ影《かげ》が走りこんできた。影はレイピアをとどめとばかり哀れな見張りの背中に突きたてた。貫通するほどの威力はなかったが、もはや犠牲者は戦闘力を失っていた。

うめき声を上げながら、ばったりと崩《くず》れおれる。

「パーン！」その声は泣きそうでもあった。「この馬鹿！」

いきなりの罵声《ばせい》に驚《おどろ》きはしたが、その声は自分を気遣《きづか》ってくれていたという気持ちが感じられたので、うれしく思う。

「優男《やさおとこ》！　大丈夫か？」パーンはディードリットの腕に軽く触《ふ》れてから、苦痛に顔をしかめている優男のほうに駆《か》けよった。

「大丈夫じゃないが、今はそんなことを言ってられないからな。すぐに逃げないと、敵の兵士が異常に気がつくだろう」シュードは痛みに顔をしかめてはいたが、意識はしっかりしている様子だった。それを見てパーンは安心する。

「すまないな、オレのために……」

「貸しにしておくさ。いつかは返してもらう」

ディードリットが自分の帯の先にレイピアで切り目をつけ、一気に裂《さ》いて切りとった。包帯がわりに使おうというのだ。

「止血しないと水の中は進めないわ」ディードリットがその布切れでシュードの傷口をしばろうと近寄ると、彼は脂汗《あぶらあせ》を浮かべながら後ろに下がった。

「す、すまない。触《さわ》らないでくれ」公言するように、彼は大変な女嫌《おんなぎら》いのようだ。

「そんなこと気にしている場合じゃないでしょ」ディードリットは強引にシュードの腕をつかみ、傷口を固くしばった。

たまらず、シュードは悲鳴を上げたが、それが傷の痛みによるものか、それとも女性に触《さわ》れたことによるものかは分からない。

「確かに、急いだほうがよさそうだ」とパーンはディードリットに声をかけて、先頭に立って駆けだした。あわててシュードが続き、ディードリットがその後を追った。

「よお、ひさしぶりだな色男」マーシュが陽気に声をかけてきた。

そのマーシュとデニの二人と、玄関のところで合流し、パーンを含めて五人の一行は、商人の館を飛びでて、まっすぐ運河に向かって進んだ。

しばらく走ってから、後ろの方から、あわただしい怒声がようやく聞こえてきた。

「今ごろ騒いだってもう遅《お》せぇよ」マーシュが豪快《ごうかい》に笑いながら、どたどたとパーンの隣《となり》を走っていた。「さて、ブレードの街に帰ったら、約束どおり酒をおごってくれよ。それも、エルフ娘のお酌《しゃく》でな」

「ディードリットがうんと言うかな」

パーンはディードリットに視線を送って、その顔がまだ怒っているのを確かめてから、ばつが悪そうにそう言った。

「馬鹿なことを言っていないで、あたしの魔法を受けいれてちょうだい。でないと、あなただけ水に溺《おぼ》れて死んでしまうわよ」

「水の中を行くわけか？」パーンはディードリットの使う魔法については、傭兵たちよりも詳《くわ》しかったから、彼女の意図《いと》をすぐに悟《さと》った。

ディードリットはパーンが全身の力をぬいたのを確認してから、ウンディーネの力を解放し、パーンに魔法をかけた。

そして、一行は追っ手の怒号の声を背後に聞きながら、次々と運河の中に飛びこんでいった。

第Ⅳ章　アラニアの賢者《けんじゃ》

1

パーンという名の捕虜《ほりょ》が外から侵入《しんにゅう》した何者かの手引きにより逃亡したことは、ナルディアにとっては思いもよらぬ事件だった。

「見張りは何をしていたのか？」

ナルディアは事件の知らせを聞くと、詳細《しょうさい》を問いただすために自室に側近の者数名を呼びだした。

「とにかく、あっと言うまのできごとなので、皆目《かいもく》見当もつきません。侵入してきたのは四人で、そのうちの一人は女だったということです。そして、その女がどうやら魔法《まほう》を使うようで……」

一人の側近が、しどろもどろに女族長に答える。寒いはずの砂漠《さばく》の夜なのに、額《ひたい》には汗《あせ》さえ浮かべている。その側近は事件の内容について、ナルディアの機嫌《きげん》をうかがいながら報告した。

「事情はだいたい分かった。で、その四人の侵入者が見張りを八人も倒《たお》して、捕虜を救出したというわけか?」

「さようです」かしこまって、側近たちはひれ伏した。

「なぜ……」自問するようにナルディアはつぶやいた。

見張りの不手際《ふてぎわ》ではないことは、事情を聞いて分かった。侵入者の手際があまりにもよかったのだ。侵入者の中には魔法使い《ルーンマスター》もいたというから、見張りの者を責《せ》める気にもなれない。

ナルディアがなぜとつぶやいたのは、あの捕虜には不思議な事件が次々と起こったからだ。

ナルディアはあの男をヴァリスの聖騎士《せいきし》かもしれないと考え、生きたまま捕《とら》えたのだ。

それは本人の口から否定されているが、あの男がただの傭兵《ようへい》とはどうしても思えない。

一介の傭兵風情《ふぜい》に危険をおかしてまで救出隊など送ってくるはずがないからだ。

ナルディアは最初に睨《にら》んだとおり、あの男はヴァリスの聖騎士で、しかも重要な地位にあるのではないかとふたたび考えはじめていた。

少なくとも、それがもっとも納得できる説明である。

あの捕虜とアズモとの関係もまた疑問である。なぜ、アズモは捕虜などをいけにえに使おうとしたのだろう。

最初、ナルディアは自分の失脚《しっきゃく》を狙って仕掛けてきた罠《わな》だと考えていた。

だから、アズモの神託に異議《いぎ》を唱《とな》えなかったのだ。

彼女は神官がうちに秘めている野心には、ずいぶん前から気がついている。彼はおそらく族長の座を狙っているのだ。

事実、彼女を失脚させるために何度か姑息《こそく》な手段を仕掛けてもいる。一騎打ちを邪魔《じゃま》したこともそのひとつだ。

だから、アズモの申し出に対して、もっとも無難な対応をしたのだ。

だが、果たしてそれだけの理由だったのだろうか？　こうも事件が続くと、それさえ疑わしくなってくる。

アズモの反応を見てみたいと、思った。しかし、用心深いあの男のこと、自分の心の動揺《どうよう》を表に出したりはしないだろう。

ナルディアはアズモの野心を押さえたいだけで、彼を罰《ばっ》しようとは考えていない。いかなる理由があれ、彼が守護神を解放し、その力を部族のために使ってくれていることは動かせない事実なのだ。

もし、守護神の力がなければ、ヒルトを攻《せ》めおとすことはできなかっただろうし、カシュー軍を敗走させることも不可能だったに違いない。

ただ、アズモの心の中にひそむ狂気、それを恐れている。

アズモは炎《ほのお》の部族の神官の家系に生まれたのだが、小さな頃《ころ》から人々に虐《しいた》げられていた。それは彼が馬にも乗れず、剣《けん》の腕《うで》でも誰《だれ》よりも劣《おと》るからだった。

しかもアズモは自らの神官としての家系を誇《ほこ》り、他者に対して尊大な態度で接しすぎた。砂《さ》漠《ばく》の民の気性には、まったく相いれない男なのである。

「炎の部族に必要なのは戦士である。臆病者《おくびょうもの》ではない」特に気性の激《はげ》しかったナルディアの父は、そう宣言して何度もこの神官を罵《ののし》り、ときには暴力を振るいもした。力のない神官など不要であると公言さえした。父が暗黒神《ファラリス》の司祭を招いたのもそんな理由からである。

ナルディアは最初、父の行ないを非道であると思い、この神官にも優しく接するように努めたものだ。しかし、アズモはその哀《あわ》れみを好意と勘違《かんちが》いしたのだろう。ある夜、彼女の天幕に忍《しの》びこんでくるという下劣《げれつ》なまねをしでかしたのだ。

ナルディアは砂漠の女性の常として、非常に潔癖《けっぺき》に育てられてきた。だから、嫌悪《けんお》のあまり、彼女は燃える薪《たきぎ》に差していた鉄串《てつぐし》で、そのほおを叩《たた》いたのだ。

それ以来、彼の復讐《ふくしゅう》の対象に自分が加わったのは間違《まちが》いなかった。

アズモは他人に罵られると、心の中にある野心を膨《ふく》らませ、それに陶酔《とうすい》する。卑《いや》しめられれば卑しめられるほど心の中にある野心を膨らませ、心の中でその数倍の復讐を考える。そんな男なのだ。

その卑屈《ひくつ》な野心が実り、彼はついに力を手に入れた。炎の神殿《しんでん》と呼ばれる古代の遺跡《いせき》へとおもむき、その地に封じられていた守護神を解放したのだ。

それ以後アズモは神託の名において、復讐のいくつかを果たし、野心を満足させていた。

守護神の復活は炎の部族の民にとって長年の悲願のひとつだったのだ。それに加えてアズモは唯一《ゆいいつ》守護神と話ができる人物だっただけに、ナルディアは彼の暴挙《ぼうきょ》にも多少は目をつぶってきた。

しかし、それが本当によいことかどうか、彼女は最近、迷うようになっている。また、彼の行なった功績と、罪悪を秤《はかり》にかけようとしている自分自身を嫌悪《けんお》している。

そのことを考えるたびに思い出すのは、父、ダレスのことである。父はマーモから来たという暗黒神の司祭とその配下である暗黒騎士団の力を借り、風の部族を倒《たお》そうとした。

しかし、それは神聖王国ヴァリスを敵にまわし、そして風の部族に傭兵を雇《やと》わせるきっかけとなった。そして、その傭兵の中から、あのカシューが出てきたのだから、父の選択は結局炎の部族にとって、何ひとつ利益をもたらさなかったのだ。

しかも、暗黒神の司祭は、若い娘をいけにえに要求するなど暴虐《ぼうぎやく》な振るまいも目立った。だから父の死後、ナルディアは彼らを追放したのだ。

アズモは暗黒神の司祭と同種の人物なのかもしれない。一度は回避《かいひ》したはずの落とし穴に、いつのまにか向かっていたのだとすれば、自分はどうしようもない愚《おろ》か者である。

「……いかがいたしましょうか、ナルディア様。追っ手を差しむけましょうか？」

側近が考えにふけっているナルディアを気遣《きづか》ってか、声をかけてきた。

ナルディアは現実に引きもどされた。

自分は族長なのだ。族長である以上、自分が迷っているところを、部下に見せるわけにはいかない。民は自分に従ってくれるのだから、自分は民を導いていかねばならない。自分の迷いを知られることは、味方の士気にも関わるのである。

ナルディアは決断した。

「いや、そこまでする必要はあるまい。あの男をいけにえに選んだ神官殿には申し訳《わけ》ないがな。それより、いよいよブレードを攻めるぞ。準備を始めておけ！」

「さようですか」嬉《うれ》しそうに、側近はうなずいた。

ついに、ブレードを攻める。

その戦いに勝てば、長年の部族の悲願《ひがん》が達成されるのだ。側近の心が逸《はや》るのは、当然だった。あの捕虜がヴァリスの聖騎士だとすれば、いつヴァリスが動き始めるか知れたものではない。ならば、決戦を急がねばならないとナルディアは判断したのだ。

ナルディアの命令を聞いて高揚し、部屋を出ていく側近たちの背中を見送りながら、ナルディアは敗北が勝利と背中合わせにあるという事実を思い知らされていた。

パーンがディードリットらに助けられて、ブレードの街にたどりついたのは、それから三日後の夕方だった。

パーンはまずカシュー王に挨拶《あいさつ》にいき、それからマーシュとの約束を果たすべく、今は彼と一緒《いっしょ》に酒を飲んでいる。

ディードリットは文句を言いながらも、マーシュにお酌《しゃく》をすることを承知した。

火の使用が制限されているので、酒場はすべて店を閉《し》めている。だから、パーンが寝泊《ねとま》りしている客間に酒を持ちこんで、隠《かく》れるように酒を飲んでいるのだ。

シュードは肩《かた》の傷が悪化して、今は薬師《くすし》に安静を言いわたされていたし、デニはシュードが気になるからと、マーシュの誘《さそ》いをあっけなく断っていた。

普段の様子からは想像できないデニの答えに、マーシュは少々面喰らいもした。

「分からねぇな、あの二人の関係もよ」マーシュは首をひねってパーンに同意を求めた。

「オレはもっと付きあいが短いんだぜ」パーンにはそう答えるしかなかった。

ディードリットが光の精霊《ウイル・オー・ウイスプ》を召喚《しょうかん》して、天井すれすれのところに浮かべている。その白光《はっこう》に照らされながら、彼らは最初は黙々《もくもく》と酒を飲んでいた。しかし、助けだされたことを恐縮しておとなしかったパーンもしばらくして酔《よ》いがまわりはじめたのか、少しずつ話をするようになり、今はまったく普段のままだ。

「助けてもらったのはありがたいが、出会う人みんなが申しあわせたように、死んでしまえと言うのには参ったよ」パーンはろれつの怪《あや》しくなった口調で言う。

「それだけみんなが心配していたってことだろうが」とマーシュは豪快《ごうかい》に笑ったが、そのマーシュですら、酒をおごってもらったからもうおまえは死んでもいいなどと、さっきパーンに言ったばかりなのだ。

ディードリットはさかんにその言葉を口にしていたし、シュードは自分が怪我《けが》をしたことを責《せ》めるときにそう文句を言う。カシュー王にしてからが、最初は笑いながら彼の無謀《むぼう》ぶりを注意していたのだが、そのうちに本気になって腹を立てはじめたらしく、最後にはそんなに命を粗末《そまつ》にしたいのなら、もう一度ヒルトに行って首を切られてこいと怒鳴《どな》ったぐらいである。

「文句を言うために、みんな助けてくれたみたいだ」

「少なくともあたしはそうだわ」

ディードリットがしんらつな言葉を口にする。この三日間というもの、いつもそんな調子だった。

それでもパーンのそばを片時も離《はな》れようとしないのが可愛《かわい》らしいところだと、マーシュは不器用な二人を見ながら、ほのぼのと考えていた。

「さて、オレは約束を守ってもらったからいいようなものだが、おめえはこれからどうするんだい。どうやらおめえ、ただの傭兵とは格が違うみてぇだし、何か目的があっての旅なんだろう」

「それなんだが」パーンは少し真顔になって、マーシュに向きなおった。「さっきカシュー王に進言しようとしたんだが、あの調子では聞いてもらえそうにもなかったので、明日にでももう一度お目通り願い、頼《たの》みたいことがあるんだ」

「魔法《まほう》の大剣の代わりをくれってことかい」

意地悪く笑いながら、マーシュは空になったグラスをディードリットのほうに荒々しく差しだす。ディードリットはため息をつきながら、そこに新しいエール酒を注ぎたしていく。

「それは言ってくれるな。カシュー王はそのことを少しも口にされていなかったが、古代王国期の魔剣《まけん》一本の価値の大きさ、オレには分かっているんだ。あの剣を取りもどさないうちは、オレの気は絶対に晴れないだろうな」

パーンは頭を抱《かか》えて落ちこんだ。「ヴァリスの騎士なら、それだけで騎士資格を剝奪《はくだつ》されただろうな」

「気にすることはねぇ、たかが剣じゃねぇか。しょせん、人間は他人に借りを作っていかなきゃ、生きてはいけねぇもんよ。で、その借りを返すために人間は生きているってことだそうだぜ」

「へぇ、意外に学者だな」パーンが素直《すなお》に感心する。

「なんとか言う昔の賢者《けんじゃ》の受け売りさ。しかし、借りは踏みたおしたらしまいだからな。人生は悪人には得なようにできてるってことだな」

「じゃあ、あなたはずいぶんと得しているのでしょうね」

ディードリットが意地悪そうに言う。さっきから、おうへいに酒を注ぐことを要求されていたので、反撃の機会をねらっていたのだ。

「違《ちが》いねぇや」

そんなディードリットの意図《いと》を見抜いたのかどうか、マーシュはガハハと大きな声で笑い、そんなことはおかまいなしに、ふたたびグラスをディードリットに差しだした。

ディードリットはため息をついて、そこに酒を注ぐ。すでにエール酒のボトルが三本空になっていた。

「すまねぇ、話の腰を折っちまったな。先を続けてくれ」

「今度の戦争には、砂漠の部族どうしの単純な内戦以外に、絶対にもっと大きな秘密が隠《かく》されているとオレは睨《にら》んでいるんだ。炎の部族に捕《とら》えられて、向こうの族長という人物や、神官を名乗る男と出会って確信したんだが。で、それを確かめるために、オレはしばらく旅に出たいと思っている」

「逃げだすんなら付きあうぞ。今はこっちの分が悪いからな」

「逃げだすわけじゃないさ。それに、危険なのはむしろこれからしようとしていることさ。なにしろ砂漠の道を越《こ》えてアラニアまで行くんだから」

「砂漠越えでアラニアまでだと！　そいつは危険なんてものじゃないぞ。よほど慣れた者しか通らねぇ道だ。それに加えて、いつ炎の部族の巡視隊に会うかも分からねぇ。オレは分が悪い賭《か》けにのるのは嫌《きら》いじゃねぇが、それに命まで張ろうとは思わないぜ」

「命を賭けるのは、オレだ」パーンはむきになって答えた。「でないとエフリートのためにフレイムは確実に敗れてしまう。だから、あの魔神を倒《たお》す術《すべ》か、少なくともそれに対抗《たいこう》する方法を見つけださなければならないんだ」

「そう、するとアラニアに行けば、その術とやらが見つかるってわけだな」

からかうようにマーシュは空のグラスを振ってみせた。パーンは酒に酔うと、陽気になる性格なのか、その仕草《しぐさ》を見てもべつに腹も立たなかった。

「そうさ、見つかるはずだ」

「スレインのこと？」ディードリットがそっと尋《たず》ねる。

「それもあるが……。しかし、もっと確実な人間がいるだろう」

「もっと確実な人間？」

細い目が一杯《いっぱい》に開かれる。ディードリットにはまったく心当たりがなかった。

「そうさ」自信たっぷりに、パーンはディードリットに向かって胸を張った。「分からないかい。昔、カーラだった女性だよ。レイリアとか言ったっけな。マーファの司祭だったというあの女性さ。彼女は今、ターバに戻《もど》っているはずだ」


翌朝、目覚めたパーンは、ディードリットを伴ってカシュー王に謁見《えっけん》を求めた。

カシュー王は昨晩とはうってかわって、機嫌《きげん》がよさそうだ。

そのカシュー王に、パーンは昨晩マーシュに言ったことをそのまま進言する。

「アラニアに行きたいだと？　それはまた突然なことだが、何か理由があるのか」

カシューはパーンの性格は知っているので、彼が逃げだそうとしているなどとは、まったく考えていない。それに彼は金で雇《やと》われているわけでもないので、逃げられたといっても、それをとがめる権利もない。

「はい、先の戦闘《せんとう》でわたしは不覚にも敵に捕《とら》えられ、そしてカシュー王らのおかげもあって助けられたわけなのですが、囚《とら》われていた間、わたしは敵の族長であるナルディアと、もう一人、部族の神官を自称するアズモとかいう人物に出会いました。この男がどうやらエフリートを使っているようです」

「アズモという男のことはよく知らんな。で、二人に会って、何か気づいたことがあったのか」

「そういうことです。わたしは今度の戦いにカーラが関係しているのではないかと考え、この地にやってきました。しかし、戦の状況《じょうきょう》を知るにつれ、一旦《いったん》はカーラとは無関係だろうとあきらめたのです。でも、それは早計でした」

「なんだと？　敵地でカーラを見たとでもいうのか！」

カシューは驚《おどろ》いて尋ねかえした。もし、そうなら由々しき事態である。

「いいえ、そうではありません。カーラと言っても、わたしが追いかけるカーラ、ウッド・チャックとは違《ちが》います。今度の戦《いくさ》をもう一度振りかえってみてください。二年ほど前、炎《ほのお》の部族が最初の攻勢《こうせい》をかけてきた時に、カシュー王はベルドと戦うべく、ヴァリスにおられたでしょう。

そして、モスとアラニアが対マーモの戦線に加わろうとしたときに、ロードスにあいついで異変が起こった」

「そうだ。アラニアとモスで内乱が起こり、そして我がフレイムにも炎の部族が戦をしかけてきた」カシューは、それがどうしたと言わんばかりの言い方だった。

「そうです。そのあまりのタイミングのよさに、それがカーラの策略によるものだと、我々は思ってきたわけです。そして、それはおそらく間違いではないでしょう」

パーンは身振りをまじえながら話を続けた。

「そして、最近になって炎の部族がエフリートを解放し、支配しているわけですが、わたしはこれもカーラの仕業《しわざ》ではないかと考えてみたのです。

確かに炎の部族が攻勢に出た時期と、炎の力を手にいれた時期には、時間的なずれがあります。しかし、二つの部族の五百年の戦いの歴史を考えると、それはあまりにわずかな時間のずれだと思いませんか。炎の部族以外の何者かが介入していると考えたほうがよほど自然なはずです。そして、その人物とは、やはりカーラをおいて他に考えられません。

なぜなら、カーラは古代王国期に生まれた魔女です。とすれば、砂漠の民と古代王国の戦いにもいちばん詳しいはずの人物でしょう。ならば、エフリートを解放し、それを従わせる手段を知っていたとしてもなんの不思議もありません。おそらく、彼はアズモという神官にその方法を教えたのでしょう」

「ふむ、理屈《りくつ》だな。守護神を解放するだけならことは簡単だったからな。オレはこう見えても古代王国の魔法の宝物には詳《くわ》しくてな。封印《ふういん》の壺《つぼ》と呼ばれる工芸品《アーティファクト》の秘密をも知っていたのだ。その壺は精霊《せいれい》を封じこめるために作られたものだ。たとえ、上位精霊であろうともその束縛《そくばく》からは逃れられんと聞く。だから、おそらく風の王もその壺の中に閉《と》じこめられているのだろうと、オレは考えたのだ。そして、オレの予想は当たっていた。封印の壺は我々の先祖の神殿《しんでん》である砂塵《さじん》の塔《とう》に保管されていた。もっとも、その壺の安置されている場所に行くまでには、ずいぶんと苦労させられたものだがな。砂漠を進む間は〝砂走り〟に悩《なや》まされ、砂塵の塔に着けば着いたで、ゴーレムどもが出迎《でむか》えてくれたからな」

カシューの言う砂走りとは砂漠に住む怪物《かいぶつ》で、風と炎の砂漠に住む生き物の中でも、もっとも巨大《きょだい》でそして危険な存在だった。カシューはその怪物や、魔法で動く石の巨人、ゴーレムとの戦いを思いだしていた。それは苦労と一言で片付けてしまえるほどには、たやすいことではなかったのだが。

「確かに、カーラならゴーレムなど問題ではないだろう。その上で、アズモという男にエフリートを解放する方法とそれを支配する方法を教えたかもしれん。しかし、これらのことが真実だったとして、では次にどういう手を打てばいい。アズモという男を捕《と》らえるか？　それとも、カーラに直接、話を聞くか」

「そのとおりです。わたしはそのために、アラニアに行こうと思うのです」

パーンの自信満々の態度が理解できずに、カシューはパーンの目をじっとみた。

「カーラとわたしたちがいかに戦ったかについては、申しあげたはずですよ、カシュー王。かくいうわたしもつい忘れていたのですが、カーラの正体をもっともよく知っている人物は今、アラニアにいるはずなのです」

パーンの言葉にカシューはようやく、すべてを理解した。

「そうか、かつてカーラに自らの身体と意志を支配されていたとかいう女だな。名前は忘れたが、マーファ神殿の最高司祭ニースの娘」

「そうです。彼女はスレインに連れられて、アラニアのマーファ神殿に戻《もど》っているはずです。彼女がもし、カーラであった時の記憶を持っていれば……」

そうすれば、すべての謎《なぞ》が明らかになる、とパーンは確信している。

「なるほど、それでアラニアか。カーラに因縁《いんねん》の深いおまえでなければ思いつかない考えだな。これは、オレの方から頼《たの》まねばならないようだな。もちろん、金やその他の準備もさせてもらおう。いちばん早くて安全なのは、海路を通ることだろう。我が国に一隻だけある帆船《はんせん》を貸そう。風にさえ乗れば、まちがいなく早いはずだ」

それはフレイムにカシューが新しくもたらした文化のうちのひとつだった。

人が漕《こ》ぎ手となるガレー船とは違い、風の力を受けて進む帆船は、ロードスはおろか、文化の中心であるアレクラスト大陸においてもまだそれほど普及していない最新の文化だった。フレイムはライデンの商人の独占である大陸との貿易を、この帆船を使って独自に行なうことも計画しているとの噂がある。

「アラニアはまだ不穏な状況だと聞く。この前の傭兵《ようへい》たちも連れていけ。おまえを助けだした時の手際《てぎわ》を見ても、おそらくこんな任務のほうが性《しょう》にあっているのだろう」

カシューはパーンのそばに歩いていき、その手を力強く握《にぎ》った。そして、朗報《ろうほう》を待つぞと、声をかける。

「一命に代えても」パーンは力強く言った。

その言葉を聞いて、カシューは苦い顔をした。

「オレはあまり、その言葉が好きではないのだ。ヴァリスの聖騎士《せいきし》たちは、いつもその言葉を口にして、そして言葉どおりに命をなくしていくからな。あまり張りきらないほうが、かえって成功しやすいものだぞ」

パーンは、はあ、と返事をして、がんばりますと言いなおした。パーン自身は「一命に代えても」という台詞《せりふ》は、いかにも聖騎士らしくて、気にいっていたのだが。

「で、いつ出る。事は急を要するとはいえ、おまえも傷がまだ完全には回復していないだろうし、二、三日休んでから行けばどうだ。オレは簡単には負けないつもりだぞ」

カシューはパーンの提案がいくつかの仮定に基づいた意見であることにも気がついている。あてにはしているが、予想どおりにいかないのが現実というものだ。

パーンのもたらす情報がなくて負けるようでは、国王の資格などないとも思う。

「お言葉はありがたいのですが、船の用意が整いしだい、出発したいと思います。敵がどう動くか分かりませんから……」

「ふっ、あわただしい奴《やつ》だな。ならば、船の準備を急がせよう。おそらく、午後には出発できるはずだ」

「分かりました。マーシュたちには、わたしから声をかけておきます」

パーンは正式な騎士の礼をして、カシューに背を向けた。

「気をつけていけ。アラニアまでなら風しだいだが、数日ほどの航海だ」

2

カシューとの会見の後、パーンたちは目のまわるような忙しさだった。

まず、二日酔《ふつかよ》いのマーシュをたたき起こさねばならなかったのだが、これがけっこう手間がかかった。

ようやく目を覚《さ》まし、朦朧《もうろう》としているマーシュだったが、アラニア行きの話を聞いたとたん、突然正気に戻《もど》って張り切りだした。

そのあと、傭兵部屋《ようへいべや》に走って、シュードとデニのところに行った。デニは貸しを作ったまま逃げられては困るから、と同意したし、シュードはまずい薬を飲むのが嫌《いや》だからという理由で同行を申しでた。

それから旅の支度を済ませて港に行くと、カシュー王が先に来ていて帆船《はんせん》「海の鷹《たか》」号の船長を紹介《しょうかい》してくれた。船長はいかにも海の男という感じで、気さくな人物だった。

そして、パーンは旅の細《こま》かい打ち合わせをカシューと船長をまじえて行なった。船長の話によれば、この時期には嵐《あらし》はこないから、三日もあればアラニアの北の半島の海岸に行きつけるとのことだった。

パーンはそこから山越《ご》えでザクソンに行き、そこでスレインに会ったのち、さらに北に上がってターバにいるはずのレイリアを訪ねるという計画を立てた。

船長はそれならと、パーンたちを送りとどけた場所で、余裕を見て二週間は待ち、それでも連絡《れんらく》がない場合はそのまま国に引き返すということを決めた。

そして、あわただしく出港の準備が始められた。

パーンは船に乗るのは、初めてではなかったが、もちろん帆船に乗った経験などない。近くで見る帆船の大きさには、パーンは最初圧倒《あっとう》されたものだ。

「海の鷹」は二本のマストを持ち、そこに台形の布が巻きあげられた三本の横木が取り付けられている。

甲板の上には、太いロープが何本も張りめぐらされていたし、特に船首から第一マストへと張りだされたロープには三角形の帆《ほ》が結びつけられている。

船首には鉄で補強された衝角《ラム》が突きでていて、この船が他の商船とはまったく違った目的で作られたことを物語ってもいた。小型の投石機《カタパルト》が前後に二基備えつけられていて、舷側《げんそく》には四角く切った石弓《クロスボウ》用の発射窓がいくつも設けられている。海賊船《かいぞくせん》など問題にならない攻撃力《こうげきりょく》を持っているようだ。

いちおう商業用に使われているとはいうものの、主要な乗組員たちはフレイム王国に直接仕える者たちである。特に船長は爵位《しゃくい》さえ持つ、れっきとしたフレイムの貴族とのことだった。

しかし、船長はそんなことは少しも表に出さず、船の上では爵位ではなく、かならず船長と呼んでくれとパーンたちに笑いかけたものだ。

パーンたちは準備を手伝えないものかと思ったが、慣れない男の出る幕《まく》はなさそうだったので、先に船室に入って出発を待つことにした。

しばらくするとカシュー王もやってきて、情報の交換とこれからの戦について簡単に打ち合わせを行なった。

カシューは決戦の日時をおよそ一月《ひとつき》後と考えていた。それ以上今の状態が続くと、ブレードの市民の我慢《がまん》が、限界を超《こ》えると判断したのだ。

火は、それほど人間の生活にはなくてはならないものなのである。ライデンからの食料の補給もほとんど期待できないとあって、食料がいつ尽《つ》きるかも分からないような状態だった。食料庫でもあったヒルトを押さえられたのは、フレイムにとって大きな痛手なのだ。

「それまでには、いい情報が欲しいものだな」

カシューは笑いながら言ったが、その目は真剣《しんけん》そのものだった。

「かならず朗報《ろうほう》を持ちかえってみせますよ」

そして、日が傾《かたむ》き始める頃《ころ》、「海の鷹」はフレイムの港を静かに離《はな》れると、東のアラニアを目指して帆を一杯《いっぱい》に開いたのである。


海の人となったパーンは、ディードリットと並んで、のどかに船べりに立っていた。

そこは綱《つな》が張られているだけだが、海は穏《おだ》やかで船の揺《ゆ》れはほとんどない。

最初二人は真下の海面を覗《のぞ》きこんで、船に切られて波が流れていく様子を見ていたのだが、今はそれには飽《あ》きて、離れていく陸地をぼんやりと眺《なが》めている。

潮《しお》を含《ふく》んだ風が、気持ちよく西から東に吹いていた。

順風である。

ディードリットは空を見上げながら、そこに舞《ま》う風の乙女《シルフ》たちの姿を眺《なが》めていた。その姿はもちろん、彼女にしか見ることはできない。

シルフはあくまで自由に空を駆《か》ける。精霊《せいれい》であるシルフにとっての関心事は、定められた法則にしたがって風を導くことだけなのだ。

「今回のことではずいぶんとディードに、貸しを作ってしまったな」

パーンはばつが悪そうにディードリットに声をかけてみた。

「怒るわよ」ディードリットはそう言って、パーンを睨《にら》みつける。

「怒るわよって、怒りっぱなしじゃないか」パーンは口をとがらせてディードリットに抗議《こうぎ》した。

悪いのが自分なのは十分に承知しているが、そろそろ機嫌《きげん》をなおしてもよさそうなものだ。

「もしも立場が逆だったなら、あなたはあたしに貸しを作ったと思うの！」あくまでディードリットの語気は荒い。

「そりゃ、思わないさ、もちろんね。でも、立場が違《ちが》うだろう」

「あなたは男で、あたしは女ということ？　人間の尺度で物事を考えないでちょうだい。あたしたちエルフは、男も女もまったく平等なの。戦いの時には女も剣を持つし、家の仕事だって平等に行なうわ」

「オレは家事なんかできないぜ」パーンは真顔で答えた。

「そういう問題じゃないでしょ」ディードリットがあきれたような表情を作る。

「しかし、オレは前から言っているように……」

「分かったわ、パーン。もう喧嘩《けんか》は終わりにしましょう。あたしはあなたを無事に助けだせたことが嬉《うれ》しいのよ。そして、それをあなたが気にしていることも分かるわ。でも、あたしたちは仲間じゃない。お互《たが》いが危ないときに身を守ってやれるからこその仲間でしょう。あたしの

いないときに、あなたが死んでしまうようなことがあれば、悔《くや》んでも悔みきれない。今回のことでそれがよく分かったから、これからはあなたがなんと言ってもあたしはあなたについていくわよ」

「捕《つか》まえられたのが、なりゆきだったってことは話したろ。みんなが考えていたような立派《りっぱ》な理由じゃない。だから、みんなに助けてもらったってことが申し訳《わけ》ないんだ」

ディードリットはいらいらしていた。物分かりの悪いこの男の顔を叩《たた》いてやりたい衝動《しょうどう》にかられる。

「マーシュたちには借りを作ったと考えていればいいの。でも、あたしにはそんなこと考えないでちょうだい」

「なぜ?」

「なぜ、ですって――」

ディードリットはそのとき誰《だれ》かが彼女らの方に、やってきていることに気がついた。振りかえるとシュードとデニが近寄ってきていた。

ディードリットはもはや、怒る気力も失《う》せていた。

「もう少し色っぽい話はできないのかい? シュードじゃあるまいし」デニがからかうような口調でいう。

「女嫌《おんなぎら》いがそんなに悪いことかよ!」自分がからかわれていることに気がつき、顔色を変えてシュードが文句を言う。

「マーシュは？」パーンが尋《たず》ねる。

「彼は船酔《ふなよ》いで船室に転がっているよ。あの大男の悲鳴で、こちらは昼寝《ひるね》もできないありさまで、こうして甲板に上がってきたんだが、二人のお邪魔《じゃま》だったかもしれないな」

シュードは肩《かた》の傷を押して、今回の旅に参加してもらっているのだが、その回復はまずまずの様子で、ブレードまでの道中と比べると、顔色は格段によくなっている。

「怪我《けが》をしているのに、また世話をかけるな」

「今度は金が出ているからな。だが、もらった金額以上のことを期待するなら、せめてオレたちも仲間と認めてほしいな」笑いながら、シュードは言った。

パーンは嬉《うれ》しそうに目を細めて、二人の傭兵の対照的な顔を代わる代わる見つめた。

「オレにとっては、最初からみんな仲間だったさ。間違《まちが》いなくね」パーンは言った。

「おまえは見知らぬ他人でも、気があえばすぐに仲間と考えるような奴《やつ》だ。だから、オレたちのようなあぶれ者でも、てらいなくおまえを仲間と呼べる。特に我々は傭兵だから、仲間は必要なんだ。傭兵の命を気遣《きづか》ってくれる雇《やと》い主はほとんどいないから、自分の身は自分で守る、それとできるかぎり仲間の命は救う。これが傭兵の不文律だからな。お互《たが》い助けあってこその仲間とは、ディードリットの名言だったが、その中にオレたちも加えてほしいものだな」

シュードの言葉にディードリットは顔を赤らめながら下を向く。

「騎士は国のために、そして傭兵は金と仲間のために戦う、という文句があったな」パーンは笑った。心の底からの湧《わ》きでたような笑いだった。

パーンは昔《むかし》、盗賊《とうぞく》をやっていたということ以外、デニとシュードの過去を知らない。この二人は何か深い理由があって傭兵をやっているんだと、傭兵仲間では評判だった。マーシュのような生粋《きっすい》の傭兵とは少し毛色が違うのだ。しかし、そのことを詮索《せんさく》するつもりは、今はない。その時がくれば、彼らのほうから話してくれるだろう。

「そろそろ冷えてくるから、これ以上甲板にいるのは、身体《からだ》に毒だろう。下では食事の準備もできているから、そろそろ降りないか」シュードがパーンの肩《かた》を叩《たた》きながら誘《さそ》った。

初めての航海にしては、順風続きで、船長はさかんにパーンたちの幸運を悔しがっていた。

船長は洋上での苦労話を派手《はで》な身振りをまじえてしてくれ、そのあまりの大げささのためにパーンたちは笑い転げながらその話を聞いたものだ。

しかし、実際に時化《しけ》にあえば、彼の言うとおりの状態になるのだろう。人はまだ、完全に海を制しているわけではないのだ。

船長をはじめ、船の乗組員は皆気さくな男たちで「海の鷹《たか》」号での旅は楽しいものだった。

そして、予定どおり三日後には、アラニアの北部の海岸にその巨大《きょだい》な姿を現わしていた。港ではないので、そこから岸までは小舟で行かねばならない。

「予定どおりここで二週間待機する」と船長は小舟に乗りこむパーンにそう伝え、彼らの武運を祈《いの》ってくれた。

そして、パーンたちは陸の人となったのである。

彼らが降りたったところから東に進むと、三日ばかりでザクソンの村に着くと思われた。しかし、こちらは街道《かいどう》などない山越《ご》えの険《けわ》しい道だ。

もちろん、南へと向かい街道に出るというルートもあったが、こちらを通ればまず一週間はかかる。

しかも、そこはアラニアの内乱の主戦場でもある。まだ、山越えのほうが危険が少ないだろう。時間も惜しいパーンたちは、山越えでザクソンに行くことに決めた。

「アラニアの荒れようはひどいものだと聞いていたが」パーンがまばらに草の生えるなだらかな山道を上りながら、ポツリとつぶやいた。パーンたちが上陸した場所は、街道から半日ばかり離《はな》れていたので、アラニアの荒れようを確かめる術《すべ》はなかった。

「北と南とに分かれて内乱が激《はげ》しいってことだぜ。なんでも、反乱軍である王弟軍にノービス伯《はく》アモスンを中心とする前の国王派が抵抗《ていこう》しているんだそうだ。アモスン伯爵《はくしゃく》は王位継承権でいけば、王弟ラスター公の次にあたるから、彼を倒《たお》せば正統な王位継承者になれるので、これは真剣になるわな。どちらかと言えば、王弟軍のほうが数の上では優勢らしい。まあ、しょせんは権力争いよ」

傭兵らしく各国の事情に通じたマーシュが解説してくれた。彼の話ではおもな戦場はアランとノービスとを結ぶ街道とその周辺にあるらしい。

「なら、ザクソンあたりは大丈夫だろう。それにターバも。スレインもあの女性も、まず安心だな」

パーンは希望的な観測も加えて、そう言ってみたが、じかに行ってみないかぎり事実は分からない。

「スレインなら大丈夫よ。あの人、一見頼《たよ》りなさそうだけど、なかなかどうして抜け目がないもの」ディードリットはパーンの横に並びながら忍《しの》び笑いをもらした。

「そうだったよな。それにレイリアという人物だって、大地母神《マーファ》の高位の司祭《しさい》だろう。なら、よほどのことでもないかぎり大丈夫さ」

最初の一日は傾斜《けいしゃ》もゆるく、比較的楽《らく》な道のりだったが、二日目には本格的な山登りになり、一行の行軍は難航をきわめた。しかも、悪いことは重なるもので、夕方にはホブゴブリンの一団と出会い無用な戦いを強《し》いられることになった。

もっとも七匹のホブゴブリンたちは実戦なれした傭兵たちによって、たちまち半数ばかりが倒《たお》され、残りはあわてて逃げ散っていった。

五人で来たからいいようなものの、これがもしパーンとディードリットの二人だけだったなら、苦戦はまぬがれなかっただろう。

「北の山脈から流れてきたんだろうか？　それとも、マーモから渡ってきた傭兵の生き残りなのか……」

パーンは忌《いま》わしい妖魔《ようま》の死体を見下ろしながら、呪《のろ》うようにつぶやいた。

いずれにせよ、ホブゴブリンが人里に近い山の中にも出没しているというのは、由々しき事態といえた。

国の乱れはこういった妖魔や山賊《さんぞく》たちの跳梁《ちょうりょう》をも許すきっかけになるのだ、ということをパーンはあらためて認識した。

「千年王国《ミレニアム》もこうなっちゃあ、おしまいだな」デニが盗賊《とうぞく》らしいところを見せて、ホブゴブリンの懐《ふところ》を調べながら、そうもらした。「おまけに金も持っていやがらねぇ」

デニとシュードはライデンの出身で、マーシュはモスの北部で生まれたらしい。パーンも生まれはヴァリスだし、ディードリットにいたっては物質界の生まれですらない。

つまり、一行の中にはアラニア出身者は一人もいないということになる。もっともパーンは少年時代をアラニアで過ごしていたのでこの国にも愛着はある。

その愛着のあるアラニアがこうも荒れているということは、パーンにとって腹立たしい現実だった。

ホブゴブリンに出会ったということもあって、その日の夜営は二人の見張りを立てることになった。それでも不安のため皆の寝《ね》つきは悪く、何か物音がするたびに、見張り以外の者も目を覚まし、そして枕《まくら》もとにおいてある自分の武器をつかむのだった。

そんな仲間の反応を見て、マーシュはあきれて、これなら見張りなんて必要ないぜ、と軽口をたたいたものだ。

長い夜だったような気がするが、それは緊張《きんちょう》のためだった。傭兵たちは冒険者《ぼうけんしゃ》と違《ちが》い、見えない危険に対してはかなり神経を遣うようだった。傭兵たちは目の前の危険にさえ気をつけていれば命を落とすことはない。

しかし、冒険者たちは日々が危険との戦いである。どこから敵が襲《おそ》ってくるか分からないのだ。見えない危険に対しては、冒険者のほうがはるかに場なれしている。

パーンは久しぶりに冒険者らしい生活を送り、その緊張感を思いだしていた。二年ほど前には、六人でこのロードスを旅した。あの時の仲間は、今はディードリットだけとなっている。

しかし、今、ともに旅をしている新しい仲間も味のある連中だった。旅を続けるうちに、しだいにおたがいのことも分かってくるし、今では行動のパターンや考え方などもだいぶ見えるようになっていた。

長い夜が明けて三日目の朝をパーンたちは、無事に迎《むか》えた。

一行は軽い食事を済ませてから、夜営の後始末をした。そして、出発する。すでに峠《とうげ》は越《こ》え、下りに差しかかっている。あいかわらず道は悪いが、それでも登りよりかなり楽《らく》になった。

このあたりは南北に走るアラニアの高峰《こうほう》、白竜《はくりゅう》山脈の南の端《はし》に近い。北にいくほど高く険《けわ》しくなる山脈だったから、このあたりは比較的越えやすい一帯だった。

ターバより北側の山中はうかつに踏《ふ》みこむと、氷の精霊《せいれい》たちの集《つど》う場所に迷いこんでしまい、一生その場で氷づけにされてしまうと言われている。この山脈の名前の由来でもある白竜ブラムドも今は氷のただ中で眠りについていると言われていて、その姿を見たものはいない。そのブラムドは、竜《ドラゴン》たちの中でも上位種族にあたる古竜《エンシエント・ドラゴン》と呼ばれる存在だった。

古竜はハイ・エルフらと同じく、古代種族の末裔《まつえい》であり、知性も高くそしてその強大さにおいて他の竜どもとは格段に違う。独自の体系からなる魔法にも習熟しているとも伝えられている。

このロードスには古代王国の末期に、この地の太守《たいしゅ》であった魔術師が、五匹《ひき》の古竜を飼っていたとの伝説があり、古代王国の崩壊《ほうかい》時にこの五匹の竜たちは莫大《ばくだい》な宝を持って、ロードスの各地に散っていったといわれている。

その竜たちのうちの一匹が白竜ブラムドであり、ライデンの南東に位置する活火山の主人、火竜シューティングスターもその中に含《ふく》まれている。この二匹は今《いま》休眠期にあると言われ、その活動は目立ったものではない。

五匹の中でただ一頭「金鱗《きんりん》の竜王」マイセンだけは活動期にあり、モスの建国王の盟友となりその建国に力を貸し、仕える主人こそ代わりはしたが、今もモスの空を飛んでいるはずだ。

パーンはじかに竜を見たことはなかったが、それは幸運だと思っている。

確かに竜は美しいが、その巨大な身体《からだ》には、口から吐《は》く恐るべき炎《ほのお》を別にしても人間を簡単に殺せるだけの力がある。絶対に戦いたくはない手合いの怪物《かいぶつ》だ。名誉《めいよ》ある「竜殺し《ドラゴン・スレイヤー》」の称号と引きかえにするにしても、それは危険すぎる賭《か》けである。

太陽が真南に差しかかる頃《ころ》には、地面はほとんど平らになり、木々の姿が多くなってきた。

この小さな森をぬければ、ザクソンの村があるはずだった。

森の中の道案内は任せるとばかり、パーンは森に入るとすぐ先頭をディードリットと代わった。

この辺りの森は下藪《したやぶ》が少なく、ときどき見られる倒木《とうぼく》が障害物となるくらいで、進むのに苦労はない。しかし、森の中はうかつに歩けば道に迷うことになる。その点、ディードリットはエルフだけに、森の中での方向感覚は確かなはずだった。

「東にまっすぐ行けばいいのね」

振りかえってパーンに確認してから、ディードリットは気持ちよさそうに先を急ぎはじめる。

彼女は森の中に入ると、心なしか元気になるようだった。さすがエルフは森の民である。

ドワーフが大地の精霊と深く関わっているのと同じように、エルフは森の精霊たちとの関係が深い。それに水と大気は植物を育《はぐく》むものだから親しく、反対に炎は植物にとっては恐るべき大敵であるために、エルフたちは嫌悪《けんお》しているのだ。

森の中を数時間ばかり進んだとき、前方から一つの影《かげ》が近寄ってくるのにディードリットが気づいた。

向こうもパーンたちに気がついたらしく、あわてたようにもと来た道を引き返し、すぐに見えなくなった。パーンたちが声をかける暇《ひま》さえなかった。

「なぜ、逃げたのかしら。たぶん、狩人《かりゅうど》だったように思うけど」

「マーシュがいるから、食人鬼《オーガー》と間違《まちが》えられたのかもしれないな」

パーンが笑いながら言う。

「そいつはひでぇよ、パーン」

「いずれにせよ、気をつけましょう。オーガーと間違えられたのなら、いきなり攻撃《こうげき》されるかもしれないからな」

「森からやってくる旅人なんていねぇからな。間違えられても仕方がないやね」デニはシュードの言葉に答えて、その背を少し屈《かが》めた。飛び道具に対する用心のためだろう。

「いくらなんでも、いきなりは攻撃してこないだろう」

パーンは笑いながら言って、皆の同意を得ようとしたが、今のアラニアの事情を考えるとそれは甘い考えだったと知らされることになる。

相手はいきなり襲《おそ》ってきたのだ！

森の向こうから、激《はげ》しい足音が聞こえてきたかと思うと、十人ばかりの人間が木々に見え隠《がく》れしながら現われたのだ。

矢が飛んでくる音をするどく聞きつけ、ディードリットが危ないと叫《さけ》んで頭を下げた。下げる前に頭があった位置を矢は正確に射ぬき、ディードリットの後方にあった大木に鋭《するど》い音を立てて突きささった。ディードリットの目が怒りに燃える。

「やったわね！」

そう叫ぶとディードリットの口から精霊《サイレント・スピリット》語の呪文《じゅもん》がもれる。

その声に応じて、ディードリットの前に不自然な風が巻きおこり、続いて放たれた二の矢、三の矢をそらしていった。

「応戦しようぜ」デニは屈みこみながら、パーンに言った。

「待て！　オレが説得してみる。それでも応じないときは、こらしめてやるしかないな。だが、絶対殺すなよ！」

「難しい注文だな」木の陰《かげ》に身を隠《かく》しているシュードがエストックをぬきながら文句を言う。

「オーガーの強さを思いしらせてやるぜ！」マーシュも息まいていた。

やられたらやりかえすのが傭兵の主義のようなものだから、彼らの反応は当然である。

「おまえたちはザクソンの村人ではないのか？　もし、そうならオレたちは、敵ではないぞ。オレの名はパーン。昔はザクソンの村の住人だった男だ。オレのことを覚えている者はいないのか？」

パーンは声を限りに叫んだ。絶叫《ぜっきょう》が森の木々に反響《はんきょう》し、木霊《こだま》となって森の奥《おく》に染みこんでいく。

矢がまた一本、放たれてきた。

「もう一度言うぞ！　オレの名はパーンだ。かつてザクソンの村の住人だった。これでも攻撃をやめないつもりなら、オレたちだって容赦《ようしゃ》はしないぞ！」

そのパーンの言葉に、倒木を利用しながら弓を射ていた人間たちは弓を撃つのを止め、何事か相談し始めた様子だった。

そして、しばらくすると、彼らの中から一人が立ちあがり、倒木に片足をかけて身を乗りだしてきた。

その人間は遠目に見ると女性のようにも見えた。髪《かみ》が長く、それに身体《からだ》全体を包《つつ》むゆったりとした服を着ているからだ。しかし、その人影から発せられた声はまぎれもなく男のそれだった。

「オレたちは確かにザクソンの村の者だ。おまえが村の住人だったのは、何年前のことか？　オレはおまえの名を知らない。ここにいる仲間もだ」

「旅に出てから、二年ばかりが経つ。村長のフィルマーさんは健在か？　あの人ならオレのことを間違いなく知っているはずだ。雑貨屋のモートか猟師《りょうし》のザムジーだってかまわないのだが」

代表らしい男を中心に、ふたたび彼らの間で意見が交わされているようだった。

そして、しばらくしてから、長髪男《ちょうはつ》が声をかけてきた。

「よーし、おまえの話は信じよう。しかし、こちらの言うことは聞いてもらうぞ。武器を捨ててこちらへ来い！　これが条件だ。この条件を飲まないのなら、こちらはあくまでおまえたちを賊《ぞく》とみなす」

パーンは怒りに燃えた。これが正当に話し合いを行なおうとする者に対する礼儀《れいぎ》だろうか？

「おまえの条件など飲めるものか！　武器を捨てて、いったい誰がオレたちの安全を保障するんだ。オレたちは勝手に村まで行かせてもらう。道からどけ！　さもないと、痛い目に合うことになるぞ！」

高飛車な話し方が気にくわない、とパーンは思った。間違いなく男の声ではあるものの、声のトーンが甲高いのも妙《みょう》に癇《かん》に障《さわ》った。

(あいつは気に入らない！)簡単に言えば、この結論に達したわけだ。

「交渉は決裂《けつれつ》したようだな」デニが皮肉っぽく言う。

「あれが交渉なものかよ！」パーンが怒鳴《どな》りかえした。

「オレに怒るなよ」デニは首をすくめた。

「ディードリット、援護してくれ！」パーンは言うなり、駆《か》けはじめた。

ディードリットはうなずき、シルフの力をパーンを中心に展開していった。

ふたたび激しく弓矢が飛んできたが、その矢は一本もパーンに当たらなかった。

「正体を現わしたか、賊め！」

長髪男は叫ぶと、腰から小さな棒切れを取りだすと、それを大きく横に振るった。

「眠りをもたらす安らかなる空気よ！」

男に向かって、まっすぐ走りよっていたパーンは、その声が上位古代語《ハイ・エンシェント》のルーンであることを知って、背筋に寒いものを感じた。近くで見れば、男の着ている服は賢者《けんじゃ》のローブだということも分かった。敵は魔術師《まじゅつし》だったのだ。

カーラと対決したときの光景が脳裏《のうり》をよぎる。彼は精神を緊張《きんちょう》させて、相手のかける呪文《じゅもん》に対抗《たいこう》しようとした。

「あいつ、魔術師だわ！」ディードリットもあわてて叫んで、沈黙《ちんもく》の呪文をシルフに命じるために、精神の集中をふたたび始めた。

しかし、もちろん相手のかける最初の呪文には間にあわない。

パーンは息を止めて、森を駆《か》けた。

長髪男まであと十数歩というところで呪文の効果を受け、パーンは頭がくらんだ。

しかし、パーンは魔法について普通の人より詳《くわ》しいほうである。対抗するための方法もいくつか知っている。

だから、パーンは魔法をかけられたことを知ると、精神を集中させてその効果に耐《た》えようと気力を振りしぼった。

男が唱《とな》えたのは「眠りの雲」の呪文のようだ。

初歩的な魔法である。しかも、呪文の唱え方もカーラやスレインとは比べものにならないほど、たどたどしいものだった。おそらく、かけだしの魔術師なのだろう。

パーンはみごとに長髪男の呪文に抵抗しきって、男のふところまで飛びこんでいった。

「オレの魔法がきかないのか！」

長髪の男は驚愕《きょうがく》の表情をその顔に浮かべた。だが、男はひるむことなく、賊を迎《むか》えうとうと腰の小剣に手をかけた。

が、遅《おそ》かった。怒りの形相《ぎょうそう》を浮かべた戦士は、すでに目の前まで駆けよっていた。その手には、ギラリと光る長剣が握《にぎ》られている。

「危ないセシル！」うしろで誰かが叫んでいた。

パーンは剣を持っていない左の拳《こぶし》を固めて男の腹を狙《ねら》った。男は足蹴《あしげ》りでそれを逃れようとしたが、パーンはその蹴りを鎧《よろい》で受けとめながら、渾身《こんしん》の力をこめた鉄拳《てっけん》を相手の腹にたたきこんだ。

たまらず、長髪の男はうなって前にくずれ折れる。

残った男たちは、あわてて散らばって弓矢が撃てる距離《きょり》まで下がろうとする。

しかし、さっきからこの男には、矢は一本も当たらなかった。それに長髪男の唱える古代語の呪文でさえ倒《たお》すことはできなかった。男の動きは訓練された戦士のそれで、たとえ彼らがたばになっても勝てそうにない。

そうと分かったとたん、男たちの勇気は完全に崩壊《ほうかい》していた。

わーっと口々に叫んで逃げ散るさまは、訓練を受けた兵士などでは絶対にない。

「なんで、こんな連中が？」あっけに取られて、パーンはつぶやいた。

彼らが視界から消えるのを待ってから、手で合図《あいず》を送り、ディードリットたちを招きよせる。

それから、足元で腹を押さえてうめいている魔術師の苦悶《くもん》の顔を注意深く観察してみた。まだ二十歳を超《こ》えてはいないだろう。女のような顔が実際よりも若く見せているのかもしれないが、少なくともパーンより年上だとは考えられなかった。

「無茶をするぜ」

パーンのところまでやってきて、マーシュがあきれたように言った。

「相手の出方を待ってから、突っこんだほうがよかったな。しかし、まさか古代語の魔法使いとは……」

「本当、でもよく魔法に耐えられたわね」と、ディードリットの顔からは安堵《あんど》の表情がありありとうかがえた。

「この男の魔法が未熟だったからだよ。でなければ、負けていたのは、こちらだったろうな」

かたわらで、デニがみごとな手際《てぎわ》を見せて、長髪男を麻縄《あさなわ》を使い、後ろ手に縛《しば》りあげていた。

そして、さるぐつわもかませる。

「これで、魔法は使えねぇだろうよ」

うめき声すら押さえられ、苦悶にむせぶ男をあざ笑うように、デニは背中を軽く蹴飛ばした。

その若い魔術師をマーシュが肩《かた》に担《かつ》ぐ。

「新手がくるかもしれないな」パーンは男たちが逃げていった方向を不安そうに見た。

そして、パーンの予想どおり、しばらくしてから新手はやってきた。

濃い色の衣服をまとった男が、まっすぐパーンたちのほうに向かってくる。

森の木々に見え隠れしながら、その人影は近づいてきた。

「一人というのがかえって不気味だ。嫌《いや》な予感がしやがる」デニが呪《のろ》うようにつぶやいた。

「そうだな、気をつけたほうがいい。あいつ、きっとただものじゃない」シュードもめずらしく相棒に同意して、油断なく身構える。

ディードリットも緊張《きんちょう》しながら、相手の様子をうかがっていた。どんな相手か見極《みきわ》めようと、注意深く相手の動きを追う。

(あれは!)相手が確認できるまでに近付いてきたとき、ディードリットの緊張は喜びに変わった。

「どうした?」

そんなディードリットの変化に気がついて、パーンが尋《たず》ねる。

「安心していいわ。あれはスレインに間違いないもの」ディードリットの声は嬉《うれ》しそうに弾《はず》んだ。「やっぱり、無事だったのね」

パーンはその言葉を聞いて、胸がつまるような思いがした。懐かしさがこみあげてきて、そしてそれが全身に高揚感として伝わっていく。

パーンは駆けだして、スレインとの距離を一気につめた。

もちろん、ディードリットもあとに続く。

「スレイン！」二人の声はほとんど同時に響《ひび》き、森の中を駆けめぐった。

3

しばし再会の喜びのあと、スレインはセシルという名の先程《さきほど》の魔術師《まじゅつし》を解放してやってくださいとパーンに頼《たの》み、同時に彼の非礼を詫《わ》びた。

「この村も完全に平和というわけではないのです。それに戦火を逃れるために、最近ではアランからの難民も多く、秩序を維持するにはどうしても自警団を組織する必要があったのですよ。ラスター公もアモスン伯《はく》も、戦に勝つことに心をとらわれ、民の苦しみなど意にも介《かい》していませんからね」

スレインの話ではセシルは彼が賢者《けんじゃ》の学院にいた頃《ころ》、見習いとして入ってきた学生で、スレインの後輩《こうはい》に当たるらしい。

学院崩壊《ほうかい》のあとは、導師の一人が開いていた私塾に身を寄せていたのだが、その導師と意見が合わず、アラニアに戻《もど》ってきたスレインを頼ってザクソンにやって来たのだそうだ。

スレインはべつに彼を弟子などとは考えていない様子だが、セシルの方は一方的にスレインを導師として尊敬しているようだ。

「この人は、昔《むかし》の誰《だれ》かさんに似ていて、とにかく直情的なのですよ。もっと慎重に行動しろといつも言っているんですがねぇ」

「昔の誰かって、誰のことだよ」と苦笑いをするパーン。

「昔も今も変わらないわ。さっきの二人の対決は、見ものだったわよ」と、ディードリットが横槍《よこやり》を入れる。

「それはあなたにも言えるようですね、ディードリット。その口の悪さなど、昔のままですよ」

スレインの言葉に一行の間になごやかな笑いが起こった。

久しぶりに見る村の様子は、二年前とは似ても似つかぬありさまだった。村のまわりの木が切りひらかれて、そこに新しい家が何軒も建ちならんでいた。

「みんな、アランからの難民たちですよ。彼らのために新しい畑も作らねばなりませんし、外敵からも身を守らねばなりません。それに、新しく来た者と、古い村人たちの間で争いが起こらぬようにも気をつかわねばならないのです」

「スレイン師は、村長から相談役を頼まれているのだ」威張《いば》って、セシルが胸を張る。

「その弟子がおまえなのだから、スレインの苦労も大変なものだな」パーンが言うとセシルは、むすっと沈黙《ちんもく》した。

「あまり責《せ》めてやらないでください。彼はよくやってくれているのですよ。自警団のまとめ役を務めて、賊《ぞく》から村を何度も救ってくれています。こう見えても、彼はけっこう知識が豊かで、組織のまとめ方も心得ているんです。ただ、欠点は戦い方が戦士とまるで変わらないということで……」

その事情はパーンにはよく分かる。森でセシルが高圧的な態度に出たのも、万が一のことを考えてなのだろう。うかつに気を許して、村が危険にさらされることを何より恐れたのだ。魔法使いである彼にしてみれば、相手と離《はな》れているあいだに優位に立っておきたいと思うのは当然だ。接近すれば、戦士のほうが有利に決まっている。

ようするにセシルという男は責任感が強すぎるタイプなのだ。

ヴァリスの聖騎士《せいきし》にはもってこいの性格と言えるかもしれない。

「何か焦《こ》げる臭《にお》いがしない？」突然、鼻をひくひくさせながら、ディードリットがスレインに話しかける。

スレインは自分でも臭いを嗅《か》いでみる仕草《しぐさ》をしたが、感覚のするどさはエルフとは比較にならない。彼には何の臭いも感じられなかった。

「見て！　向こう。煙が上がっているじゃない。山火事だわ、それとも何者かの襲撃《しゅうげき》……」

襲撃という言葉を聞いて、たちまちセシルが厳《きび》しい表情に変わって、ディードリットの指差す方向を見る。

スレインはのんびりと首をそちらにまわすが、こちらは少しもあわてた様子がない。

「あれは森の雑草を焼いているんですよ。何人もついていますから、山火事になることはありませんよ。大丈夫です」

「大丈夫って！　森を焼くなんて！」

ディードリットは激《はげ》しく感情を高ぶらせて、スレインに詰めよった。

「確かに森は我々にとっても、かけがえのないものですよ。ですが、新しい畑がぜひとも必要なのです。ああして、雑草を焼くと、その灰が肥料となって、よい作物が育つのだそうです。それに伐採《ばっさい》の手間もはぶけますからね。風の弱い日に水をかけながら焼いていくので、火事になる心配はありませんよ」

マーファ神殿《しんでん》に古くから伝わる農法なのだとスレインは説明を加えた。

「あなたがたエルフが森をいとおしみ、大切にする気持ちは分かります。ですが、今、この村には食料が不足してるのです。少ない食料を分けあってくらしています。新しく畑を開墾《かいこん》せねば、次の冬を乗りきることはとてもできません」

「ディード、オレたちは他所者《よそもの》なんだ。村のことには口を出さないほうがいい」

パーンが慰《なぐさ》めるように言ったが、ディードリットは建物の向こう側に上がっている白煙を厳しい顔で見ていた。


スレイン・スターシーカーの家は、二年前と比べると一部建て増ししてあり、また中も驚《おどろ》くほど整理されていた。

新しく建て増しされた応接間には七人が入っても、十分にゆとりがあった。

「へぇ、二年前とはずいぶん様子が違《ちが》うじゃないか？」パーンが冷やかしたように言う。

「わたしは前のほうが落ち着くんですが、妻がきれい好きなもので……」

スレインはこともなげにパーンに答えた。なるほど、と返事をしかけたパーンだったが、その言葉が示している意味を理解して思わず、おっと声を上げた。

「妻って、スレイン。おまえ結婚したのか？」

「はあ、そう言えば、まだそちらの紹介《しょうかい》がすんでませんでしたねぇ。えーと、奥《おく》にいるはずですから、呼んできましょう」

そう言うと、スレインは奥の部屋に入っていった。扉《とびら》の向こうでスレインと女性の話し声がする。

そして、スレインに押しだされるように、一人の女性が姿を現わす。

挨拶《あいさつ》をしようと頭を下げかけたパーンは、その女性の顔を見て、驚《おどろ》いて立ちあがった。

「カ、カーラ……」思わず、その言葉が口をつく。

そう、その女性は、かつてカーラと呼ばれていた。

様々な思いがパーンの心の中で交錯《こうさく》した。パーンは身動きもせず、その女性の顔を見つめ続けた。

レイリアというのが本名である。マーファ神殿《しんでん》の最高司祭ニースの娘。

パーンは確かにこの女性に会うために、アラニアに来たのだ。もちろん、頭の中では彼女の過去に対するわだかまりなど捨てているつもりだった。ターバのマーファ神殿に帰ったとばかり思っていたから、ザクソンで会えたことは幸運であるとさえいえる。

しかし、現実に対面してみると、そんな頭の中だけで整理していた結論など、みごとに吹きとんでしまっていた。

スレインは彼の隣《となり》でかしこまって頭を下げている女性を示しながら、紹介が遅《おく》れてすいませんと何事もなかったようにつけくわえている。

「いつ結婚したの？」と、ディードリットは気まずそうにスレインに尋ねる。

「あなたがたと別れたあと、この村に帰る途中で約束しましてね。帰ってすぐ、マーファの神殿で儀式《ぎしき》を挙げました。義母には笑われましたがね」

それはそうだろう、とディードリットは思った。七年も行方《ゆくえ》不明で、帰ってきたときには婿《むこ》

つきだなんて、これで驚かない母親がいるはずがない。

「いろいろとあった様子ね」ディードリットは、深く息をつきながらその女性の顔を見つめた。

その女性はかつては敵として、何度も戦ったのだ。もちろん、それは彼女自身の意志ではない。が、思いだすのはヴァリスでの二度の戦いであり、そして大賢者《だいけんじゃ》の塔での再会であり、そしてギムが殺されたルノアナ湖での最後の戦いだった。

しかし、今の彼女には、あの冷たい表情で自分たちを見下ろしていた魔女の面影《おもかげ》はない。

「彼女は昔の記憶を残しているの？」

ディードリットは、それは聞いてはならない質問かもしれないと思いはした。

しかし、それは今度の旅にとって重要なだけではなく、自分たちがいつかは乗りこえなければならない壁《かべ》でもあった。

カーラとしてこの女性を追いかけた旅は、過去と呼ぶには心に残る傷があまりにも深すぎた。ギムはこの女に殺されたのだという思いもいまだに強く残っている。あのときに、この女性の胸にレイピアを突きたてようとした感情は、一時の気の迷いなどでは決してなかった。

スレインは妻をいたわるような表情を見せた。その顔でディードリットには答えが分かったが、レイリアは毅然《きぜん》とした態度を示し、姿勢を正した。

心なしかその顔が青《あお》ざめている。

「ええ、覚えています。あなたのことも、そして聖騎士《せいきし》殿《どの》のことも……」

それっきり、沈黙《ちんもく》が部屋《へや》に満ちた。

重すぎる沈黙だった。

部屋の空気が完全に動きをやめたような錯覚を、起こさせるような沈黙だった。

マーシュはその場を和《なご》ませようと、いくつか下品な冗談《じょうだん》を思いつきもしたが、それを言葉にすることはできなかった。

彼らはこんな沈黙を生みだせるほどの哀《かな》しみと苦しみを背負って生きているのだ。金のために傭兵《ようへい》をしている男がその沈黙を破ることはできない。

「ごめんなさい、悪気はないの」ディードリットが喉《のど》をつまらせたように、かすれた声で言った。

「あれほどの忌《いま》わしい記憶を残したまま生きることが、いかに厳《きび》しいかオレには分かるつもりです。その選択は安易に死を選ぶより、ずっと難しい」

パーンはレイリアに向かって深々と頭を下げた。

パーンこそがこの女性に対して、もっとも憎《にく》しみを抱《いだ》いていいはずだった。そのパーンが認めた以上、ディードリットはこれ以上この女性に対して、わだかまりを感じる必要はないのだと思った。

「自らの命を絶つことは、マーファの教えでは禁じられた行為です。それでも、わたしは何度もその手段を選ぼうとしました。この人がいなければ、わたしは今、こうして生きてはいなかったでしょう。確かにあなたの言うように、死はもっとも簡単な逃げ道です。わたしの行なったことは、死を選んでさえ許されることではありません。ですから、わたしは生きてロードスの再建に力を尽《つ》くそうと思ったのです」

「立派《りっぱ》だと思います」パーンは真顔で答えた。

「あのね、レイリア。決意が立派すぎると、それがかえって行為を邪魔《じゃま》することもありますよ。望みが果たされるのは、いつの場合も最後と決まっているんですから、べつにあわてなくてもいいんです」

スレインはいつもながらのゆっくりとした調子で妻に声をかけた。しかし、そこには自分の妻をいたわる配慮《はいりょ》が満ちていた。

「とにかく、二人ともお座りなさい。どうも、わたしのまわりには生き急いでいる人間が多いようですね。もっとも、わたしがのんびりすぎるのかもしれませんが……」

スレインの言葉に従って、パーンは腰を下ろした。レイリアもスレインの隣に座る。

この二人を結びつけているものが、夫婦愛などという言葉だけでは語りきれないということは、パーンにも分かった。

この二人のこれから先の一生は、ロードスの混乱に立ち向かっていくように、宿命づけられているのだ。自分たちがカーラを追いかけているのとは、まったく別の意味で彼らも灰色の魔女と対決せねばならないのだ。

これだけの業を、共に背負おうとするスレインの大きさに、パーンは感銘《かんめい》を受けていた。

「スレインの言うとおり、オレは忙《いそが》しい生き方しかできない男だから……」

パーンはそう前置きしてから、本論に入ろうとする。

「まあ、そんなことだろうと思いましたよ。あなたが懐《なつ》かしさだけで、ここにやってきたのではないことぐらい初めから分かっていましたからね。で、話とはやはり、あの魔女のことですか？　わたしもあれから、いくつか文献《ぶんけん》をあたってみてますが……」

「まあ、聞いてくれ。話は確かにカーラのことには違いないが、ウッド・チャック絡《がら》みの話ではないんだ。それに話はスレインよりも、むしろレイリアさんのほうに聞きたいんだ。辛《つら》い話になるだろうが……」

「まったくです。これで、しばらく彼女の機嫌《きげん》のいい顔を見れませんね」

「すまない」パーンは素直《すなお》に謝《あやま》った。

「わたしに話とはなんでしょう」レイリアは若い戦士の顔を正面から見つめた。

「話は英雄戦争の前まで遡《さかのぼ》りますが、カーラがフレイムに対して行なった陰謀《いんぼう》のすべてを教えてほしいのです」

「フレイム？　あなたは今、カシュー王に仕えているんですか？」スレインが割りこんでくる。疑問があると口にしないではいられない性格なのだ。

「仕えちゃいない。協力しているだけだ。カシュー王は尊敬しているし、個人的にも好きだからな。で、そのカシュー王とフレイムが砂漠《さばく》の蛮族《ばんぞく》の手によって今、危機に直面しているんだ」

「それで、話の予想はつきます。エフリートが解放されたのでしょう。あの精霊使《せいれいつか》いの執念《しゅうねん》はどうやら実を結んだようですね」レイリアがうなずきながら、言った。

「その精霊使いとは、アズモと言う名ですね？」パーンは尋ねる。

「そうです」レイリアの口調は乱れてはいなかった。しかし、カーラが彼女の心の中に残した七年間の忌《い》まわしい記憶を思い出すたびに、その心は激《はげ》しくゆれるに違いない。

「カーラはフレイムに対して、二つの手を打っています。まずひとつは暗黒神《ファラリス》の司祭とその配下の暗黒騎士団《あんこくきしだん》を紹介したことです。そして、もうひとつがエフリートを封印《ふういん》から解きはなつための方法を教えたことでした」

「その方法とは？」と、パーン。

「それを理解してもらうためには、古代王国と砂漠の民の戦いから説明せねばならないでしょう」レイリアは静かに話を始めた。

「古代王国においては、魔法を使えない者はすべて蛮族であり、奴隷《どれい》にすぎないと考えられていました。当時フレイムの地に住んでいた部族も、もちろん例外ではありません。古代王国の魔術師たちは、その部族の民をも征服するために軍隊を差しむけました。

しかしその部族にはアザートという偉大な精霊使いがいました。彼は古代王国の軍勢に対抗《たいこう》するために、ジンとエフリートという上位精霊の力を借りようと考えたのです。そして、彼らがこの世界でも魔力を使えるように、風と炎《ほのお》の精霊力を極限にまで高める魔法を彼らの土地に対してかけたのです。どんな魔法が使われたのかは、知られていません。部族の民は〝盟約〟と呼んでいるようですが……。

しかし、この強力な呪文《じゅもん》のため支払われた犠牲《ぎせい》も大きなものでした。まず、アザート自身の死。そして、風と炎の精霊力が強くなったために、彼らの土地からは水と大地の精霊力が失われました。その結果、かつて肥沃《ひよく》な草原であったフレイムの地は、不毛の砂漠と化したわけです」

「あの砂漠がかつて草原だったって！」パーンは驚《おどろ》いて叫んだ。

「ええ」レイリアは答える。

「ジンとエフリートは〝盟約〟に従い、その後アザートの子孫たちに協力してきたのです。払《はら》った代償は大きかったものの、〝盟約〟は当初の目的どおり砂漠の民となった彼らを、永らく古代王国の攻撃《こうげき》から守りました。

しかし、古代王国の貴族たちは、ジンやエフリートに対抗するために魔法の工芸品《アーティファクト》を作りだしました。これが〝封印の壺《つぼ》〟と呼ばれる古代の秘宝です。この壺の魔力により、古代王国の魔術師たちは彼らを封じこめることに成功したのです。しかも奸知《かんち》に長《た》けた、時のロードスの太守《たいしゅ》は、砂漠の民たちの混乱を利用し、それがあたかも二つの部族の神官たちの仕業《しわざ》であるかのように見せかけたのです」

「そうだったのか」パーンは叫んだ。二つの部族の神話が互《たが》いを裏切り者だと、伝えていたのが、これで納得がいった。彼らの伝説は、双方《そうほう》ともに間違《まちが》っていたのだ。

「カーラは古代王国の魔術師ですから、これらの事実を知っていました。そこで、〝盟約〟を復活させて、フレイムへの対抗手段にしようと考えたのです。そこで、カーラが選んだのが、アズモという精霊使いでした。この男はアザートの子孫で、エフリートを〝盟約〟に従わせる資格がありました。もっとも、アザートの子孫という〝血〟だけでは十分ではなく、精霊使いとしての実力もある程度は高くなければなりませんから、アズモにそう大きな期待は寄せていなかったのですが……」

人を人とも思わないカーラのやりようにパーンは、また新たな怒りを感じていた。

「それで、エフリートが支配できるのか？」

「そうです。アザートの子孫であること、そして精霊語が話せること。この二つの条件がエフリートを支配するために必要な条件だったのです」

そして、レイリアはほっと息をつき、静かな表情でパーンを見つめた。

「これがわたしが知っていることのすべてです。それから、アズモという男には強い野心があります。権力を握《にぎ》ることと、復讐《ふくしゅう》を果たすことに狂気とも思える欲望を持っています。小さな、そして哀《あわ》れな男です。それがいつか、その身を滅《ほろ》ぼすことになるでしょう。カーラはあの男に、詳《くわ》しい情報を何も与えず、ただエフリートが閉《と》じこめられた封印の壺が安置されている場所を教え、その壺を守るゴーレムから襲《おそ》われないための古代語の合言葉も教えたのです。そして、精霊使い〝アザート〟と〝盟約〟の名によって、エフリートに自分の望みを言えば、この炎の上位精霊を命令に従わせることができると伝えました。そして、エフリートは決して攻撃にしか使ってはならないということ、それ以外の願いは自らの身を滅ぼすと警告したのです」

「思ったとおりだ。あいつは卑劣《ひれつ》な奴《やつ》なんだ」

パーンは深くうなずいた。アズモという男が放っていた気は、やはり権力に対する執着《しゅうちゃく》だったわけだ。

それよりも砂漠の地がかつては、肥沃であったことはパーンにとって驚きだった。現状を知っているだけに、信じられない気持ちだった。

と、同時に自らの土地を砂漠にかえてまで自由を欲した古代の部族に、パーンは尊敬の念を抱《いだ》いていた。そして、その部族を卑怯《ひきょう》な策略によって何百年も争わせている原因を作った古代王国の魔術師たちに、言いしれぬ怒りがこみあげてくる。

「伝説が間違いなら、二つの部族が争う意味なんて、まるでないじゃないか!」

パーンは今度の戦いに関わってから、自分が見てきたものすべてを、もう一度思いだしてみた。

水不足に悩《なや》むブレードの街、風の部族の生活、それに炎の部族の族長ナルディア、そしてあの神官アズモ。そして、レイリアの語った過去の歴史と伝説の違い。

これらの事実を知って、自分がいかに行動すべきか、考えてみる。

自分が何をしたいか、それを大事にしようと決めた。それが彼の考えの柱になるはずだった。

(オレはナルディアを倒《たお》したくはない。それには、戦《いくさ》を終わらせるしかない。どうすれば、戦いを終わらせることができるか。確かに伝説は間違っているかもしれない。だが、これを信じさせることは難しいだろう。それに、たとえ信じてもらっても、戦争の原因がなくなるわけじゃない。戦争を終わらせるためには……)

答えは、あった。

答えは彼の目の前にあったのだ。カシューがしてきたこと、そしてスレインがしようとしていること──。

「話はよく分かったが……」

シュードが話が一段落したのを確認してから、控《ひか》え目に意見を述べた。

「今までの話は事件の真相だけだ。解決策じゃない。オレたちに与えられた任務は、いかにエフリートに対抗できるかという方法を探すことだろう」

「シュードの言うとおりだ」パーンは、きっぱりと言った。

「レイリアの話の中にも解決の糸口はありますがね。まず、考えられるのは、封印の壺を使い、ふたたびエフリートを閉じこめること。おそらく、大賢者ウォートなら、封印の壺くらい持っているでしょう。古代王国の末期には、封印の壺はかなりの数、作られたと聞いていますから」

「いや、それは解決策にはならないな」パーンは断固とした調子で言った。その強い調子に皆が彼の次の言葉に注目した。

「もっとも重要なのは、フレイムに永遠の平和をもたらすことなんだ」

パーンは一同を見渡し、力をこめて言った。

「そのために、我々がなすべきことは、エフリートを倒すことじゃない。レイリアさんの話では、古代の精霊使いと上位精霊たちとの間に交わされた〝盟約〟が、かつて肥沃だった土地を砂漠に変えたという。だったら、盟約から精霊の王を解放すれば、風と炎の砂漠はもとの肥沃な大地に戻《もど》るという理屈《りくつ》だ。それが果たされれば、二つの部族が戦う理由はなくなる。二つの部族は砂漠の痩《や》せた土地で共存できないからこそ争ってきたんだから、フレイムが肥沃な土地になれば、両部族の争いは形のない伝説だけになるはずだ……」

「そして、その伝説はレイリアの言葉によれば、古代王国の貴族の陰謀によるでまかせなのですからね。もはや両者が争わねばならない理由はどこにもありません」

スレインは、目の前にいる若い戦士に、いとおしむような視線を投げかけた。

「パーン、あなたは偉くなったものですねぇ。その考え方、一国の王にでもなかなかできるものではありませんよ。敵を認め、そして受け入れることは難しいものです」

「けっ、国王なんて自分のことしか頭にない奴ばかりよ」デニがそう吐《は》きすてると、マーシュも同意した。

「まったくです。アモスン伯《はく》にもう少し民をいたわる気持ちがあれば、よいのですが。王弟殿《でん》下《か》は、もちろん権力にしか興味のないお方ですから、話になりませんしね」

スレインが両腕を胸もとで組んで言った。

「いっそ、パーンを守《も》り立《た》ててアラニアの王にでもするかい」

シュードが冗談《じょうだん》とも本気ともとれないような調子で言った。

「案外いい考えかもな」マーシュが豪快《ごうかい》に笑いながらそれに応じる。

「ところで、パーンの考え方が偉いのは分かったが、やはり具体的な方法はでてないな。いかにして、古代の〝盟約〟から精霊の王たちを解きはなてばいいかは、まだ分かってはいない」

シュードが真顔に戻って言う。

「砂漠の民とて、自らの土地を永遠に不毛の地のままにするつもりはありませんでした。そのため、上位精霊たちを盟約から解放する呪文はあると古代王国の魔術師たちは考えていました。しかし、それは二つの部族の神官たちだけが知る秘密で、魔術師たちもついに分かりませんでした。ジンとエフリートを封じこめた魔法の壺を、二つの神殿に保管しておいたのも、実はこの二つの上位精霊の力を使えるのではないかと考えていたからなのです。神殿はそれぞれの精霊力がいちばん強く働いている場所に建てられていますから、逆に言えばその力を使おうとするには最適なのです。しかし、当時のロードスには精霊魔法に通じた魔術師はいませんでした。それで、結局上位精霊の力を使うことはできなかったのです。ですから、実力のある精霊使いがいれば、ジンやエフリートに直接会い、彼らを盟約から解きはなつことができるかもしれません」

「彼らを説得するってわけか？　なら、話は簡単だ。アズモって奴を取っ捕《つか》まえて、むりやり説得させればいい」マーシュはおどけて両手を広げる。

「どうやって、そんなことができる？　相手はエフリートの護衛つきなんだぞ」

「精霊使いはここにもいるわ」突然、ディードリットが言葉をはさんだ。その表情には強い決意があらわれていた。

「現在でも〝盟約〟は有効で、だからこそエフリートたちはこの世界でも魔力を振るえるのだけど、彼らを支配しているのは人ではないわ。アズモという男にしたって、盟約の力を借りて支配しているだけで、彼自身の力によって支配しているんじゃない。だからこそ、あたしは前にエフリートと接触《せっしょく》することができたのよ。そして、接触できるなら、説得も可能なはず。あたしが上位精霊と会ってみる。そして説得してみる……」

「危険だ！　この前はそれで……」パーンの顔色が変わっていた。

「分かっているわよ。あたしもエフリートと接触するなんて願いさげ。接触を試みるのはジンのほうよ。あたしはエルフだから、風の精霊の扱い方は十分に心得ているつもりよ」

「危険はないんだな」

パーンは念を押すように尋ねた。

「大丈夫よ」ディードリットは笑って答えたが、しかし、その言葉は決して危険のあることを否定してはいない。

「確かにハイ・エルフであるあなたになら、それだけの力があるかもしれません」レイリアがじっとディードリットの目を見つめ、言った。

「ジンを召喚《しょうかん》することはあたしにはできないから、彼に会うには、あたしのほうが風の精霊界に入りこまなければならないでしょう。そのためには大きな〝扉《とびら》〟を開けないとだめね。風の精霊力の強い場所に行く必要があるわ。レイリアさんの話のとおり、ジンが封じこめられていたという場所がいちばん精霊力は強いでしょうね。〝砂塵《さじん》の塔《とう》〟だったかしら。風の王が封じこめられていた神殿の名は……」

彼女はジンをこの世界に呼びだすことはできない。だから、自分のほうから精霊界に行くことを決意したのだ。もちろん、それは初めての試みである。できる自信はあったが、そのためには目指す精霊界の力が、この世界に強く発現している場所でなければならない。

「しかし、砂塵の塔がある場所は、風と炎の砂漠でももっとも危険な場所と言われていますよ。それにあの付近には〝砂走り〟という巨大な怪物《かいぶつ》がいて、砂漠の民は絶対に近寄らないのだそうですよ。〝砂走り〟は、大サソリや岩トカゲなどの大型の動物さえ捕食《ほしょく》すると言われています」スレインは言ったが、自分の言葉は警告ではなく、忠告にしかならないことは十分に心得ている。「それに砂塵の塔には、古代王国の貴族たちが砂漠の民から壺を守るために、いろいろと仕掛けがほどこされているでしょう」

「案内が欲しいところだな。フレイムに戻れば砂塵の塔へ行った経験のある奴がいるだろう」

「いざとなれば、国王にご出陣《しゅつじん》願おうや」マーシュが笑う。

その正面で、レイリアはそっとスレインの顔をうかがっていた。彼女は目で夫に何かを告げていた。スレインは彼女の意図《いと》を悟《さと》ったのか、ため息をつきながら、大きくうなずく。

レイリアはスレインに軽く頭を下げ、それからパーンのほうに振りかえった。

「わたしでよければ、ご案内しましょう。かつてカーラであったときに、二つの神殿には訪《おとず》れたことがあります。砂漠の戦いの原因が他ならぬカーラにあるならば、わたしはそれを取りのぞかねばならない義務がありますから」

パーンはその言葉に胸がふさがる思いがした。自分を見れば、否応《いやおう》なしに彼女は自分がかつてカーラであったことを思い起こされるはずだ。しかも、自分は彼女にカーラの過去の行動を教えてくれるように頼み、その胸の傷跡《きずあと》をまざまざと思いださせたのだ。

ディードリットに禁忌《きんき》とする炎の精霊との交信を強要したことも思いだされる。自分の身勝手な考えが、いかに他人を傷つけているのかパーンは今はっきりと自覚していた。

「この村は大丈夫なのか？」シュードが遠慮《えんりょ》がちに尋ねる。

「それは大丈夫でしょう。セシルは頼《たよ》りになりますからね。それに、まだ戦火はこの地にまで及んでいませんから。なにより、カシュー王を助けることが大きな目で見ればこのロードスの再建に役立つはずです。そのために、たとえ目先の目標が一年遅《おく》れたとしてもそれはやむをえないことです」

スレインは答えて、レイリアの手にそっと自分の手を重ねた。

(目先の目標ではなく、大きな目で見て……)スレインの言葉はパーンの胸に響《ひび》いた。

「支度をお願いします。パーンは待つことを知らぬ性格ですし、今はそれが大事なはずですから……。後事《こうじ》をセシルに頼んで、今晩にでも出発しましょう」

「スレインも来てくれるの？　それは安心だわ」と、ディードリット。

「あまり期待しないでください。精霊はわたしの専門外ですからね」スレインは言いながら、自らも旅の支度を整えるために、ゆっくりと立ちあがった。

「あなたによって旅に連れだされるのは、これで二度目ですね」

スレインはパーンに、そう言うと小さく笑った。

パーンは他人がなぜこうも自分に協力してくれるのだろうと、いぶかしく思った。ありがたいことだ。ディードリットといい、スレインといい、それに自分の危機を救ってくれた三人の傭兵仲間といい、自分はその厚意にいかに応えればいいのだろう。

パーンはその答えを出さねばならない時期に来ていることを痛感していた。

第Ｖ章　砂塵《さじん》の塔《とう》

1

　あわただしい旅立ちとなった。

　パーンは村長を始め、何人かの村人に挨拶《あいさつ》しただけで、休息する間もなく懐《なつ》かしいザクソンの村を後にしたのだった。

　一行は、帰りもふたたび山越《ご》えの道を通ることに決めた。そうすれば、船も利用できるからだ。また、炎《ほのお》の部族が警戒《けいかい》している砂漠《さばく》の西側から行くより、東から近寄ったほうが、敵に発見される危険は少ないと判断し、結局はこのままブレードには戻《もど》らず、直接に砂塵《さじん》の塔《とう》を目指すことに意見はまとまっていた。

　一行の数は七人。しかも、今度はスレインにレイリアという頼《たの》もしい仲間も加わっている。これで道中の危険は、来るときよりも格段に減ったはずだ。それよりも問題は、砂塵の塔に着いてからである。古代王国の廃墟《はいきょ》の恐ろしさは、冒険者《ぼうけんしゃ》たちからよく耳にする。妖魔《ようま》たちがすみかとしているだけではなく、数々の魔法の仕掛けや、魔法により永遠の生命を与えられたゴーレムや不死の怪物《かいぶつ》ども。それに加えてドワーフが凝《こ》りに凝って仕上げた機械的な罠《わな》も軽視することはできない。

シュードとデニという盗賊《とうぞく》であり、そして冒険者としての経験もあるという二人の傭兵《ようへい》がいてくれることが幸いだった。

ザクソンを発《た》ってから、三日後には「海の鷹《たか》」号の停泊《ていはく》する海岸にたどりつき、ここでパーンたちはこれからの行動を船長に話し、その旨《むね》をカシュー王に伝えてくれるよう頼んだ。

船長はそれをこころよく引きうけてくれた。また、砂塵の塔は砂漠の中央部、北側にあるから、その近くまで船で運んでくれることを申し出てくれたのである。

「気にするな。すべてはフレイムのためだ」

船長はそう言って、パーンたちをふたたび歓待《かんたい》してくれた。

かくして、ふたたび船上の人となり、パーンたちは三日ほど海路を進むことになる。

今度も晴天続きで、穏《おだ》やかな旅だった。

風と炎の砂漠の北の海岸には、大きく内陸に入りこんだ湖がある。湖とはいってもその水は海水で、外海とつながっている。その入り口付近は潮流も激《はげ》しく、干潮時には座礁《ざしょう》の危険もあったが、船長はその難所をみごとに通過し、パーンたちを砂塵の塔近くの海岸につけていた。

そのため、苛酷《かこく》な砂漠の行軍は最小限ですみそうだった。

しかし、その行く手には、〝砂走り〟たちの群生地もあり、また炎の部族の巡視隊と遭遇《そうぐう》する危険も少なくはないと船長は警告してくれた。海路が順調だっただけに、パーンたちは目の前に広がる砂漠の海に、底知れぬ不安を覚えていた。

日差しの強い昼過ぎから夕刻までの間は行軍することをさけ、海岸で休憩《きゅうけい》を取った一行は日が傾《かたむ》き始めるとともに、ついに砂漠に第一歩を踏《ふ》みだした。夜通し歩きつづければ、明日の昼前には目的の場所にたどりつくはずだった。

「さすがに夜は冷えこむな」

パーンが独り言のようにつぶやくと、彼の隣《となり》を歩いていたディードリットの耳がピクンと動き、ついでその顔が上がっていた。

「吐《は》く息も白いわね」彼女はパーンに寄りそうように、少し彼のそばに身体《からだ》を近づけると、口を丸めてゆっくりと息を吐いてみせた。

「ほら」

「本当だ」パーンは無邪気《むじゃき》に笑って、自分も同じように息を吐いてみる。灼熱《しゃくねつ》の地が夜になればかくも寒くなるのだから、つくづく自然とは不思議なものだ。炎の精霊たちは夜には眠ってでもいるのだろうか？

「前から思っていたんだが、どうして、ディードはオレについてくる」パーンは頭の中で言葉を選んでから、少し照れたような口調でそう言ってみた。

「いきなりな質問ね」ディードリットは喉《のど》の奥《おく》で笑いながら、そっと腕を組んできた。

「そうね。こう言うと誤解《ごかい》されるかもしれないけれど、一言で言えばあなたと一緒《いっしょ》にいると面白《おもしろ》いからでしょうね。次はどんな体験をさせてくれるのだろうって、わくわくするわ。あたしはエルフに似合わず好奇心《こうきしん》の強い性格だし、あなたはそれを満足させてくれる人だったわ」

ディードリットは笑って、腕に力をこめた。

「あなたが気にしているのは、スレインやマーシュたちがあなたのために命を賭《か》けてくれていることなのでしょうけど、それはあたしにも正直分からない。なぜあなたがこれだけ人を惹《ひ》きつけるのか見当もつかないわね。でも、あなたはこれからもきっといろいろな人の助けを受けていくことになるのでしょうね。性格とか、人徳とは別のところにある運命にも似たものなのかもしれないわ」

「運命かー」パーンはうなって、空いているほうの腕で自分の頭を掻《か》いた。

「それに甘《あま》えるわけにはいかないな。少し考え方を変えないといけないのだろうけれど」

「それが何だか分からない？」

「まあね、オレはもとから考えるのは得意じゃないし」

ディードリットは腕を放して、パーンの背中をとんと叩《たた》いた。

「なら、考えるのはおよしなさいな、戦士殿《どの》」彼女はそう言うと、軽やかに笑った。「あなたはこれまでも、走って、見て、そして感じたことを大事にしてきたのではなくって。そしてあなたはこうしてたくさんの仲間に囲まれて生きているんだから、それで間違《まちが》いはなかったのよ」

「そうなのかな……」

パーンは綺麗《きれい》に澄《す》んだ砂漠の夜空を見上げた。そこには満天の星がきらめいており、砂漠の海に今にも降ってきそうだった。

（オレは何をするべきなのだろうか）ふたたび自問するパーンである。

寒さで適度にしまった身体と精神とで、パーンは足元の定まらぬ砂漠の道を一歩一歩、確かめるように踏みしめていった。


夕方から歩きづめだったので、一行は夜半に休息を取ることにした。砂の上に毛布を敷いてそこに腰を下ろす。

砂の上を歩くのは思った以上に体力が奪《うば》われるらしく、座りこんだとたんに疲労《ひろう》感が襲《おそ》ってきた。

「風がないのだけが幸いだな」

マーシュは身体《からだ》の大きい分、疲労も激《はげ》しいのだろう。肩《かた》で激しく息をしながら、座りこんでいた。巨体《きょたい》の男にはありがちなことだったが、彼はどちらかというと持久力には欠けるタイプのようだった。

「これから先に進めば、風が強くなっていくはずです」レイリアはスレインの隣に腰を落ちつけながら、さすがに彼の妻らしいところをみせ、彼のために携帯《けいたい》用の食料を差しだしていた。

「みんなも食事は取っておいたほうがいいだろう」パーンがその様子を見ながら、思いだしたように言った。

用意のいいシュードとデニの二人は、すでに腰から乾燥肉《かんそうにく》を取り出し、それを口に運んでいた。マーシュはと見れば、腰にさげた水袋《みずぶくろ》から、酒の入ったほうを外してうまそうに飲んでいる。

「ディードも何か腹に入れておけよ」

パーンは、そう言って固パンに齧《かじ》りつきながら、そのあまりの硬《かた》さに閉口《へいこう》していた。

ディードリットは素直《すなお》にうなずいて、こちらは見たこともないような果物を取りだしている。茶色の殻《から》を割ると白い果肉があらわれる。甘さはそれほどでもないが、疲労を取る効果があるというのだ。

しばらく、静かな時間が流れていった。

じっとしていると、汗《あせ》も冷えてきて寒くなってくる。

「火が欲しいところだな」

パーンは旅用のマントを肩口《かたぐち》のところで引きよせながら、身体をぶるっと震わせた。

「炎の部族だって、広い砂漠のすみずみまで監視しているわけではないだろう」

「でも、地平線が見えるくらいですからねぇ。止めたほうがいいでしょう。今まで明かりなしで歩いてきたのだって、用心のためなんですからね」スレインはのんびりと言う。

「明かりはいらないから、熱だけなんとかならないのかな」パーンはスレインに笑いかけた。

「魔法《ま》《ほう》でですか？　我々の知っている古代語の魔法は力を制御することができませんからね。黒焦《くろこ》げになるのが落ちですよ」

そいつは困るとパーンは、首をすくめながら笑みをもらした。

「どうしても寒いのなら、わたしが何とかできますが」レイリアが控《ひか》え目に申しでる。

「大丈夫です。ただの冗談《じょうだん》ですよ」パーンが手を振って、あわててその申し出を断る。

「寒いのは冗談ではないだろう。オレは寒くてたまらないな。もう、そろそろ出発しないか。歩いているほうが暖かいだろう」

シュードが寒そうに身体《からだ》を震《ふる》わせながら、そう提案した。

「静かに！」

その時だった。デニが鋭《するど》い声を出して、皆に警告を発する。

彼は地面に耳をつけて、真剣《しんけん》な表情で聞き耳をたてている。

「何か……」シュードもその様子を見て、身体を伏せ、同じように耳を地面に寄せる。

「音がしねぇか」デニが相棒に小声で話しかける。

「音、というよりこれは震動だな。何かが砂を震《ふる》わしているような……」

「砂走りじゃあないですか？　彼らは砂の底を潜《もぐ》って移動するんです」スレインは不安そうにあたりを見まわした。

「あそこだ！」デニが音のする方向を確かめてから、そこに異常な砂の動きを発見していた。

「砂が盛りあがっているぜ」

シュードはあわてて、背中のエストックに手をかけた。他の者もそれぞれの得物を探っている。

「暗いのはこちらが不利だ！　かまわないから、明かりをくれ！」パーンが叫ぶ。

彼はすでに愛用の長剣《バスタードソード》と、そして楯《ラウンドシールド》をデニが指差した方向に向かって構えている。パーンの言葉にディードリットとスレインがそれぞれ、魔法の明かりを灯《とも》す。ディードリットは形を得たばかりの光の精霊《ウィル・オー・ウィスプ》に命じて、それを前方に飛ばした。

たちまち、地面が白い光で照らしだされる。そこでは砂があきらかに異常な動きを見せていた。

みみずのはったような跡《あと》が、砂に模様として浮きでている。そのいちばん手前の部分が奇妙《きみよう》な盛りあがりを見せ、それが脈動しているのだった。

と、見る間にその小山が爆発し、砂が噴きあがったかと思うと、中から昆虫《こんちゆう》のような姿をした巨大な生き物がはいだしてきた。

「あれが、砂走りです！」スレインが叫んだ。

「これじゃあ、砂潜《すなもぐ》りだぜ！」マーシュが場違いな文句をつける。彼は戦斧《バトルアックス》を構えなおし、その巨大さに息を飲みこんだ。

「今度、そう提案しておきますよ」

「ディード、さがっていろ！」

パーンは叫んで、その怪物《かいぶつ》に向かって右にまわりこむように走りよる。怪物の大きさはパーンの三倍はゆうにあった。胴《どう》は長い体節に分かれ、腹部にはイボのような偽足《ぎそく》が、そして胸のところには、先に爪《つめ》が生えたような本物の足が八本生えている。そして、口にははさみのように鋭《するど》い大顎《おおあご》が左右に大きく開いていた。

「パーン、砂走りの身体は硬くて刃《は》が通りません。ですが、腹部は比較的柔《やわ》らかいといいます。腹を狙《ねら》ってください」スレインはこの怪物と出会うのは、もちろん初めてだった。しかし、砂漠の生き物を調査した書物をスレインは賢者《けんじゃ》の学院にいたころに読んだことがあるのだ。

「一人じゃ無理だ。オレが前に立って、この化け物の注意を惹《ひ》きつける。みんなは後ろにまわって腹を狙ってくれ！」

そのパーンの言葉に従い、三人の傭兵《ようへい》が怪物の後ろにまわりこもうと走った。しかし、柔らかい砂地に足をとられ、普段どおりの動きができない。

砂走りはパーンに向かって、巨大な大顎で襲《おそ》いかかってきた。パーンは横に飛びのいてその攻撃《こうげき》をかろうじてかわす。

恐るべき速さだった。

そのあまりの速さのためにパーンはバランスを崩《くず》して、片膝《かたひざ》をついた。見れば、怪物の大顎がパーンが一瞬《いっしゅん》前まで立っていた地面に飛びこみ、砂を砕《くだ》いている。

そして、次の瞬間、砂走りはその複眼をパーンのほうに向けていた。ギラリと鏡のように光が反射している。

ディードリットがパーンの窮地《きゅうち》を見て、牽制《けんせい》のためにウィル・オー・ウィスプを操り、怪物の目の前に飛ばし、そこでちらちらと誘《さそ》うように泳《およ》がせた。

きいいいっ、という乾《かわ》いた鳴き声を上げて、砂走りはその光の球に咬《か》みついていった。

ウィル・オー・ウィスプは一瞬、火花を発してその姿を消していた。と、同時に怪物は苦痛のうめき声を上げながら、後ろにのけぞった。光の精霊が壊《こわ》れるときに放つ衝撃波《しょうげきは》をまともに受けたのだ。

「ていっ！」

そこに体勢を立てなおしたパーンが、気合いをこめて長剣を振り下ろした。

効果はあり、怪物の脚が一本飛んだ。わずかながら胴にも傷がついた。しかし、致命傷《ちめいしょう》を与えるには怪物の外皮は硬すぎた。

パーンの手には痺《しび》れが走っていた。

怪物は痛みのためか、身を激しくよじった。そのため、砂走りの腹のほうにまわった三人のうち、シュードが弾《はじ》きとばされ、背中から砂に落ちた。

「髪《かみ》に砂がつくだろうが」

文句を言いながら、シュードは身体を起こそうとする。しかし、落ちた時に挫《くじ》いたものか、動こうとすると足首に激痛《げきつう》が走った。これでは動けそうにもない。

怪物のほうを見ると、デニはみごとに怪物の腹部に小剣《ショートソード》を二本埋《う》めこんでいたし、マーシュは戦斧《バトルアックス》を二度、三度と腹に叩《たた》きつけているところだった。

腹の膜《まく》が破れ、どろっとした内容物とともに、緑の体液が飛び散ってきた。

異臭《いしゅう》が鼻をつく。

スレインは光の矢の魔法を怪物の目をねらって放ったが、それがどの程度の効果を上げたのかは、定かではなかった。

「みんな離《はな》れろ！　暴れて手がつけられねぇ」

デニが言いざま小剣を怪物の腹部に残したまま転がるように後ろに飛びのいた。逃げ遅《おく》れたマーシュの巨体が、怪物が苦しみながら激しく動かした腹部の一撃を受けて身体《からだ》を撥《は》ねられ、宙《ちゅう》を舞った。

地面に落下したあと、胃液を吐きながらマーシュは呻《うめ》いた。怪物に腹をひどくやられたらしい。

「大丈夫ですか？」レイリアが寄ってきて、その手をマーシュの背中に当てる。「力をぬいてわたしの魔法を受けいれてください。癒《いや》しの魔法をかけますから」

レイリアは天を仰《あお》ぎ見るように精神を高ぶらせ、自らの内に流れこんでくる神の声と力に同調していく。

「大地の母たるマーファよ。この者の傷を癒したまえ」柔らかい響《ひび》きをもったルーンが彼女の口から発せられ、彼女の手が白い光を一瞬帯びた。

「た、助かるぜぇ」マーシュがえずきながら、感謝の言葉をマーファの司祭に送る。

一方、パーンは怪物の脚をもう一本、切り落としたものの、怪物の動きが激しく、それ以上近よれないでいた。下手《へた》に飛びこもうものなら、マーシュの二の舞である。しかし、怪物はもはや、食欲を無くしたのだろう。苦痛に身をよじらせるだけで、襲《おそ》ってこようとはしない。

「もう大丈夫だろう。早くこの場を離れてしまおう」パーンが長剣を鞘《さや》に収めながら、ほっと息をつきかけたところだった。

後ろ！　というシュードの絶叫《ぜっきょう》がパーンの耳に飛びこんできた。

あわてて声の方を向くと、もう一匹、別の砂走りが姿を現わしていて、脚を押さえてうめいているシュードと、彼を助け起こそうとしたデニの背後から襲いかかろうとしていた。

「マーファよ！」

その様子を見てとって、レイリアが短いルーンを唱《とな》えながら、気合いをこめて右手を突きだした。

その手の先から無形のエネルギーの塊《かたまり》が放射され怪物の胸を打った。

怪物の胸から体液が飛び散ったが、怪物の攻撃《こうげき》を阻止《そし》するほどの効果はもたらさなかったようだ。

怪物は、あきらかに倒《たお》れて動けぬシュードをねらっていた。

パーンは彼のもとに助け寄ろうとした。その目前での出来事だった。

大顎に捕《と》えられようとするシュードの目の前にデニが走りよって、そして両手を大きく広げたのだ。

「ばかやろう、くるな！」シュードの罵声《ばせい》が飛ぶ。

砂走りは無防備なこの新しい獲物《えもの》に襲いかかり、その大顎で捕え、高く上へと運びあげた。

「デニ！」シュードの悲鳴にも似た声が上がる。

デニは苦痛に顔を歪《ゆが》めながら、シュードに片手を上げてくるなと合図を送った。

「フォース！　おまえは、生きて……おやじの……」

ばきばきと、骨の砕《くだ》ける耳障《みみざわ》りな音が、砂走りの頭部のところから聞こえてきた。

「ばかな……サーディーにいさん」魂のぬけたようなシュードの声がそれに続く。

ディードリットは顔を手で覆《おお》って、その惨劇《さんげき》から目を背《そむ》けた。

一方のパーンは、怒りの言葉を吐きながら、逆手で剣を持ちその刃を怪物の腹部に突きたてる。そして、そのまま力任せに前に引いた。

腹が半分がた裂け、そこからまたも緑色の体液が飛び散った。

「パーン下がってください」

スレインの声を聞いて、剣をそのまま怪物の腹に残し、パーンは後ろに飛びのいた。

そして、スレインは複雑な古代語のルーンを唱えはじめる。彼の頭上に赤い光の球が一個、二個と生まれ、それが怪物の傷ついた腹部に向かって飛んでいった。

耳をつんざくような爆音とともに、その火球は燃えあがり、怪物の腹を吹きとばしていた。支えであった腹部を失って、たまらず怪物はどうっと前に倒れ、顎《あご》からデニをも放した。

シュードが足を引きずりながら、そちらに駆《か》け寄ろうとする。

それを制して、マーシュが先に進みでて、まだ動いている胸部と頭部を戦斧で何度も殴《なぐ》りつけた。緑色の体液が身体に返り血のように降りかかってくるのも、少しも意に介していない。

「この虫けらめ！　よくも、デニをやりやがったな！」彼の怒りは、怪物が完全に動かなくなるまで続けられた。

胴の部分が半分にちぎれかけたデニの肉体には、すでに生気はひとかけらも残っていなかった。

「にいさん……」その相棒の死体の前にしゃがみこんでいるシュードの顔もまた、死人のような表情だった。

「おまえたちは、兄弟だったのか」

パーンが茫然《ぼうぜん》としながら、その言葉をつぶやいた。体液にまみれた長剣を手拭《てぬぐ》いで拭《ふ》き、腰に吊《つ》るした鞘《さや》に戻《もど》すその動作も、おそらく意識せずに行なっているのだろう。

兄弟といっても、正反対といっていいほど似ていない二人のこと、血のつながった兄弟ではあるまい、とパーンは思った。

「ああ、オレとデニ……サーディー兄さんとは兄弟だったのさ」しばしの沈黙《ちんもく》が流れたあと、シュードは初めて自分の過去を語りはじめた。

「オレたちは捨て子だったのを、親父……ライデンの盗賊《とうぞく》ギルドの長《おさ》に拾われ、育てられたんだ。同じように拾われてきた兄弟はオレたちの他に二人いた。サーディーは三番目。オレは四番目だ。親父はオレたちのうちの誰《だれ》かを跡継《あとつぎ》にしようと、盗賊《とうぞく》の技を教えてくれたが、ある日いちばん信頼していた自分の手下に暗殺《あんさつ》されてしまったんだ。

そして、その男は盗賊ギルドの新しい長となり、オレたち兄弟をも殺そうと、暗殺者《アサシン》を差し向けてきた。オレたちはその追っ手を倒《たお》しながら逃げてきたが、二人の兄はすでに殺されてしまった。で、オレとサーディーだけがこうして、傭兵《ようへい》に身をかえながら逃げ続けていたんだ。親父を殺した盗賊ギルドの長に復讐《ふくしゅう》するために……」

フォースという名の男の声が、うつろに砂漠に響《ひび》いていった。

「そんなことがあったのか……」パーンの声もまたうつろだった。

ギムを失った時と同じ喪失感《そうしつかん》が彼を襲っていた。

シュードの説明は、二人の不可解な関係を完全に説明していた。血が繋《つな》がっていないとはいえ、小さな頃《ころ》から一緒《いっしょ》に育てられてきた兄弟だからこそ、二人は普段喧嘩《けんか》ばかりしていても、いざという時には息のあった行動をとれるのだ。

「シュード……」力づけようとしたのだろう。マーシュが近寄ってきて、シュードの肩《かた》を叩く。

「フォース、と呼んでくれ。それがオレの本名だから……。今まで盗賊ギルドの暗殺者から逃げるために偽名《ぎめい》を使っていたが、それももう不要だな。オレ一人になった以上はもはや逃げまわっていてもしかたがない。こっちから出向いて、片を付けてしまうさ……」

「そうか……なら、フォース。オレがデニの代わりに手伝ってやるよ。この戦いが終わったならかならずな」彼は小声でつぶやいた。

それは、パーンに聞かれないための配慮《はいりょ》だった。パーンの志とシュードの、いや、フォースの志が異質なものである以上、彼の手を煩《わずら》わせるわけにはいかなかった。

「あなたの力で何とかなりませんか」

スレインは妻のほうを振りかえって、無駄《むだ》とは思いつつ尋ねてみる。

「蘇生《そせい》の魔法は、まだわたしの力の及ぶところではありません。去っていった魂《たましい》を戻《もど》すことはできないのです」彼女は力なく答えた。そして、大地母神《マーファ》の印を切って、デニの魂が安らぎに包まれて大地に戻ることを祈《いの》った。

フォースは無表情に立ちあがった。

「急いでこの場所を離れよう。また別の砂走りが襲ってくるかもしれない。そうなれば、にいさん……デニの死がまったくの無駄になってしまうから」

彼は毅然《きぜん》とした顔でその言葉を言った。

「しかし、デニを埋葬《まいそう》しないと……」

「死ねば、ただの肉の塊《かたまり》だ！」

パーンの言葉に、フォースは叫ぶように答える。

彼はデニの死体に背を向けると、足を引きずりながら歩きはじめた。

「彼の言うとおりかもしれません」スレインがまわりの砂を注意深く観察しながら、そう言った。「少なくともまだ三匹が近寄ってきています。彼らは砂の中をそんなに速く移動できるわけではないようです。急げば逃げられるでしょう」

レイリアはそっとフォースのそばに近づき、何事かをささやいて、その足に手を触《ふ》れた。足首の痛みが溶けていった。

礼の言葉は返ってこなかった。レイリアは無言で彼のそばを離れると、スレインのそばにふたたび戻った。

「そっとしておいてあげましょう」

またただ、とパーンは胸が張りさけるような思いがしていた。ギムと同じだ。また、自分の勝手な願いのために、仲間を一人失ってしまった。

「あなたのせいじゃないわ……」

ディードリットがパーンの顔をうかがうようにしながら、そっと彼の手を握りしめた。

彼らの背後で奇怪《きかい》な物音が聞こえてきた。

仲間の死体を別の砂走りが喰《く》らっている物音だった。

(怪物の胃袋の中とは、醜《みにく》いおめぇにはふさわしい墓場《はかば》だよ、サーディー)

フォースはつぶやいていた。

2

重苦しい行軍となった。

その後、誰《だれ》も口を開こうとはせず、一行の先頭をとぼとぼと歩くフォースの後ろ姿を他の者が追いかけるような形で進んでいった。

夜が明け、しだいに砂漠《さばく》には熱気が広がりつつある。

防寒用のマントを外し、頭に日除《ひよ》けのために白布を巻きつけて、パーンたちは砂漠を南へと向かった。その先に砂塵《さじん》の塔《とう》があるはずだった。

それを肯定《こうてい》するかのように、しだいに風が強くなりはじめ、一行は目に砂が入りこまないように目を細めて歩かねばならなかった。

ディードリットの目には、踊《おど》り狂う風の乙女《シルフ》の姿がはっきりと映っていた。

彼女は風が耐《た》えがたいくらいに強くなると、そこで立ちどまって精神を集中させはじめた。

「風の力を弱めるようにシルフに頼んでみるわ」

不思議そうにしている仲間たちに彼女はそう説明する。

「自由なる風の乙女たち。あたしの頼みを聞いて。風を弱め、そしてあたしたちを先に進ませてちょうだい。あなたたちの王に会わねばならないの」

ディードリットの精霊語《サイレント・スピリット》に伴って、一人のシルフがパーンたちの目にも見えるように姿を現わした。彼女は人間、というよりエルフ女性の姿をとっていたが、もちろんその身には何もつけておらず、しかもその身体はなかば透明《とうめい》だった。

「あなたの言葉、確かに聞きとどけました。でも、わたしたちは盟約に従わねばなりません。この地に侵入者《しんにゅうしゃ》を寄せつけるわけにはいかないのです」

ディードリットはシルフに向かって両腕を広げて、いくつかの精霊語のルーンを唱《とな》えた。

「あたしはその盟約から、あなたがたを解放しにきたの。もはや、盟約は失われたわ。あなたがたがそれに従う必要はないのよ」

「その決定はわたしたちの王がなさることです」

「だからあたしはその王、ジンと話しあうためにこの地に来たの」

「あなたが〝盟約の者〟なのですか？」

「違《ちが》うかもしれないわ。あたしはその裁定を受けるために、この地にやってきたの」

心を触《ふ》れあわせている以上、お互《たが》いに嘘《うそ》はつけない。ディードリットはシルフに正直に答えた。彼女の言葉を聞いて、シルフは迷うように不規則な速度でディードリットのまわりを飛びまわった。

「……分かりました。守りを解きましょう」

そして、シルフは決断したのか、ディードリットの正面で動きを止めると、そう精霊語《サイレント・スピリット》でディードリットに告げた。

シルフの姿が消えるとともにあれほど吹き荒れていた風が嘘のようにやみ、舞い上がっていた砂が地面に返っていった。

「行きましょう、砂塵の塔へ。そこなら、おそらく風の精霊界へあたしを導いてくれるはず……」

ディードリットは仲間に呼びかけると、厳《きび》しい表情をパーンに見せまいと先頭になって、歩を進めた。

フォースのそばを無言で通りすぎる。

「命をかけるのは、十分に考えてからにしたほうがいい」

ぼそりと、フォースが声をかけてきた。

まるで彼女の心を見透《みす》かしたような言葉をかけてくる、とディードリットは思ったが彼女には迷いはなかった。

(デニがあなたのために命を投げだしたのと同じよ)彼女は心の中で叫んでいた。

風がやんだ砂漠を、まるで聖地に向かう巡礼者のごとく、パーンたちは進んだ。

誰もが無言だった。

それはデニという犠牲者《ぎせいしゃ》を出したことと、それにもうひとつこれからディードリットが迎《むか》えるであろう試練を予想してのことであった。

そして、一行の目前に砂になかば埋《う》もれるように建つ、古めかしい塔が遠くにその姿を現わした。

古代王国期の建築物にしては、質素な作りをしているのは、作ったのがドワーフではなく砂漠の民だからだろう。

風が止み、耐えがたい暑さだけが一行の歩みをはばむ障害となった。じりじりと全身を焦《こ》がされていくような熱気である。

それぞれが太陽を抱《だ》いているような錯覚《さっかく》さえ覚えていた。目の前に陽炎《かげろう》が湧《わ》きたち、石造りの塔の姿を不気味に歪《ゆが》めていた。

そして、ついに塔にたどりついた。

「入り口には鍵《かぎ》がかかっています。魔法の鍵ですから、わたしが開けなければならないでしょう」レイリアが塔の陰《かげ》に入って、一息ついている一行を見渡してそう告げた。

「魔法の鍵ならわたしが……」スレインが言いかけたが、レイリアは哀《かな》しそうに微笑《ほほえ》んでそれを制した。

「カーラがかけた魔法の封印《ふういん》です。簡単には解《と》けないでしょう」

レイリアは塔の石壁《いしかべ》に埋もれている鉄の扉《とびら》の前に立つと、一言《ひとこと》古代語とおぼしき言葉をつぶやいた。

その言葉に応じて、封印されていた魔法の鍵が解除されて、そして軋《きし》むような悲鳴を上げながら、両開きの鉄の扉はゆっくりと内側に開いていった。

「あなたは古代語も覚えているのですか？」スレインが不思議そうに妻を見ながら尋ねる。

「いいえ、カーラが封印のために使った言葉をそのままなぞっただけです」レイリアはスレインに答えてから、パーンの方に向きなおって話を続けた。

「祈《いの》りの間《ま》まではわたしは……カーラは行ったことがあります。しかし、それから上はわたしもどんな仕掛けがあるか知りません。古代王国期には、衛兵たちが住んでいたようですが」

「オレが先行しよう。ディードリットを無事塔の頂上まで連れていかないと意味がないからな。風が吹くところじゃなければ、風の精霊界は開かないんだろ」

「あんたが先に行っても仕掛けに気がつくとは思わないな。ここはオレに任せてくれ。だてに盗賊ギルドで育てられたわけではないからね」フォースが無表情に言って、先頭に立つ。

「お願いするわ」ディードリットは彼の手並みをヒルトで十分に見ていただけに、安心して頼むことができた。

「魔法の罠《わな》がある場所はわたしが見つけられるでしょう」スレインは、フォースの後に続く。そして、その後にレイリア、さらにディードリットが彼女に並び、後方にマーシュとパーンが並ぶことになった。

神妙な顔をしながら、一行は塔の扉をくぐった。中は思ったよりも広く感じられる。通路が正面にまっすぐに延びていて、十歩ほどいったところで行きどまり、そこに扉があった。その前に何か瓦礫《がれき》の山のようなものができている。

「この館《やかた》の警護をしていたゴーレムの残骸《ざんがい》です。カシュー王が、ジンを解放するときに倒《たお》したものです。祈りの間はその扉の向こうです。そこにいたゴーレムも、すでにカシュー王が倒されていますから安全です。しかし、カシュー王は合理的な方ですから、目的を達すると早々に引きあげた様子で、塔の階段を上りはしなかったようです。ですから、上にはまだゴーレムが残っているかもしれません」

「ゴーレムは魔法で仮の命を与えられている怪物なので、魔法の武器でないと傷つかないのです。精霊たちと同じようにね。しかし、ゴーレムは古代王国の遺物《いぶつ》として貴重なものですから、もったいないような気もしますね」

スレインがレイリアの言葉につけくわえる。

「なるほど、魔法の剣を持ったカシュー王でなければ、倒せない怪物というわけだ」

パーンはスレインの言葉に、風の部族の悲願でありながら、カシューが現われるまで、ジンを解放できなかった理由がようやく分かった。

「魔法の剣しか効《き》かないのなら、ゴーレムが出たときにどうやって倒すんだよ」マーシュが疑問を口にする。

「スレインがやってくれるさ。武器に一時的な魔力を与えてもらうんだ。そうすれば、精霊だってゴーレムだって十分に戦えるさ」

一行は壊《こわ》されたゴーレムを横目でみながら、扉を開け、祈りの間に入っていった。そこはがらんとした半円形の部屋で、奥の壁《かべ》は曲面を描《えが》いている。扉にそった壁は直線で、左手のほうにもうひとつ別の扉がある。正面奥の壁の前に祭壇《さいだん》が設けられていて、そこには風の王、ジンの石造りの彫像《ちょうぞう》が立っていた。

「左の扉を開けると塔の頂上に上る階段があるはずです。正面の祭壇には昔《むかし》、ジンを封《ふう》じていた壺《つぼ》があったのです。ここから先は、わたしは知りません。ジンが現われ、追い返されてしまいましたから」

「この構造だと、右手の方にも空いた空間があるようだな」フォースが祭壇の間の形を眺《なが》めながらつぶやいた。彼は一人右側に向かい、左の扉とちょうど正反対の位置の壁を注意深く調べはじめた。「やっぱり、隠《かく》し扉がありますね」

「古代王国の宝が眠っているのかもしれないぞ」

マーシュがパーンを見た。

「先を急いだほうがいい」パーンはマーシュの目が何かを訴《うった》えかけているのを見て、それを制しようとした。

「しかし、ここは手つかずの古代王国の遺跡《いせき》だぜ。もし、この扉の向こうが宝物庫なら、お宝の価値は計りしれねぇ」

「この塔を作ったのは、風の部族の先祖たちだ。古代王国の魔術師たちじゃない」

「だが、支配したのはその魔術師たちだろう」

傭兵《ようへい》にとっては、金は命の次に大切なものだから、パーンの説得もマーシュには通じなかった。

「分かったよ。気をつけてくれよ。ワナが仕掛けられているかもしれないのだから」

「まかしておけよ、すぐにすむから待っていてくれ」

マーシュは嬉《うれ》しそうにフォースの所に走り、彼の肩《かた》をたたいて合図を送った。スレインが明かりが必要だろうと、彼のあとを追いかける。当然のようにレイリアが続く。

「金を儲《もう》けて、軍資金にしようぜ。ギルドと戦うためには、かなりの金が必要だからな」

「気をつかってもらってありがたいが、盗賊ギルドは金だけでは倒せないぞ。それより、早く部屋の中を確かめてしまおう。ディードリットは口にこそ出さないが、かなり神経質になっているぞ」

マーシュはうなずいて、隠し扉になっている石の壁を強く押した。石のこすれる音が聞こえ、床から砂ぼこりが舞いあがった。

ごう、というような音と共に、石の壁が動き通路が開いた。スレインが明かりのついた杖《つえ》を前に差しだし、通路の向こうを照らしだそうとする。

「さてと、お宝は、と……」

マーシュが陽気な声を出し、前に出ようとしたときだった。

「危ない！　下がってください！」レイリアが、鋭《するど》い声を出して部屋に足を踏《ふ》み入れようとするマーシュを引きとめようとした。

その警告の声よりも早く、マーシュは反応していた。巨体《きょたい》が後ろに飛びのき、貧弱なスレインが危うくその巨体に弾《はじ》きとばされそうになった。

部屋の中には、半透明の青白い人間の顔が浮かびあがっていたのだ。

「死霊《レイス》です！　彼らに触れられてはなりません。魂《たましい》を奪われてしまいますから」巨漢の傭兵から身をかわしながらスレインが叫ぶ。

「だから、言ったろう！」パーンが舌《した》うちしながら、走りよっていく。ディードリットも事態の深刻さを感じて、あわてて隠し扉の前に走る。

「自然ならざる不浄《ふじょう》の魔物どもよ！　マーファの名により命ずる。去れ、正しき住み場所たる冥界《めいかい》の果てへ！」

レイリアが呪文《じゅもん》を唱《とな》えながら、大きく真横に手を振るう。パーンはその姿に、かつてカーラと呼ばれていたころの彼女の姿を重ねあわせていた。

しかし、その目には憎《にく》しみも、怒りもなく、あくまで大地母神《マーファ》の司祭としての慈愛とそして勇気に満ちている。

レイリアの神聖魔法の力で、不死の怪物である死霊どもは、次々とその存在を消滅《しょうめつ》させられた。

レイリアの司祭としての実力をうかがうことができた。

あの忌《い》まわしい過去さえ、彼女の信仰心をゆるがしはしなかったのだ。いや、むしろそのことにより、マーファへの信仰はより強いものとなったのかもしれない。

「スレイン！　オレの剣に魔法を！」

パーンの叫びに応じて、スレインが彼の長剣《バスタードソード》に一時的な魔力を付与する。たちまち、長剣が白い魔法のオーラを放つ。

そして、パーンは扉をぬけて出てこようとする二匹の死霊に向かって、勇敢《ゆうかん》に切りこんでいった。

「オレにも頼《たの》まあ！」マーシュがその様子を見て、加勢に行くためスレインに言う。しかし、スレインは冷静に事態を見て、彼の援護は必要ないだろうとの結論に達した。

スレインの判断どおり、パーンは数回剣を振るっただけで、残る二体のレイスをみごとに消滅させていた。

「みごとなものですね。かなり剣の修業をつみましたね」

「オレだって、昔のままじゃギムやウッドに申し訳がないからな」パーンがスレインの言葉に微笑んで答える。

スレインは円を四つに割ったようなその部屋の中に入りこみ、魔法の明かりのともった賢者《けんじゃ》の杖で、あたりを注意深く照らしだした。

レイリアの魔法とパーンの働きで、すでに数百年来の部屋の主人だった忌まわしい死霊どもは去り、部屋の中は古びた木製の棚《たな》が並び、そこに錆《さ》びた剣や鎧《よろい》などが分厚いほこりと共に残されているだけとなった。

「どうやらここは、古代王国の衛兵たちのための武器庫だったようですね」

「金目の物がなくて、生憎《あいにく》だったな」パーンが意地悪そうにマーシュに笑いかける。「金儲けは地道にやるのが一番なのさ」

「そうとはかぎりませんよ」

マーシュは苦笑いしただけだったが、スレインが代わりに言葉をかけてきた。

どういう意味だ、とパーンは言いかけたのだが、スレインが古代語のルーンをおもむろに唱えだしたので、彼の精神集中を妨《さまた》げないようにその言葉を飲みこんだ。

「古代王国の武器庫には、錆びて使い物にならない武器だけではなく、永遠に尽《つ》きない魔法の力を与えられた武器だってあるということさ」

フォースの言葉でスレインがいかなる魔法を使ったのかをパーンは理解した。彼は魔力を発する武器や鎧を見つけだすための呪文をかけているのだ。

ルーンを唱え終えて、呪文を完成させたスレインは注意深く、武器や鎧の並べられている棚を調べてまわった。

「これと……これと……これだけですね。思ったよりも少ないですが、これはこれからの戦いの力となってくれますね」

つぶやきながらスレインが選びだしてきたものは、棚の横に人形のように立っていた板金《プレイトメイ》の鎧《ル》と、方形の楯《ヒーターシールド》、広刃の直刀《ブロードソード》のひとそろい。それに小剣《ショートソード》と両手持ちの大剣《グレートソード》がそれぞれ一振りずつだった。

「それが全部魔法の武器や鎧なのか?」呆《ほう》けたようにパーンがスレインに尋ねた。

「そうですよ。古代王国の遺跡の武器庫にしては貧弱なくらいですよ。噂《うわさ》では、壁の一面に魔法の剣がぎっしりと並べられていたこともあったそうですよ」

「いくらになる?」

マーシュの問いには、スレインは首を軽く横に振って肩をすくめた。

「魔法の武器や防具の値段は、あってなきがごとしですからね。名のある戦士なら、たとえ金貨を何千枚払っても手にいれたがるでしょうね」

「スレインの言うとおりさ。しかし、オレたちにとっては、金よりも自らの身を守るためにそれぞれ身に着けておいたほうがはるかに役に立つだろう。金で命は買えないからな」と、これはパーン。

「しかし、鎧はオレには小さすぎるし、それに剣は使いなれていねぇ」情けなさそうな顔でマーシュはパーンに訴えた。

「予備の武器に小剣を使ってたじゃないか？　このさいだから、斧《おの》から剣に宗旨《しゅうし》がえするのも悪かないだろう」

フォースはそう言いながら、魔法の小剣の具合を確かめていた。

「軽くて、握《にぎ》りもいいな。サーディーならうまく使いこなせただろうに……」

「鎧はフォースかパーンなら身につけられそうですねぇ。お使いなさい。炎の精霊との戦いには絶対に必要になる品物ですよ」

「オレは、そんな窮屈《きゅうくつ》な鎧はいらない。パーンが使ってくれ。剣や楯《たて》もね。オレはこの小剣で十分だ。マーシュは大剣を貰《もら》えばどうだ？　使い方が戦斧とそんなに違わないだろう」

「大違いだぜ！」マーシュはうなった。「しかし、言いたいことは分かったよ。オレだって、傭兵だ。どんな武器を扱わせたって、それなりに戦ってみせるぜ」

「大剣の使い方なら、オレが教えることもできるぜ。力自慢《じまん》のマーシュには、むしろ合っているはずだ」パーンがマーシュに笑いかけた。

「しかし、魔法の大剣を持っている奴は、ろくな目に合わないようだからな」マーシュはすかさずやり返す。

魔法の武器たちは、ほこりを拭《ぬぐ》うとさすがにその刃には錆《さび》ひとつなく、鍛えあげられたばかりの姿を保っていた。

パーンたちは、各々武器を帯びるとそれを軽く振ってみて、その具合を確かめた。

「さすがだな。この軽さ、今までの剣の半分くらいだな」

「軽量化の魔法がかけられているのでしょう。パーンの選んだ剣は、有名な魔術師が魔力をこめたようですね。ヴァンという名前が刻《きざ》まれていますが、古代王国末期の文献《ぶんけん》には、彼の名前がしばしば登場していますよ」

スレインがその古代王国に関する知識を披露《ひろう》する。

「鎧と楯とも揃《そろ》いになっているようですから、どんな隠《かく》された魔力が備わっているともかぎりません。大事になさい」

「ヴァンという人物の名前には覚えがあります。もちろん、わたしではなくカーラの記憶ですが……。カーラはヴァンと同じく、魔力付与《エンチャント》の術に長じた一族の出身なのです。だからこそ、あのサークレットのような恐るべき工芸品《アーティファクト》を作りだすことができたのですが……」

レイリアがスレインに説明した。魔力付与《エンチャント》とは、生き物や品物に魔力を与える古代語魔法の一系統だった。現在ではほとんど伝えられていない魔法の技だ。

「魔力付与《エンチャント》ねぇ。ならゴーレムは得意の分野でしょう。竜牙兵《ドラゴントゥース・ウォリアー》を使っていたのも納得がいきます」

パーンたちは古代王国の武器庫を後にし、もうひとつの部屋に入り、塔の頂上を目指すべく、壁《かべ》をはうように作られた螺旋《らせん》階段をゆっくりと上り始めた。階段に仕掛けがないかを先頭のフォースが注意深く調べながら上がっていくので、彼らの進む速度は亀《かめ》のように遅《おそ》い。階段には結局何も仕掛けがなされていなかったようだった。階段は塔の天井のところで行き止まりになっていたが、フォースがワナが仕掛けられていないのを確かめてから、力をこめて押すと、思った以上にすんなりと上に押しあげられ口を開けた。陽光と共に上から細かい砂がきらきらと輝《かがや》きながら落ちてくる。

ディードリットはまぶしそうに目を細めた。

「ここから先は、あたし一人で……」ディードリットはパーンを振り返って、小さな声で言った。

しかし、と言ったパーンを制してディードリットは素速《すばや》く彼に軽いキスを送る。

「風の精霊界への門が開いたときに、どんな突風が来るか知れたものではないわ。皆が表に出ると、吹きとばされるかもしれない……」

「分かった……」パーンはうなずいて、そっと彼女の肩に手を置いた。「気をつけろ」

ディードリットはにっこりと微笑《ほほえ》むと、フォースの隣《となり》をすりぬけるように塔の屋上に身を踊《おど》らせた。

「扉を閉《し》めて」ディードリットは言い残すと、後ろを振り返ることなく、円を描《えが》く屋上の中央へと静かに歩いていった。

「いいのか？」フォースはディードリットにではなく、パーンに声をかけた。

「閉めてくれ」しばらく、間があってからパーンの答えは返ってきた。

それは、うめくような声だった。

3

ディードリットは、自分の後ろで扉《とびら》が閉《と》じられる音が聞こえてから、それを確かめるために一度だけ振り返った。それからは、もはや迷いを捨てたように足早に中心部まで進むと、その場に働く精霊力《せいれいりょく》の強さを計るようにじっと精神を澄《す》ませた。

思ったとおり、そこには強い風の精霊力が働いていた。

「これなら、あたしでも門を開くことができそうね」

つぶやいてから、ディードリットは腰に吊《つ》るしたレイピアを地面に下ろし、そして胸当てを脱いで、草色の短衣《チュニック》だけの軽装になると、彼女はもはや何ひとつ金属を身につけてはいなかった。

そして、彼女は精霊語《サイレント・スピリット》で風の精霊に向かって〝呼びかけ〟を行ないながら、両手を真上に差しだし、歌うような詠唱《えいしょう》の声をしだいに大きくしていった。

「自由の象徴《しょうちょう》たる風の精霊よ。わたしの願いを聞きとどけよ。異界の扉を開き、わたしを迎《むか》え入れよ」

彼女の精霊語に応じて、それまでぴたりと風が止んでいた塔《とう》の上に緩《ゆる》やかな空気の流れが生じていた。その流れは彼女を中心として渦《うず》を巻くように、しだいに速度を速めて、彼女の金髪《きんぱつ》を宙に踊《おど》らせた。

ディードリットは風に抗《こう》しようとはしなかった。むしろその風に身を任せるように、全身の力をぬく。しかし、〝呼びかけ〟のための精霊語は決して中断させることはなかった。

風が彼女のほっそりとした全身を摑《つか》み、そして力強く空中に持ちあげた。ディードリットは、風の精霊力がどんどん力を増していることを知った。

そして、彼女のすぐ頭上で空が裂《さ》けたかと思ったとき、ディードリットは自分の身体がすべての束縛《そくばく》から解放されたかのような感触《かんしょく》を味わった。肉体の檻《おり》を破り、精神が完全なる自由を得たようなそんな感触だった。

そして、次の瞬間《しゅんかん》、ディードリットは風の精霊界に浮かんでいた。

そこは、完全なる青色の世界であった。色の変化はまったくなく、どこまでも均一の青い色が無限の広がりを見せて、エルフの娘を包みこんでいた。

ディードリットは自らがひとつの音となっていることにいまさらながらに気がついた。金属のような音質、それに短いリズムで高音域を上下する旋律《せんりつ》、それがこの世界における彼女だった。

耳を澄ませるとディードリットは自分のまわりを取りまくように流れる自分とは異なったリズムとメロディーの存在に気がついた。

そのひとつひとつ違った個性を持つ音楽が、風の精霊シルフなのだと彼女は気がついた。意識の触手を広げると、さらに違《ちが》ったリズムとメロディーの存在が感じられた。気分が高揚《こうよう》し、彼女はより遠くを認識しようとした。

大気の持つ力や法則は、今や彼女の中にあった。彼女はその力と法則を物質界に知らしめるために、この世界に存在すればいいのだ。彼女はふと、そんな気になっていた。

「気をつけて。意識を強くもちなさい。でないと、あなたの魂《たましい》はこの世界に同化されて自我を持たぬただの精霊となり果ててしまいますよ」

リュートの旋律のようなメロディーが彼女の意識にそう訴《うった》えかけてきた。ディードリットははっと意識を固くして、すでに希薄《きはく》となりかけていた自らの音を強く意識しなおした。

眠りから覚めたような気分だった。彼女は危《あや》うく風の精霊界に消化させられてしまうところだったのだ。

「ありがとう。あなたはさっきあたしの頼《たの》みを聞いてくれたシルフね」ディードリットは自らの音に常に注意を向けながら意識を伝えるべく、異質な音質の旋律をリュートの音色に唱和《しょうわ》させた。

「あなたの視覚は閉《と》じています。心を集中させて〝見よう〟と強く念じるのです。今のままでは、わたしたちを見ることができないはずです」

ディードリットはその言葉にしたがって精神を集中させ、音ばかりでなく視覚を使って精霊界を〝見よう〟とした。今までは、目を閉じていただけなのだ。

青色の世界がゆっくりとその姿を変じていた。いや、青そのものの色調は変わらない。しかし、ディードリットはその青色の世界に動くシルフたちや、意識を持たぬ精霊たちの存在を知覚したのだ。もちろん、それは純粋《じゅんすい》な意味での視覚ではない。

ディードリットは自らが、まるで一人のシルフになったような姿でいることを知った。何一つとして身につけていなかったからだ。

なかば透《す》きとおった裸身《らしん》をさらしながら、ディードリットは彼女に話しかけてくれた一人のシルフを見た。

「忠告をありがとう、シルフ」ディードリットは礼を述べた。頭を下げたのは、無意識に物質界での習慣が出たためだった。

「いいえ、礼にはおよびません。永遠の命を持つものよ。あなたは風の精霊の理を知る者ですから、わたしたちはあなたに仕えねばなりません」

それはディードリットが精霊使いとして、シルフを支配下に置いていることを意味していた。

精霊使いは言葉によって、精霊を従わせ、その精霊の司る力を源《みなもと》として呪文《じゅもん》を行使する。

物質や精神に存在する魔力《マナ》を直接引きだして呪文をかける古代語魔法や、世界に普遍《ふへん》に存在する神の力を借りて奇跡《きせき》を行なう神聖魔法との違いだった。

「さっきも言ったように、あたしはジンに話があるの。王は今、どこにいるの？」

「精霊界では空間や時間はまるで意味を持たないものです。王はここに居ます」

ディードリットは理解して意識を広げた。その間も自分という存在を強く心に留めておくことを忘れない。

シルフとは違う大きな力、シルフが放つ弦楽器《げんがっき》のような音に混じって、激《はげ》しい打楽器のような低音が轟《とどろ》いてきた。ディードリットはそのビートに自らの波長を合わせていった。すると、シルフたちがいる風景が急にぼやけ、視界の中にジンの巨大《きょだい》な姿が現われた。

ディードリットは緊張《きんちょう》した。彼女を表す旋律《せんりつ》に小さな雑音が混ざる。

「ようこそ、風の精霊界へ。森の娘よ」

彼女の目の前に現われた裸《はだか》の巨人が口を開いた。上半身だけが形を取っていて、下半身は背景の青色に溶《と》けこんでいる。シルフたちの姿は、すでに見かけられない。

「初めまして風の王。わたしの名前はディードリット、ハイ・エルフの精霊使いです」

ディードリットは風の王に挨拶《あいさつ》を送った。

「ようこそ、風の精霊界へ。この世界にエルフたちが姿を見せなくなってから久しいものだ。物質界では何百年経過したことか。もっとも、その間にはわたしも物質界に幽閉《ゆうへい》されていたのだがな」

ジンの声は、怒りのようなものを感じさせた。彼の存在を示す音のリズムが少し速くなり、荒々しいものとなっている。

「この塔を守るシルフに告げたとおり、わたしは盟約からあなたがた風の精霊を解放させるために参ったのです。もはや、物質界では時が経ち、盟約を覚えている者は、誰《だれ》もいなくなっています。風と炎《ほのお》の二つの力がこの地を支配する必要はもはや失われているのです」

「ほう、面白いことを言う。我々がアザートと交わした盟約がすでに無効になったと。しかし、まだ解放の呪文は唱《とな》えられていないぞ。我々がこの地を守る使命はまだ有効である」

「何者を守り、何を守るというのです、風の王よ。すでにこの地には守るべき砂漠《さばく》の民はおらず、敵である古代王国の魔術師どももいないでしょう」

「わたしにもそれぐらいのことは分かる。しかし、盟約は有効だ。わたしはアザートと交わした盟約を守らねばならない。おまえも精霊の理は知っておろう。おまえが支配する力がおまえの意志とは違う形で動いたなら、おまえは何とする。精霊の存在はすべてが理と盟約によって成立しているといってもよい。それを捨てることは存在を否定することに等しい」

「しかし、現実にあなたを制約している精霊使いはいないではありませんか？　盟約を強制する者がいずこにあると言うのです」

「我らの心の中にある。解放の呪文が発せられぬかぎり」

「その言葉は失われています。あなたがたを解放に導くものは、もはや存在しません。そんな盟約にいかなる意味があるというのです。現実を見てください。あなたがたが守るのは、精霊語を語ることのない、石造りの塔だけではありませんか」

ディードリットは強く言った。まるで人間を相手に説得しているようなものだが、それがいかなる効果を上げるか疑わしいものだ。

「……なるほどな」しばし空白の時間が流れたのち、ジンは低いビートをうち鳴らし、答えた。「盟約は解放の言葉が与えられるまで有効だ。しかし、おまえの話は理解できる。確かに今、この場所には守るべき者はいない。よかろう、森の娘よ。解放の呪文をおまえに伝えることはできぬが、別の手段を教えよう」

「その手段とは？」

ディードリットが尋《たず》ねる。

「おまえが、アザートに勝《まさ》る存在であることをわたしに証明してみせろ。ならば、わたしはおまえの命に従い、我が名を与え、新たなる盟約を交わすことにしよう。新たなる盟約は古い盟約に取ってかわるものであるがゆえに、古き盟約は解除されよう」

「証明する方法とは？」

「それはわたしが判断する。心を開け、森の娘。わたしが与える試練に打ち勝ってみせよ。敗れた時は、おまえの存在は消えて、意志持たぬ精霊となるのみだ」

ディードリットの心に恐怖《きょうふ》が満ちた。

しかし、それは最初から彼女が予想したとおりの答えでもあった。

風と炎の精霊を支配する盟約とは、古代の砂漠の民の精霊使いが精霊の王たちと交わしたものだ。支配といっても、それは一人の精霊使いではなく、盟約という無形のものに対してなされたのだ。

盟約が破棄《はき》される条件が満たない間は、それは永遠に精霊に対する強制力となるのだ。

その盟約の破れる条件のうちの一つが解放の呪文が唱えられることであり、もう一つがより強い力を持った精霊使いによって、新たなる盟約が交わされることなのだ。

ディードリットははるかなる古代の精霊使い、アザートという男と精霊使いとしての実力を比べられることになったのだ。

その試練に耐えられぬときは、ジンの言うように、自らの存在は引きさかれ、この風の精霊界を漂《ただよ》うひとつの音、自らの意志を持たない、ただの風の精霊となってしまうのだ。

「その試練、受けましょう」

ディードリットの意識の中に、パーンの姿が浮かびあがっていた。(彼の存在はこの地ではいかなる音として存在するのだろう)

次の瞬間、彼女の存在に強力な圧力が襲《おそ》いかかってきた。ディードリットは悲鳴を上げた。

自らを強く意識し、それに耐《た》えようと彼女は歯をくいしばった。

それは圧倒的《あっとうてき》な大きさと力を持った風であり、そして音だった。

ディードリットの存在をそれは打ち消そうと働き、ディードリットはそれに吹き飛ばされないように、自らを自らに縛《しば》りつけ、そして自らの存在を示す音を精一杯の力でかき鳴らした。

しかし、風の王の加える力は圧倒的だった。

ともすればディードリットの意識は攪拌《かくはん》され希薄《きはく》になっていく。

ディードリットは苦痛に呻《うめ》きながらも、彼女に干渉しようとする力に対し抵抗《ていこう》を続けた。

(自らの存在を強く意識しなさい)シルフの言葉が苦痛の中から思いだされる。

だが、この戦いは彼女にとって圧倒的に不利だった。自らの存在を認識するということは、口でいうほどにはやさしいものではないからだ。

物質界で生きるものは(それは妖精界《ようせいかい》の住人でも同じだったが)、自らの存在を感覚によって間接的に認識しているのだ。自らの身体を目で見て、または手で触《ふ》れることで自分を認識する。

しかし、精霊界では感覚は認識の手段として重要ではない。自らの波長、自らのエネルギー、そういったものを直接知覚することが、自らの存在を確かめる手段なのだ。

人間が精霊との交信が難しいのは、その二つの世界の法則の違いに戸惑《とまど》うためだ。

ディードリットは元々は妖精界の住人である。妖精界は精霊界と物質界の中間に位置する世界だから、彼女は人間と比べれば精霊に近い存在だ。だから、生まれながらに精霊使いとしての能力も持っている。

だが、人間たちの中にも精霊の理を知り、彼らと心を通じあわせ、その言葉を使う者もいる。訓練しだいでは、エルフたちの実力をこえることは十分に可能なのだ。

ディードリットは精霊使いとして、自らを鍛《きた》えようとしたことはない。

それは自然に学ぶものであり、そしてハイ・エルフにとって、学ぶ時間は無限にあったからだ。

それが今大きなつけとして、支払われようとしている。

ディードリットの存在を示す音は、より巨大な音に引きさかれ、今まさに消滅《しょうめつ》しようとしていた。

ディードリットは助けを叫《さけ》んでいた。

彼女はエフリートとの戦いの場面を思いだしていた。あれは物質界で行なわれた戦いだったが、ディードリットは完膚《かんぷ》なきまでにエフリートに叩《たた》きつぶされていた。

あの時と同じだった。あの時、パーンが助けに飛びこんでくれなかったなら、間違《まちが》いなく自分は焼き殺されていただろう。

しかし、今、パーンはいないのだ。

彼女の悲鳴を聞いて、命を張って助けようとしてくれる戦士はいないのだ。

「パーン！」

それは絶叫《ぜっきょう》だった。と同時に彼女が発した音の中でいちばん大きく、そして力強い音だった。

ディードリットは、絶叫とともにある感情をも思い出していた。

それは今までエルフという自覚がおしとどめ、肯定《こうてい》しきれずにいた感情の爆発《ばくはつ》だった。

ディードリットは今その感情を強く認識していた。

それこそがディードリットの純粋《じゅんすい》な心の表現であり、同時に彼女の存在の証《あか》しでもあった。

（パーン！）

彼女は強く彼を思い、そして彼を思うことで湧《わ》きあがってくる自らの感情にしがみついた。

そして、その感情で自らの存在を知覚する。

ディードリットは、風の精霊の試練を完全に乗りこえていた。抵抗する必要などなかったのだ。ただ、自らの存在を忘れることなく、ただひたすら自分の音をかき鳴らしていればいい。

そうすれば、二つの音は新しい調和を生みだすだろう。

そして今、ジンを示す音とディードリットを示す音とが完全なハーモニーとなっていた。その和音は新たな力として風の精霊界にくまなく響《ひび》きわたっていた。

ディードリットは知った。

ジンとて万能ではないことを。実力を持った精霊使いの協力があってこそ、より巨大な力を物質界に投げかけ、より上位の呪文の力を行使できるということを。

ディードリットは精霊使いとして、ジンに助力を与えるほどの存在となったのだ。

「試練は果たされたぞ。森の娘よ。精霊界の理をおまえは完全に自らのものとした。おまえはもはや風の精霊をすべて扱うことを知り、王たるわたしとさえ協力しあえるほどになった。おまえの力があれば、この砂漠の地に巨大な竜巻《たつまき》を起こし、いかなる嵐《あらし》をも呼ぶことができるであろう。おまえは新たなる盟約者としての資格を得たのだ。盟約の内容を告げよ、わたしはおまえに従うであろう。我が名はイルク、わたしの助けが欲しくばいつでも我が名を唱えるがよい」

ディードリットは風の王に穏《おだ》やかな笑顔を投げかけた。それは、彼女の認識する視覚的なイメージにすぎなかったが、そのイメージは確かにジンに届《とど》いたはずだった。

「風の王よ、この地に働くあなたの力を自然の状態に戻《もど》してください。大地と水の力を解放してほしいのです。それが新しい盟約です」

「何もするなということだな。それこそ、お安い御用だ。わたしも、シルフも気楽でいられる。我らは自由なる風の精霊、すべてから自由でいることこそ、我らが願い」

風の王も笑っているように感じられた。

精霊の王の放つ穏やかな気は彼女を快適にしてくれた。

「門を開こう。物質界に戻るがよい」

ディードリットはその言葉を聞いて、ふたたび微笑《ほほえ》んだ。

「ありがとう、イルク。偉大なる風の王」

答えたとたん、ディードリットの身体《からだ》のまわりに大気の激《はげ》しい動きが感じられた。

ふたたび風が巨大な爪《つめ》のように彼女を捕《とら》えて、そうして今度はしだいにその束縛《そくばく》を緩《ゆる》めようとしていた。

普段の視覚が戻り、聴覚もふたたび肉体を持つ者のそれに変化していた。

風はそよ風となり、彼女の乱れた髪《かみ》を優しく揺《ゆ》らしていた。風と炎の砂漠を覆《おお》う風の精霊力は、まるで草原のような穏やかさをみせていた。

照りつける太陽の日差しさえ、心なしか穏やかなように感じられた。

ディードリットは胸当てを身につけ、そしてレイピアを腰に吊《つ》るすと、ゆっくりと落とし戸に向かって歩きはじめた。

（パーン、あなたに命を助けられたのはこれで二度目ね）

第Ⅵ章　そして、解放されるもの

1

ナルディアは眩《まぶ》しい砂漠《さばく》の照り返しに目を細めながら、ブレードの街《まち》の様子を近くの砂丘《さきゅう》の上から眺《なが》めていた。

馬なら数分もかからず街まで行けるほどの距離だ。

彼女のそばには三人の側近が控《ひか》えているだけである。その中に、神官であるアズモの姿はなかった。

パーンたちがブレードの街を離れてから、すでに二週間あまりが過ぎていた。

ナルディアはパーンが何者かの手引きにより脱走したあと、決戦を急ぐことを決断していた。

パーンが救出されたという事件で、ヴァリスの介入《かいにゅう》を恐れたためだった。

しかし、兵力に余裕があるわけではない。ヒルトには最小限の守備隊を残しただけで、南からの敵に対しては、完全に無力といってよかった。

ヒルトの南には風の部族の民ではないが、カシュー王が即位して以来、フレイムに忠誠を誓《ちか》った都市国家マーニーとローランがあり、この二つの軍もいつその沈黙《ちんもく》を破って打ってでるか分からないのだ。

数の上で劣勢《れっせい》に立たされている炎《ほのお》の部族の辛《つら》いところだった。

そのため、早くブレードを落とし、フレイムの息の根を止めたい。それが、ナルディアの狙《ねら》いである。

そのナルディア軍に対抗《たいこう》するカシューらは街を固め、防戦態勢に入り、一歩も外に出ようとしない。

しかも、今度は街の中では決して火を使うなというふれを出し、それを徹底させている。街の中から炎の精霊《せいれい》の力を借りて街中の混乱に乗じて攻撃《こうげき》することはできなかった。出戦を仕掛けてくる様子もない。

小競《こぜ》り合いひとつないまま戦いは膠着《こうちゃく》状態となり、一週間ばかりが経過している。

攻《せ》め手である炎の部族は何かと挑発《ちょうはつ》し、彼らを街から誘《さそ》いだそうとしたのだが、ブレードの街からはそれに応じてくる気配はいっこうになかった。

「どういうことだ」

ナルディアの声は、苛立《いらだ》ちを隠《かく》しきれなかった。

彼女に付き従う三人の側近の者たちも、彼女にどう答えていいか分からず、首を傾《かし》げるばかりである。

「我らに怖《お》じけをなしていると考えたいものですが、そうとばかりも言えますまい」

「カシューが、あの男が恐れたりするものか」ナルディアは何度か戦で見た、フレイムの傭兵《ようへい》王《おう》の姿を思いうかべていた。

彼は常に稲妻《いなずま》のごとく戦場を駆《か》けめぐり、そして圧倒的《あっとうてき》な強さで自軍を蹴散《けち》らしてきたものだ。

「考えられないな」

ナルディアはもう一度言った。

「とにかく、こちらとしてもうかつに近づくわけにはいかない。あの抜け目のない男のことだ、どんなワナを仕掛けてくるともかぎらない。長期戦になって、参るのは間違《まちが》いなく敵のほうだ。街を封鎖《ふうさ》しておけば、やがて食料もつき、否応《いやおう》なしに戦わざるをえなくなるし、砂漠の民の気性がそれまでに耐えられなくなるであろう。油断は禁物だが、兵たちには決して焦《あせ》ってこちらから手を出さぬよう命じておけ」

ナルディアはそう言うと、馬の首を巡《めぐ》らし自軍の陣地《じんち》に向かって走らせた。彼女の馬が甲高くいななく声が、遮《さえぎ》るものとて何もない砂漠の地を風に乗って広がっていった。

そのころ、炎の部族の神官、アズモは空を見上げながら、やはり怪訝《けげん》そうな顔をしていた。常から表情を表に出さぬ男である。それは心の中にある感情の動きや野心を悟《さと》られぬためだった。

しかし、今、彼の顔には困惑《こんわく》の表情がありありとうかがえる。

ブレードの空に働く風の精霊力《せいれいりょく》の異常さが気になっているのだ。

その異変はおよそ五日前に起こった。この砂漠特有の強い風の精霊力が、突然弱まったのだ。

それ以後、ずっとその状態が続いたままだ。

その異常について、炎の王《エフリート》に尋《たず》ねたいと思ったが、彼はさまつなことでエフリートと接触《せっしょく》を持ちたくはなかった。彼は自らの力でエフリートを制しているわけではない。あくまで、古代の盟約を楯《たて》にしての支配である。それとて、盟約の詳《くわ》しい内容を知って行なっているわけでもない。

カーラと名乗った女から得た嘘《うそ》とも真《まこと》ともつかぬ情報だけが、彼の知るすべてであった。

あの女は炎の神殿《しんでん》で、壺《つぼ》に封印《ふういん》されているエフリートを解放し、盟約の名前を使って自らの望みを伝えろと言った。そうすれば、エフリートは命令のままに従うだろうと。

しかし、その力は万能ではなく、敵を倒《たお》すことのみに使うこと。それ以外の命令は自らの命を失うことにつながるとカーラはアズモに告げた。

最初はたわごとと思ったが、長老たちから炎の部族に伝わる盟約の伝説を聞き、アズモは彼女の言葉に賭《か》けてみようという気になったのだ。

だから、彼は炎の神殿へと赴《おもむ》き、エフリートを解放したのだ。幸いなことに部族の者の中には、アズモの他に精霊と交信できる者はいなかったから、彼は初めて部族の者に必要な存在として受けいれられ、そして歓迎《かんげい》された。

だからといって、彼に対して行なわれた彼らの行為をすべて忘れたわけではなかった。守護神を操る神官という揺《ゆ》るぎない地位を得たアズモは、それまで彼を罵《ののし》り、蔑《さげす》んだ者たちに次々と復讐《ふくしゅう》を果たしていった。

炎の守護神の名において、彼が命じた事はすべてが実行された。それは彼の復讐心をかなり満足させた。だが、まだ完全に満足したわけではない。彼はナルディアを退け、部族の長として、この地に君臨することを新たな野心として抱《いだ》いている。

それが炎の王の神官である自分にもっとも相応《ふさわ》しい地位だからだ。

そのためには、いつかはナルディアを殺さねばならないかもしれない。もっとも、彼女は部族の者の信頼が厚い。戦の勝敗が決しないうちは彼女が生きていたほうが都合《つごう》がよい。それがアズモの判断である。

だが、それもそう長くは必要としないだろう。もはやカシューに反撃の手段は残されてはいないのだ。

彼の野心と復讐が達成される時が確実に近づいていた。

彼はそのことを思うと残忍《ざんにん》な高揚感《こうようかん》と満足感に浸《ひた》ることができるのだった。

（それにしても……）アズモは思うのだった。（なぜ、こうも風の精霊力が弱くなった。これ

では草原や森などと変わらないではないか）

ブレードの王城、アーク・ロードの中では、カシューもまた苛立《いらだ》たしげであった。謁見《えっけん》の間を、数刻前から行きつ戻《もど》りつしている。

このフレイム国王はいつでも出撃できるように、鎧《よろい》を身につけ、武器も腰に差している。その自慢《じまん》の長剣《バスタードソード》は、彼が昔冒険者《ぼうけんしゃ》であった頃に古代王国の遺跡《いせき》から見つけ出した魔法《まほう》の品である。その魔剣はいかなる硬《かた》い鎧でも、まるで羊皮紙のようにやすやすと切りさいてしまうのだ。

彼の顔には、焦《あせ》りの色がありありとうかがえる。怒気を孕《はら》み、浅黒い顔が少し赤味を帯びているようだった。

カシューはこうした守りの戦よりも、攻《せ》めの戦を得意としている。自らが立てた作戦とはいえ、それに従うのが何よりもどかしいのも、また彼なのだ。

「さながら檻《おり》に閉《と》じこめられた虎のごときご様子ですな。そんな姿を兵に見られたら、何と噂《うわさ》されることやら」シャダムがカシューに言う。

「おおかた、おまえと同じことを言うだろうよ」カシューは動きを止め、腹心の傭兵《ようへい》隊長の顔を厳《きび》しい目で睨《にら》みつけた。

「自軍の士気はもはや最低だ。作戦とはいえ、こうも炎の部族の挑発《ちょうはつ》が続き、それに耐《た》えねばならんのだからな。しかも、南と西の主要な街道《かいどう》の出口は押さえられていて、市民の避難《ひなん》もできないような状態だ。食料はもってあと一月《ひとつき》、しかも火が使えぬために夜襲《やしゅう》に対して暗闇《くらやみ》の中で警戒《けいかい》を続けねばならない。街にはすでにオレの臆病《おくびょう》ぶりを噂する声が聞かれているというし、このままで行くと我が国は内部から崩壊《ほうかい》することになる。南の都市、ローランやマーニーの太《たい》守《しゅ》どもの援軍《えんぐん》も期待できぬようだからな」

「この戦が終わりしだい、両都市の太守は解任いたしましょう。もとはそれぞれ独立した都市国家の国王であったとはいえ、我が国に忠誠を誓《ちか》ったとあれば、守るべき義務というものがありますからな。先の戦のおりには、かくも協力したヴァリスが動かぬことさえ我慢《がまん》がならぬというに」

シャダムが珍《めずら》しく不満を口にした。

「戦が終わって、我らの首がつながっておればな」

カシューは彼が見せた不満になぜかほっとするものを感じて、幾分《いくぶん》気分が落ちついた。

「もはや、兵の我慢も限界だろう。あと五日たっても、パーンたちが帰ってこないようなら、最後の決戦に挑《いど》もう。彼らを信じてはいるが、彼らがもたらす情報が決定力のあるものとはかぎらぬしな」

「同感です。勝敗を決するのは戦の神《マイリー》の剣がいずれの側に振りおろされるかですからな。そして、戦の神は我らの勇気や知略を見てそれを決するもの」

「すべては我々の戦い方しだいということか。だから、オレは神など信じる気にはなれないのだ。不確実な助力より、確実な自分の剣のほうがはるかに頼《たよ》りになる」

カシューは腰に吊《つ》るした剣の鞘《さや》を握《にぎ》り、それをシャダムに見せた。

その時、一人の兵が謁見《えっけん》の間《ま》に飛びこんできた。

カシューは人が走りこんでくる気配に入り口の方に身体《からだ》を向け、シャダムは挨拶《あいさつ》の言葉が無かったことを大声で叱責《しっせき》した。

そのシャダムを制して、カシューが畏《かしこ》まっている兵士に何事かと声をかける。

「申し訳《わけ》ありません、陛下。実は、民軍の兵士が怪《あや》しい一団を捕《とら》えましたので報告に参ったのです。彼らは海岸沿いに街まで侵入《しんにゅう》してきた様子で、全身が海水で濡《ぬ》れていたそうです。彼らは抵抗《ていこう》することなく捕《つか》まったのですが、こちらの尋問《じんもん》に対してカシュー王に会わせろとの一点張りで、何も答えようとしません。リーダーらしき男がパーンと名乗っておりまして、この名を王に伝えればすべてが分かると繰《く》り返しているそうです。敵の間者《かんじゃ》の苦しまぎれの言い訳かもしれませんが、一応陛下のお耳に入れておこうと思ったしだいで……」

カシューはなぜだというように、シャダムと顔を見合わせた。

「パーンの名を街の者がすべて知っているわけではありませんからな。それに今はこのような状況《じょうきょう》。兵も殺気だっておるのでしょう」

シャダムは軽い調子で答えて、パーンの似顔絵を街中にばらまいておけばよかったですかな、とつけくわえた。

しかし、カシューはもはや彼の言葉など聞いていなかった。

衛兵の肩《かた》をどやしつけ、その男の所に案内しろと、駆《か》けだしていたからである。

2

「まあ、そう気を悪くするな」

カシューは笑いながら、不満を口にするエルフ娘と巨漢《きょかん》の傭兵《ようへい》をなだめていた。

カシューが見張り小屋にたどりついたときには、パーンたちは皆、各々の武器を取りあげられた上、縄《なわ》で固く縛《しば》られていて、怒りのあまり声も出せないような状態だった。

カシューはパーンを見ると、まず手放しで喜び、そのあとで彼らの格好を見て、大きな声で笑った。

「人の苦しむ姿を見て笑うとは、王たる者のすることとは思えませんが」

レイリアはそれまでもっともおとなしくしていたのだが、この時ばかりは気色ばんでカシュー王に詰《つ》めよった。

世俗の権力には無縁《むえん》の司祭らしい反応であると言えた。

スレインが妻をなだめて、カシュー王の人柄を説明する。

カシューはスレインが共にいることにも大いに気をよくした様子だった。

「おまえまでがやってきてくれるとは、まったく期待していなかった。おまえは戦が嫌《きら》いと見えたからな」

カシューはスレインの痩《や》せた手を取って、それを力強く握《にぎ》りしめた。

「今のロードスにあっては、戦はどこにいようとも避《さ》けられませんから。それならば、自分の好き嫌いはともかく、戦を終わらせる手伝いをすることがいちばん大事だと思い、パーンについてきたわけです。それにカシュー王には先の戦のおりにひとかたならぬお世話もいただきましたから」

カシューはスレインの手をもういちど強く握った。

「べつに恩を売った覚えはないがな。しかし、来てくれたことを心から感謝するぞ。おまえの魔《ま》法《ほう》の力の手助けが是《ぜ》非《ひ》とも欲しかったところだ。向こうは精霊《せいれい》を使ってくるし、魔法の武器はオレ以外では、傭兵たちが二、三持っているぐらいだからな」

カシューは一行を城まで案内しながら、彼らに最近の戦の様子を説明した。

彼の姿を見て、市民たちが戦の行く末《すえ》を尋ねてきた。

カシューは彼らにいちいち笑顔を見せて、機は熟した、明日にでも炎《ほのお》の部族を打ち破ってみせると、自信に満ちた声で答えた。

その顔と声を見て、物陰《ものかげ》からそっと国王の様子をうかがっていた者も安心して、普段の生活に戻《もど》っていった。

決戦は明日だとの噂《うわさ》が街中《まちじゅう》に広まり、その噂に何より兵士たちの士気が上がっていった。

この機を逃すことはもはやできないとカシューは判断し、決戦の日は明日との正式な通知を全軍に出した。

もはや、後戻りはできなかった。フレイムの命運を決するのは、明日と定められたのである。

謁見《えっけん》の間《ま》にたどりついたころにはカシューの話は終わっていて、パーンたちの旅の話に話題が移っていた。カシューはパーンたちの労をねぎらいながら、彼らに新鮮な蒸留水《じょうりゅうすい》を勧《すす》め、それに軽く腹ごしらえができるようなものを侍従に命じて、持ってこさせた。

「つまり、今度の戦の発端は古代王国の策略にはめられた我らの先祖たちに責任があるというわけか？」

シャダムは、パーンたちの話を聞いたあとで、憮然《ぶぜん》とした顔で言った。

パーンの持ち帰った情報は、シャダムら風の民にとっては、先祖を侮辱《ぶじょく》されているようなものだから、それは仕方がないことだろう。

「戦いが伝説による遺恨《いこん》だけではないことは知っています。二つの部族の争いは、生きていくための土地をめぐっての争いです。しかし、今、ディードの力で盟約は失われ、この砂漠《さばく》に大地の力と水の力が蘇《よみがえ》ろうとしています。それに、カシュー王の努力は、このフレイムを昔と比べられないほど豊かにしているではありませんか」

「二つが解放され、二つが蘇る……か」カシューはぽつりとつぶやいた。それは盟約者の伝説の一節だった。

いつしか、この砂漠に盟約者が現われ、二つを解放し、そして二つを蘇らせる。

「オレはやはり盟約者などではなかったな。オレは風の王を解放するつもりで、封印《ふういん》の壺《つぼ》を打ち壊《こわ》したが、しかしそれは古い盟約に風の王をふたたび従わせることにしかならなかったのだ」

カシューは腕組《うでぐ》みしながら、シャダムに話しかけている。

「解放されるものが、風と炎の二つの精霊なら、そして蘇るものもまた二つの精霊、水と大地の力、簡単な謎《なぞ》かけだな」

「解けた謎は、すべて易しいものですよ」

「まさか守護神の加護が、この地を砂漠にしていた元凶《げんきょう》であったとはな」カシューはため息まじりに言った。

「まさしく、そうですな。この話を長老たちにどう聞かせてよいものやら、我々は守護神を復活させることと、炎の部族を倒《たお》すことを五百年来の悲願としてきましたからな。それが間違《まちが》いでしたなどと、どうして言えばよいものやら」

シャダムは呆《あき》れはてたという表情をしていた。

「しかし、これが真実です」パーンはきっぱりと言った。

「おまえは簡単に言うが、過去が間違いだから戦争を止めようという訳《わけ》にはいかんぞ。オレも昔、ナルディアに休戦を申しいれたことがあったが、きっぱりと断られたものだ。オレは炎の部族に平等な待遇《たいぐう》を保障するとは言ってみたのだがな。しかし、現実的に考えてみれば、炎の部族の重鎮《じゅうちん》たちをフレイムの貴族として迎《むか》えれば、やはりフレイムの民からは不満の声も出よう。人間とは感情の生き物だからな、決して理屈《りくつ》では片をつけられぬこともあるのだ」

「それを承知の上で、カシュー王にお願いしたいのです。わたしにも明日の戦いが避《さ》けられないことは分かります。そして、我々はこの戦《いくさ》に全力を尽《つ》くさねばならないことも。決して負けるわけにはいかない。しかし、戦に勝った上は、彼ら炎の部族に服従ではなく、協力を申し出るべきです。戦に勝った後ならばこそ、彼らの信用が得られると思うのです」

「難しいな。いかに誤った伝説とはいえ、我らは炎の部族と数百年の間戦ってきたという恨《うら》みがある。これは現実のものだ。それをすべて忘れろというのは絶対に無理だ。我らの中には炎の民に親や兄弟を殺された者もいるのだ。そして、それは向こうも同様だろう」

そう答えたのはシャダムだった。カシューは、腕を組みながらじっと考えこんでいる様子だった。

「では、戦に勝てば、彼らを皆殺しにしますか？　そんな人道に反することを行なって、正義が実現できるはずがない。ナルディアはヒルトで戦いに勝っても、少なくとも市民の安全だけは保障していた。今度の戦いがなぜ起こったのか、その理由をもう一度考えてください。かつては仲間であった二つの部族が戦うようになったのは、第三者の策略のためなんです。ディードが言ったように、風の精霊はもはや盟約から解放されています。あとは、エフリートさえ盟約から解きはなつことができれば、この地の歪《ゆが》んだ精霊力は完全にもとに戻《もど》るはずです。しかし、はるかな古代の肥沃《ひよく》さを取りもどすためには、何年も何十年もかかることでしょう。しかし、戦に向ける力を少しでも耕地の開拓《かいたく》や井戸を掘《ほ》ることに向ければ、炎の部族の民たちも新たに養うことだってできるはずです。スレインは貧しいターバの村で千人以上の難民を受けいれて、共に生きていこうとしています。それと同じことが国として行なえないようなら、これから先のフレイムにどんな未来があるというのですか！」

パーンは話しながら、自らの言葉に興奮してきたのが分かったので、一度言葉を切り、無礼がなかったかとカシューの方をうかがった。

彼は腕を組んだまま微塵《みじん》も動かず、パーンの意見を聞いていた。

「かまわん、気にせず続けろ」

カシューはパーンにそれだけを言った。

「いえ、わたしの言いたいのはそれだけです。明日の戦いには傭兵《ようへい》として参加させてもらいます。前回の汚名《おめい》の挽回《ばんかい》のためにも活躍《かつやく》してみせますよ。わたしは戦士ですから、できるのはそれくらいです」

「およばずながら、わたしも手伝わせていただきましょう」スレインが遠慮《えんりょ》がちに申しでた。

「わたしは破壊《はかい》の力に魔法《まほう》を使うことを好みませんが、その自らの考えのためにより大きな破壊を見逃してはならないとの教訓を、前の大戦のおりに知らされましたからね。そして無礼とは知りつつ、あえてつけくわえるならば、誤《あやま》った過去を正す勇気なくば、正しき未来もまた得られぬものですよ」

「賢者《けんじゃ》という奴《やつ》は、本当にずけずけとものを言う……」

シャダムは苦々しく笑い、唇《くちびる》をかんだ。

「口で言うのと実行するのでは、難しさがまったく違《ちが》うということを、知ってもらいたいものだな。しかし、おまえたちは少なくともフレイムのために危険を冒《おか》してもくれた。炎の精霊にも対抗《たいこう》することができるとの事。ならば、こちらもおまえたちの苦労に応えねばならないだろう。長老たちには、わたしがなんとか説得してみよう。風の部族の民は約束したことは必ず守る。だから、明日は思う存分、戦ってくれ」

「そして、生き残れ」カシューがシャダムのあとを受けて言った。「今のシャダムの言葉は、まさしくオレの言葉でもある。それに偽《いつわ》りがないことをフレイム王カシュー・アルナーグⅠ世の名において宣言しよう。それと炎の部族の民をいかに受けいれるかについては、オレには考えがある……」と、カシューは一度言葉を切り、そしてパーンたちを見まわしながら、力強く宣言するように話を続けた。

「明日の戦《いくさ》はフレイムの戦いだ。おまえたちには、それぞれの戦いが待っているのだから、それに勝たぬうちに死んではならんぞ」

「心得ています。しかし、明日の戦《いくさ》もまた、わたし自身のものです。このロードスに平和を取りもどすための戦いなのですから……。わたしは今度の旅の間中、ずっと考えていました。そして、今、やっと自分が何をなすべきか分かりました。ウッドを助けてやりたいという気持ちは、もちろんそれを一番に考えるべきなんだ。だからといって、目の前の破壊に背を向けてはならないんだ。いつかカシュー王が言われたように、ロードスに平和が戻《もど》るとき、最後にたちはだかる者はきっとカーラであるはずなのだから、そのときにはカーラと──ウッドとめぐりあえるでしょう」

自らの決意をパーンはかみしめていた。

「その決意、大事にしてくれ」

「はい」

素直《すなお》にパーンは答えた。

「シャダム、各部隊の長を集めろ。軍議に入るぞ。明日の戦いに勝たねば、すべてが失われるのだ。決して負けるわけにはいかんぞ」

「心得ました」シャダムはうやうやしくカシューに頭を下げて、部屋を退出していった。

3

決戦の朝がやってきた。

フレイム軍は街の広場ごとに集結し、出撃の時をじっと待っていた。パーンとディードリットはこの戦いの鍵《かぎ》を握《にぎ》る者として、カシューの本隊に加わっていた。もちろん、スレインとレイリア、そしてマーシュとフォースの二人の傭兵《ようへい》も一緒《いっしょ》である。

カシュー自らが率《ひき》いる騎士団《きしだん》が、敵の中核《ちゅうかく》に挑《いど》む手筈《てはず》になっていた。

「いいか、今度の戦いは我がフレイムの命運を決する大事な一戦だ。決して相手を恐れるな。先の戦いのような無様《ぶざま》な真似《まね》はするなよ。戦全体の状況《じょうきょう》をよく見極《みきわ》めろ。伝令の声に耳を傾《かたむ》けろ。乱れた行動をとってはならない。いかに作戦どおりに戦うかが、勝敗を決するのだからな」

カシューは騎士隊の者に向かって、いつになく厳《きび》しい調子で訓辞《くんじ》を与えていた。

それはヒルトでの敗戦を繰《く》り返さないためである。敵に魔法を使わせる機会を与えれば、苦戦は免《まぬが》れないのだ。

騎士たちは、フレイム軍の中で唯一《ゆいいつ》、組織戦の訓練を受けた者たちだった。だからこそ、このような訓辞を与えることもできる。民軍や傭兵隊《ようへいたい》にはまた別の指示が与えられている。

「わたしは臆病《おくびょう》ですからね。どうも、戦の前は落ちつきません。全身が震《ふる》えていますよ」

騎士団の後ろの方で、スレインがパーンに話しかけていた。カシューの訓辞はまだ続いていたが、彼らは前日の軍議のおりに、各隊の隊長クラスの者たちとともに、今日の戦の細かな打ちあわせを終えている。

カシューは魔法に対抗《たいこう》するために、一部の突撃隊とともに魔法使いや魔法の武器を持っている傭兵たちを敵軍に送りこみ、炎《ほのお》の精霊《せいれい》たちを打ちやぶるつもりでいた。もっともその数は十人あまり。もちろん、フォースやマーシュもそのメンバーの中に数えられていた。

それが決まったとき、マーシュは魔法の大剣のためにやはり貧乏《びんぼう》くじを引いたと、大いにぼやいたものだ。

騎士団が敵の精霊たちを封じたあとで、民軍や傭兵隊を送りこみ、数の優位さを利して、一気に片をつける手筈《てはず》となっていた。

敵が降伏したあとは、決して敵兵を傷つけてはならないという厳命《げんめい》もされている。

「あんたには、いろいろと世話にもなったからな。オレたちがかならず守ってやるよ。とにかく、敵は一歩も近づけさせねぇから、安心して魔法の力を使ってくれ」

マーシュはまだ震えの止まらない様子のスレインに、豪快《ごうかい》な笑いを送りながら、ようやく扱いになれた魔法の大剣をもてあそんでいる。日焼けした筋肉がそのために、もりもりと動く。

「呑気《のんき》なものだな。オレたちはいわば決死隊なんだぜ」

フォースが呆《あき》れて、巨漢《きょかん》の戦士を見上げた。彼は金色の巻毛をバンダナでまとめ、デニのように二本の小剣を腰に吊《つ》るしている。そのうちの一本は砂塵《さじん》の塔《とう》で手に入れた魔法の小剣だったし、残る一本は血の繋《つな》がりのない彼の兄、デニの形見の品だった。

「フォースの言うとおりだ。戦いの行方はスレインやディードリットの活躍《かつやく》にかかっているとはいえ、彼らを無事、炎の精霊に送りとどけるのは、簡単な仕事ではないぜ。こちらに魔法使いがいると分かったら、集中的に狙《ねら》われるだろうしな」

「あたしは自分の身は自分で守れるから……」ディードリットはパーンたちの話に割りこんできた。

「無理はしないでくれよ。敵に近づくまではおとなしくしていてほしいな」

「はいはい、分かっているわ。シルフの守りはかけておくから、敵の弓矢は恐れないでもいいわよ」

「助かる。流れ矢に当たって死んじまったら、洒落《しゃれ》にもならないからな。せめて敵軍にひと太刀《たち》でも浴びせないと、オレの気がすまない」

パーンはアズモの顔を思いだしていた。あの神官だけは自分の手で倒《たお》したいものだと考えていた。

「とにかく、戦場ではオレたちが守るから安心していてくれ。敵の戦士たちには決して後《おく》れはとらない」

「期待しているわ、パーン」ディードリットはそう言って、喉《のど》の奥《おく》で笑った。

「信用してないな」

「信用しているわよ。でも、張りきりすぎないでね。敵がエフリートを召喚《しょうかん》してきたら、あとはあたしに任せてちょうだい。その時こそ、ジンの協力も得て、炎の王を盟約から解放してしまうわ。そうすれば、この砂漠に水と大地の力が蘇《よみがえ》り、いつかは美しい木が生えて、森の精霊たちも宿るようになるでしょう」

彼女は一瞬《いっしゅん》遠くを見るような目をした。

「魔法を封《ふう》じれば、戦いは剣対剣の勝負になるからな。それなら、フレイム軍は負けたりはしないだろう。数はもともとこちらのほうが多いのだし……」

フォースは小剣の具合を確かめるように鞘《さや》からぬき、刃についていた曇《くもり》を神経質そうに布で拭《ぬぐ》った。

「そうお願いしたいものですね。我々は敵の魔法を封じたら、あとは民軍や傭兵隊たちに任せてしまえばいいのです。わたしもここで無駄《むだ》に死ぬわけにはいきませんからね。ザクソンではわたしの知識はまだまだ必要なはずですから」

スレインが憂鬱《ゆううつ》そうに言った。

「神は我々をいつも見守ってくださるわ」レイリアがそう言ってスレインに、微笑《ほほえ》みかける。

「そのことなんだが、スレイン」パーンが真面目《まじめ》な顔に戻《もど》って、痩《や》せた魔術師に話しかけた。

「今度のことでまたスレインの力を借りたから、次はオレにその借りを返させてほしいんだ。いつも、オレは頼《たの》むばかりだったから……」

「おや、いきなり神妙《しんみょう》になって、あなたらしくもない。べつにあなたに貸しを作ったつもりはありませんよ」

「それではオレの気がすまない。今度の戦に勝てば、フレイムは落ちつくだろう。なら次はアラニアの内戦を終わらせることが、当面必要なことだと思うんだ」

「わたしは内戦を武力で終わらせるつもりはありませんよ。平和な暮《くら》しを営みたいだけで……」

「だから、それを手伝わせてほしいんだよ」パーンは答えた。「ザクソンの村を中心として、平和な場所を作っていけば人は必ず集まってくるし、戦の無益さを教えることもできるだろう。でも、そのためには剣の力だって必要なときもある。マーモから連れてこられた怪物《かいぶつ》どもは、いまだにロードスの各地を徘徊《はいかい》しているし、スレインがザクソンを大きくすればするほど、ラスター公もアモスン伯《はく》もかならず圧力を加えてくるだろう。目的は戦争を終わらせることであっても、そのために剣の力が役に立たないわけじゃないんだぜ」

「……なるほどね。あなたの言うとおりでしょう。我々が自警団を組織しているのも、まさしくそのためですからね。哀《かな》しいことですが、今は強くなければ生き残れない時代です」

「傭兵は戦いを終わらせるために戦うけれども、戦いが終われば職にあぶれるのと同じようなものかな。戦がなくなれば、畑でも耕して暮すか」フォースはのどかに言った。

「それもいいかもな」

マーシュはまんざらでもないように答える。しかし、彼らはこの戦いのあと、ライデンに向からことを密《ひそ》かに決めていた。二人の次の戦は、ライデンの盗賊《とうぞく》ギルドが相手なのだ。

その時に出発の用意を告げる合図がかかった。

和《なご》やかな雰囲気《ふんいき》が一度に冷め、戦いの前の緊張感《きんちょうかん》が一行を包む。

パーンはすばやく騎乗《きじょう》して、馬に乗れないスレインは、マーシュに手伝ってもらって、パーンの馬の後ろに跨《また》がらせてもらう。

「乗り心地はあまりいいものではありませんね」

スレインがぼやく。

「振り落とされないように用心しろよ。戦いの時は、激《はげ》しく動くからな」

パーンがあたりにこだまする声に負けじと大声で叫ぶ。

「お手柔《てやわ》らかにお願いしますよ」

ディードリット、マーシュ、フォースらが馬を寄せてくる。彼らは騎士団の突撃隊の後ろに第二陣《じん》として続く手筈《てはず》となっている。その後の第三陣がカシュー王自らが率《ひき》いる親衛隊だった。

他にもパーンたちの属する部隊には、魔法の武器を持った傭兵たちが数名と、そして戦の神《マイリー》の神官戦士らしい男が一人加わっていた。この部隊に入っている以上、その神官戦士も神聖魔法が使えるのだろう。

何より、スレインにディードリットという二人の魔法使《ルーンマスター》いがいる。炎の精霊に対する戦闘力《せんとうりょく》は、ヒルトでの戦いの時とは比較にならなかった。

レイリアもこの部隊に同行することにしていた。彼女は大地母神《マーファ》の教えを守り、傷ついた者を助けるためにこの戦いに参加すると言っていた。そのため、彼女はマーファの神官衣を身につけている。

もちろん、それで攻撃《こうげき》されないという保証はなかったが、彼女は神官戦士として訓練も受けている。護身用のため、いちおう小剣も用意していた。

パーンの馬から少し離《はな》れた所で、馬の背に跨がったまま、自分の妻が思いつめた顔をしているのをスレインは気づいていた。常から白い肌《はだ》だったが、今は完全に蒼白《そうはく》だった。この戦いに彼女があえて参加した本当の理由を、彼女だけは薄々《うすうす》気がついていた。

(気をつけなさい）スレインは心の中だけで、妻にそう呼びかけていた。

「今度は負けはしない！」スレインの前でパーンは大声を出していた。

「進軍！」

パーンの気合いが発せられるのとほとんど同時に、カシューの号令が響《ひび》いた。その声に応じて全軍から一斉《いっせい》に鬨《とき》の声が上がり、フレイムの軍勢はブレードの街《まち》の中を怒濤《どとう》のように進軍を開始した。

もちろん、街の外に陣取る炎の部族の軍勢とて、フレイム軍の動きに気がつかないわけがなかった。

彼らはブレードのただならぬ様子に、彼らが決戦を挑《いど》んできていることを知り、さっそく迎《むか》え撃《う》つ準備を整えた。

「ついに、我慢《がまん》できなくなったか！」ナルディアはむしろそのことを歓迎《かんげい》していた。敵が出戦《でいくさ》をしかけてきた以上、自分たちの勝利は動かないと確信していたからだ。

根比べは、彼女のほうに軍配が上がったようだ。

「アズモ！ 今回は炎の精霊たちを最初から部隊の前面に展開させておく。敵の戦意を挫《くじ》いて、序盤《じょばん》から攻勢に出る。街に戻られぬうちに、けりをつけるつもりでな」

彼女は神官にそう命じると、自らは愛馬に跨がり、あわただしく迎撃《げいげき》態勢を取る部族の戦士たちの先頭に立ち、自らの新月刀《シミター》を引きぬいた。

「長年の我らの願いが今こそかなう時だ。この戦いにこそ、全力を尽《つ》くしてくれ！」

彼女は部族の戦士たちの間を縫《ぬ》うように馬を進めながら、声をかぎりに叫《さけ》んでいた。

それに答えて、部族の者たちからの喚声《かんせい》が湧《わ》きあがる。

(たとえ、魔法の力がなくても負けぬ) 彼女は一族の者にみなぎる士気に触《ふ》れ、心からそれを信じた。

(父上、わたしは部族の長年の望みを今こそ果たしてみせます)

砂漠の部族たちは、その数百年におよぶ戦いに終止符をうつべく、互《たが》いにまっすぐに敵との距離《きょり》を詰《つ》めていった。

両軍とも小細工《こざいく》はなし、正面からのぶつかりあいを意図している。奇策《きさく》をうつには砂漠の地は決して向いてはいないし、それにナルディアは自らの戦力に自信を持っている。そして、カシューはその自信に対して真っ向から挑むことに、勝機を見いだそうとしていたからだ。

「突撃隊はこのまま全速力で敵に当たる！」

騎士隊長を示す房《ふさ》のついた兜《かぶと》をかぶった騎士が、ブロードソードを振りかざし先頭を切って駆《か》けだした。

「続くぞ！」騎士たちの戦の声があちこちで叫ばれる。

彼らは先の戦いの時には、敵の勢いを殺《そ》ぐための楯《たて》となったが、今度は敵を分断するために先頭を切っている。それが、彼らの常からの役割であった。

砂塵を巻きあげて、突撃隊が進軍する。

正面から炎の部族の軍勢が散開しつつ押しよせてくる。そして、その前方に火《サラマンダー》とかげがゆらゆらと姿を現わす。

「出やがったな！」大剣を片手で持ちながら、マーシュが警告を発する。

「マーファよ。炎の力より彼らの身を守りたまえ」

レイリアがそっと神聖語のルーンをつぶやき、彼女の前で馬を進めているパーンとスレインに魔法をかける。その魔法は熱に対する耐性《たいせい》を強くする効果がある。

サラマンダーが轟然《ごうぜん》と炎を吐《は》きはじめる。距離はまだ大分離《はな》れてはいたが、彼らの吐く炎はほとんど直線状に延び、そして味方の騎士を焼いていく。

悲鳴を上げながら、次々と味方の騎士たちが転がり落ちていく。しかし、彼らはその炎に対抗するべく突撃の前に鎧の上から着る上衣《サー・コート》に海水を浴びていたから、致命傷《ちめいしよう》にはなりにくいはずだった。

フレイムの騎士たちは味方が炎に焼かれ、次々と転がり落ちていくのも顧《かえり》みず、まっすぐに敵軍に飛びこんでいく。

サラマンダーは無視して、敵軍の中央に向かって騎士槍《ランス》を構えての突撃を行なう。

「捨て身の戦法できたか！」

ナルディアは、味方がひるまぬように素早く号令をかけた。

彼女の命令は、人から人に中継されて、そして前線の兵を動かす。炎の部族の戦士は突撃してくる騎士の動きを見ながら、それぞれの馬を操った。

ガツッ！

怒号と、金属のぶつかりあう音、そして断末魔《だんまつま》の悲鳴がたちまちあちらこちらで発せられた。

騎士たちの何人かはランスで敵を貫《つらぬ》いたが、何人かはその一撃をかわされ、すれちがいざまに切りすてられた。もちろん、互《たが》いに敵の攻撃をかわし、次の相手を求める者もいる。

サラマンダーは、次々と押しよせる敵軍に休むことなく、炎を吐き続けている。

フレイム軍の被害は相当なものだった。

しかし、突撃隊が敵陣に深く突入していったので、その分だけ炎の部族の隊列は乱れていた。

「アズモ、乱戦にならぬうちに守護神の力を！」

ナルディアは斜《なな》め後ろで精神を集中させているラクダに乗った神官に、振りかえって声をかけた。

「ほう、わたしの顔を見ながら話をされるとは珍《めずら》しい」アズモは皮肉っぽく言う。確かに今のうちに敵の勢いを止めねば勝機はなくなると思える。

「守護神よ、いにしえの盟約により命ずる。我が召喚《しょうかん》に応じよ。そして敵を残らず焼きつくせ！」

神官の声に応じて、エフリートがその赤熱《せきねつ》の姿を現わした。どよめきが起こり、その近くにいた者があわてて場所を開ける。

「盟約により……」

「すでに聞いた」炎の魔神はアズモの声が終わらぬうちに、その姿を一瞬《いっしゅん》のうちに消し、フレイム軍の真っただ中にふたたびその姿を現わした。

第一陣の突撃隊はすでにランスから、武器を剣《ブロードソード》に切りかえ、敵兵と白兵戦を演じている。

エフリートは第二陣の真ん中に姿を現わしたのだ。ちょうどパーンたちは、サラマンダーたちを相手に魔法の武器で戦っている最中だった。

「出たぞ！」誰《だれ》かが叫《さけ》ぶ声が聞こえてきた。

パーンはちょうど三匹目のサラマンダーを倒したところだった。声のする方を見ると、いつか見た燃える巨人が、炎の嵐《あらし》を巻きおこし始めている。

その熱風に巻かれ、三人の騎士たちが一瞬のうちに倒《たお》されていた。

「ディード！」パーンは叫んだ。

「分かっているわ！」答えて、ディードリットはエフリートに向かって馬を進めた。彼女がサラマンダーの炎に焼かれぬよう、パーンは油断なく周囲の状況に目を配る。

「エフリートよ！」

ディードリットは声をかぎりに精霊語で叫んだ。

エフリートはその言葉を聞きのがさなかった。いや、その声の持つ圧力を無視することができなかったのだ。

「ハイ・エルフ？」エフリートは自分に向かって馬で駆けよってくる娘の姿を認めた。

昔《むかし》、その娘の召喚の言葉を聞きとって現われたなどという些細《ささい》な出来事は彼の記憶の中から脱落してしまっていたが、その精霊語に含《ふく》まれる圧力には応ぜずにはいられなかった。

これほど、強い強制力に会うのは久しぶりだった。

前は——そう、盟約が交わされた時だった。

エフリートはその盟約により精霊界だけにかぎらず、物質界でも力を振るう機会を得たのだ。

「何用だ！　森の娘よ」

エフリートは炎の魔力を行使するのを中断し、脅《おど》すようにディードリットと対峙《たいじ》した。

「炎の王、古き盟約は終わったわ。自らの世界に帰りなさい」

「盟約が終わった？」エフリートはディードリットの言葉を鼻で笑った。「誰が解放の呪文《じゅもん》を唱《とな》えたというのだ」

「解放の言葉など唱えた者などいないわ。だが、すでに風の王は了承している。古き盟約は終わったのよ。そして、新しい盟約が発せられた」

「何者の意志によってだ。森の娘」

「あたしの意志によってよ。それを今、証明してみせるわ。……我が召喚に応じよ。偉大なる風の王、イルクよ！」

ディードリットの言葉に応じて、エフリートのすぐ近くに、ジンが砂塵を巻きあげながら、姿を現わした。

その姿をみて、フレイム軍の間から「おおっ」というどよめきが起きる。

「風の守護神が我らをお守りくださる。今こそ戦え、フレイムの勇者たちよ」

カシュー王が用意していた言葉を上げ、近衛隊の騎士とともに進撃を再開する。

第一陣の突撃隊は、敵の固い防御陣を突破することができずに、徐々《じょじょ》に後退させられていたが、そこにカシューの率いる第三陣が援護《えんご》に入っていた。

その間に、第二陣のパーンたちはサラマンダーを倒すべく、魔法の武器で挑《いど》んでいく。パーンたちの少し前方で乱戦が展開されようとしていた。それはカシューの狙《ねら》いどおりだった。

4

アズモは自らの制御からエフリートが離《はな》れていることを今や理解せずにはいられなかった。隣《となり》でナルディアの疑惑《ぎわく》に満ちた視線が向けられている。精神を集中させても、エフリートの反応は返ってはこない。

「味方は押されているぞ。なぜ、守護神は動かない。向こうでじっとしたままではないか」

ナルディアが苛立《いらだ》って、声をかけてくる。

アズモは極力冷静を装い、精神の集中をさらに強める。

「我らの信心が足らぬためです。それゆえ、守護神は怒っておられるのです。今、わたしが守護神のお怒りを鎮《しず》め申しあげる。その邪魔《じゃま》はせぬように願いたい」

「なるほど……な」ナルディアは軽蔑《けいべつ》したような笑いを残して、馬の腹に蹴《け》りを入れた。「できるだけ早く、そのお怒りとやらを鎮めていただこう。万能なる神官殿」

そして、馬を全速で走らせる。

「ひるむな！　敵とて、乱れている。勇気を失わぬかぎり負けはせぬ」

叫《さけ》びつつ、ナルディアは味方の動揺《どうよう》を肌《はだ》で感じていた。動かぬ守護神を目にしているからだ。そして、敵の守護神らしいもう一人の巨人《きょじん》の出現もその動揺に一役買っているのだろう。しかし、いかに動揺しているとはいえ、先頭に立って馬を駆《か》る族長に遅《おく》れるわけにはいかない。後方で戦いの行方を見守っていた本隊は、新たな鬨《とき》の声と砂ぼこりを伴って、乱戦の中に加わっていった。

炎の部族は一時持ちなおし、フレイムの騎士団を押しかえしはじめたかに見えた。が、それも束《つか》の間のこと、遅れて出発した民軍とシャダム率《ひき》いる傭兵隊《ようへいたい》がようやく戦場に着き、両翼《りょうよく》から戦場に突入していったのだ。

戦いはふたたび、フレイム軍有利に展開していった。

炎の魔法による援護がなければ、数の差は勝敗の重要な鍵《かぎ》を握《にぎ》っている。消耗戦《しょうもうせん》となったのも炎の民にとっては誤算《ごさん》だった。炎の部族の戦士は自軍の数倍もの数のフレイム軍によって、しだいにうち破られていった。

(守護神の力に頼《たよ》りすぎたのだ。だから、その援護を失った今、かくももろく崩《くず》れさる)

しかし、それを今さら言っても仕方がない。それに守護神の力がなければ、これほどまでにはフレイム軍を追いつめられなかったというのも事実である。

(いずれにせよ、負けるべき運命だったというわけか……)

風の民はカシューという外来の王を受けいれ、同時に大きく変革していた。

砂漠の民であることを捨て、新しい生き方を見つけだしたのだ。

貧しい砂漠の大地に畑を作り、新しい井戸を掘《ほ》ることで水のない所から水を得た。古い掟《おきて》と土地にだけしがみついていた炎の部族が勝てぬのは、当然だったのかもしれない。

だからといって、わたしに何ができたというのだろう。奴隷《どれい》となって、生き続けろというのか。

ナルディアは彼女につきしたがう側近たちが、すでに半数となっていることに気がついていた。

側近の者たちは、彼女の首を狙ってやってくる敵兵を迎《むか》え討《う》ち、その多くを退けていたが、敵とて歴戦の強者《つわもの》、全員が無事でいることなど望めるはずがなかった。

ナルディアは声をかぎりに味方を激励《げきれい》していた。彼女の声を聞くと、炎の民の戦士は奮《ふる》いたち、疲労《ひろう》の極にあった者も、また新たな戦意を得るのだった。しかし、それは彼らを死に導いているにすぎない。ナルディアはすでにそれを悟《さと》っていた。

彼女は無意識のうちに、向かいあったまま動かなくなった二人の巨人に向かい、馬を走らせていた。

「守護神よ！　なぜ、我らを助けてはくれなかったのだ。わたしがアズモを拒絶《きょぜつ》したためか？　それとも風の民の守護神に恐れをなしたのか」

彼女は叫んだ。

憎《にく》しみをこめた叫び声だった。

アズモが言っていたことにも一理ある。彼女は炎の守護神を心から信じてはいなかった。それは、アズモという男に対する嫌悪感《けんおかん》からであったし、そして守護神の力は父が頼りにした暗《ファ》黒神《ラリス》の司祭がもたらした力に似ていたからだ。ともに、破壊《はかい》をもたらすだけの力……。

「ナルディア様……」

その時、彼女のすぐ後方から、うめき声が聞こえてきた。

見れば側近の一人が、フレイムの傭兵《ようへい》に槍《やり》で胸を貫《つらぬ》かれながら、その傭兵の首を偃月刀《ファルシオン》で切りつけたところだった。首筋から鮮血《せんけつ》を噴きだし、その傭兵は絶命する。

見れば、その側近の足元にはもう一人別の傭兵が、肩《かた》から血を噴きだしながら息絶えている。

ナルディアはその側近の名を呼んだ。

「勝利を……炎の民に」

血の泡《あわ》とともに言葉を吐《は》きだすと、その側近は馬から転げ落ちていった。

「もうよい……」ナルディアは自分が涙《なみだ》を流していることに気がついていなかった。

その時、彼女は一人の騎士が自分に向かってきているのに気がついた。

その騎士は、フレイム国王カシューだった。

カシューの耳には数刻前からナルディアの声が聞こえていた。

もちろん、ナルディアと条件は同じである。王であるゆえに、彼は敵の一番の目標とされた。とくに今回は戦が始まった頃《ころ》からずっと、敵と剣を交えているようなものだ。

しかし、味方の近衛《このえ》の騎士はよく戦ってくれていたので、同時に複数の敵を引きうけることはほとんどなかった。

一騎打ちなら、彼に勝てる者はいない。彼はいかなる歴戦の傭兵よりも多く実戦を経験している。もちろん、正規の剣術も学んでいた。そして、剣闘士《けんとうし》としてあらゆる武器の達人たちと命を賭《か》けて一騎打ちで戦ったこともある。

そのすべてに彼は勝ってきたのだ。

カシューは彼の首を狙《ねら》ってくる敵のすべてを退け、ナルディアの声を追いかけた。

パーンたちはうまくやっているらしい。炎の魔法はどこからも飛んではこない。味方が優勢なのは彼の目にはあきらかだった。いや、もう勝敗は決しているといってよいだろう。

だからこそ、彼はナルディアと早く会わねばならないのだ。彼女の命令が出ないかぎり、炎の部族たちは、決して戦いをやめはしないだろう。

そして、彼女の姿をようやく捜《さが》しあてたとき、二つの上位精霊の姿と、そしてパーンの姿をも同時に見つけだしていた。

パーンの戦いも決して楽《らく》なものではなかった。

馬からスレインを下ろし、彼と炎《ほのお》の魔神《まじん》と対決しているディードリットのそばに敵を一人も近づけさせるものかとばかりに奮戦《ふんせん》していた。

何しろ、エフリートとジンは目立つ。最初パーンたちのいる場所は主戦場から離《はな》れていたのだが、すぐに敵兵が群がってきて、今度はその敵に引きつけられるように味方の兵も集まってきた。

二つの精霊《せいれい》を中心にして、このあたりは一番の激戦地《げきせんち》となっていた。

パーンは魔法の剣を振るいながら、もう何人の敵と戦ったか数えるのをあきらめていた。最初の十人までは覚えている。それにサラマンダーを五匹倒《ひきたお》したことも。

少し離れた所ではマーシュとフォースの二人が、お互《たが》いに相手を庇《かば》いあうように剣を振るっている。彼らのところにも相当な数の敵兵が向かっていた。

パーンにとって幸運だったのは、彼の後にスレインとそして戦の神《マイリー》の司祭がいてくれたことだ。

二人の魔法の援護《えんご》がなかったら、いかにパーンとて無傷ではいられなかったに違いない。スレインは前の大戦での経験をいかし、攻撃的な魔法と防御的な魔法とをたくみに使いわけていたし、マイリーの司祭が唄《うた》う魔法の歌は、パーンに勇気と冷静さを与えていた。

その魔法の力でパーンは複数の敵を相手にしてもあわてることなく対処できたし、また疲労《ひろう》も普段より感じずにすんでいた。

こうしてパーンは自分の役割を最後まで守りとおすことができたのである。ディードリットはジンとともに、エフリートを完全に押さえこんでいたからだ。

覚えのある声が聞こえてきたのは、ちょうど群がる敵の最後の一人を切りたおした時だった。声のした方を見ると、そこには思ったとおりナルディアの姿があった。

彼女は右の上腕部《じょうわんぶ》から血を少し流している。白い衣は返り血を受けて、赤い染みが水玉模様のように浮いていた。

パーンはその姿を認めて一瞬《いっしゅん》迷った。彼女と自分との間には数人の敵兵がいるのみで、しかもその兵たちは彼女を守る態勢にあるため、パーンには当面倒すべき敵はいない。

大きく息をして呼吸を整えながら、パーンは機会をうかがった。

降伏を呼びかけるか、いやおそらく彼女はそれを受けいれまい。ならば、ヒルトでの戦いのときのように一騎打ちを挑《いど》んで、そして彼女を生きたまま捕《とら》えるか。

とりあえず、降伏を呼びかけよう。そう決心したとき、パーンは馴染《なじ》みのある声が、ナルディアの反対側から近づいてきているのに気がついた。

褐色《かっしょく》の馬に跨《また》がり、自らの顔を隠《かく》すことなく砂漠《さばく》の日差しにさらしているその戦士の姿は、間違《まちが》いなく傭兵王《ようへいおう》カシューその人だった。

「もはや、この戦いは終わりましたね」

後ろからスレインの安堵《あんど》の声が聞こえてきた。

「そうだな。生きのこりの敵は追いつめられている。逃げることもできないだろう」

パーンはまわりをゆっくりと見まわして、魔術師に答えた。

彼の言うとおり、民軍と傭兵隊は数で炎の部族を圧倒し、彼らをあちらこちらで、分断し孤立《こりつ》させていた。

カシュー王はパーンの姿を認めて、一瞬《いっしゅん》表情をくずし、片手を上げて合図を送ってきた。

しかし、すぐに真顔になって単騎《たんき》で馬を進める。三人の近衛《このえ》の騎士がそれに従おうとしたが、それを手だけで制する。

ナルディアがカシューがやってきているのに気がついたのは、ちょうどその時だった。

そして、その後ろに複雑な表情を見せているパーンの姿も認めていた。

ふと、笑いがこみあげてくる。

彼女は覚悟を決めた。カシューの剣の腕前《うでまえ》は噂《うわさ》に聞きおよんでいる。自分が勝てる相手とはとうてい思えなかった。

しかし、これは自分の最期《さいご》にふさわしい。

「あなたの負けだ。炎の部族の長よ」カシューは静かに呼びかけた。

「そうかもしれぬ、しかしそうでないかもしれぬ。わたしが生きているうちは、な。いざ、勝負だ、傭兵王！」

「オレは勝負なぞ望んではおらんよ。ただ、あなたと話がしたいだけだ。いや、一度話したことをもう一度伝えたいだけなのだがな。いつぞやの返事聞かせてもらおう。古代よりのいさかいを忘れ、我々風の民と共に暮《くら》さぬかとのな」

予想外のカシューの言葉だった。

「何をたわけたことを……」ナルディアは相手の真意を探《さぐ》るように彼の顔を見た。その顔には下心など感じられない。そして、もしも何かを企《たく》んでいるとしても、その企みで自分の部族がこれ以上悪い事態になるとはとうてい思えなかった。

「今ごろになってと思っているかもしれぬな。それはもっともなことだ。本当は今度の戦いの始まる前にしたかったのだが、しかし、あなたは劣勢《れっせい》に立たされた国王の言葉を聞くかな。おそらく、命乞《いのちご》いとしか取らなかったであろう。それゆえ、この戦いの決着が着くのを待たねばならなかったのだ。兵士の命が、惜しければすぐに戦闘《せんとう》を止める旨《むね》、命令を出すがよろしかろう。オレは兵どもに無抵抗《むていこう》な者を殺すなと厳命《げんめい》している。降伏さえすれば、部族の者の命は保障しよう」

カシューは親しみを感じさせるいつもの笑みを浮かべて、一歩ナルディアとの間合いを詰《つ》めた。そして、敵意のないことを示すように自らの剣を腰の鞘《さや》に戻《もど》す。

ところどころから戦いの音が聞こえてきている。しかし、その音は間違いなく小さくなっていた。

ナルディアは前に馬を進めて、カシューを睨《にら》みつけている側近の者に小声で何事かを命じた。(もうよい) 彼女は絶望とともに、大きな解放感をも感じていた。(わたしの戦いは終わったのだ)

その側近は沈痛《ちんつう》な表情でうなずき、そして懐《ふところ》から小さな笛のようなものを取りだした。そしてそれを口に咥《くわ》えると、力をこめてそれを吹き鳴らした。

ぴーっ、という音が戦場を走っていった。

それは降伏の合図だった。最後まで抵抗を試みていた者もその音を聞き、刀を放りなげてフレイム軍に投降しはじめた。

戦いは終わった。

フレイム軍は勝ったのだ。

アズモは戦場から少し離れた場所に身をすくませながら、恐怖《きょうふ》に震《ふる》える心を抑えつけ、必死にエフリートに〝呼びかけ〟を行なっていた。

もはや、彼を顧《かえり》みる者は誰もいなかった。

彼の護衛の任務につかねばならぬはずの側近たちは、ナルディアと共に前線におもむき、彼のそばには炎の部族の戦士は一兵もいない。

ただ、彼のラクダだけが、静かにたたずんでいた。

アズモには何が起こったのかまったく理解できなかった。唯一《ゆいいつ》頼みとするエフリートは彼の呼びかけに答えてはくれない。これだけが紛《まぎ》れもない事実であった。

呼びかけを始めて、いったいどれほどの時間がすぎただろうか。味方が負けているのは、彼の目にもあきらかだった。

挽回《ばんかい》はありえなかった。奇跡《きせき》が起こらぬかぎりは……。

そして彼にとっての奇跡とは今まで自分の命令に応じてくれたエフリートに他ならなかった。

「なぜだ、エフリート！　なぜだー！」彼の声には狂気がにじみでていた。「なぜ、答えない！　炎の王よー！」

彼は自分の声が絶叫《ぜっきょう》となっていること、一人の女性が近づいて来ていることにさえも、気がついていなかった。

その女性はレイリアだった。

彼女は左手でマントを握《にぎ》りしめ、右手には小剣を構えている。

「おひさしぶりね、アズモ」

レイリアは冷たく響《ひび》く声で、赤い衣を纏《まと》った炎の民の神官に呼びかけた。

「お、おまえは……」

女性の声だったので、てっきりナルディアがやってきたのだと思った。

脅《おび》えたように顔を上げる。しかし、そこにはナルディアの姿はなく、白い神官衣をまとって

いる女性の姿があった。

だが、その顔には見覚えがあった。アズモは記憶の糸を手繰《たぐ》り、そしてしばらくして、その女性が誰だったかを思いだした。

「カ、カ、カ、カーラ」アズモは声を詰《つ》まらせた。

「そうか！　分かったぞ！　おまえは、このオレを罠にかけたのだな。後もう一歩という所で、オレからエフリートの力を取りあげて……」

「あなたに力が足らなかっただけよ」

レイリアの声はあくまで冷やかだった。

「こ、殺してやる……。オレをもてあそんだ罰《ばつ》を受けるがいい。この魔女めー！」

アズモはサラマンダーの名を叫んだ。

その召喚《しょうかん》に応じて、一匹《ぴき》のサラマンダーが姿を現わし、灼熱《しゃくねつ》の息をレイリアに吐《は》きかけた。

レイリアはその炎を避《さ》けようともしなかった。

彼女はサラマンダーの吐く炎に身をさらしながら、哀《あわ》れな精霊使《せいれいつか》いのそばによっていった。

炎はまったく彼女を傷つけてはいなかった。

「過去のあやまちは正されなければならない……」

アズモはサラマンダーの炎に焼かれながら、なお平然と近づいてくる目の前の女性に恐怖していた。

キィィィッ！

アズモの口から奇声《きせい》が発せられた。

彼は懐から短剣を引きぬくと、それを振りかざしてレイリアの胸を狙《ねら》って突進していった。

精神の集中が解けて、サラマンダーが姿を消す。

走りながら、彼は最高の権力を得た自分を夢想《むそう》していた。

彼の座る玉座の前には、これまでに彼を蔑《さげ》すんできた者たちの首が、哀《あわ》れな表情を浮かべたままの姿で並べられていた。

それが無限の地平まで続いていた。

その哀れな首こそが、彼の臣民だった。生きる人間は一人もいない。

アズモは今や、かつて誰もが到達しえなかった超王の座に上ったのだ。

歓喜《かんき》が彼を包んでいた。

レイリアは哀しみをその瞳《ひとみ》に湛《たた》えながら、走りよってくるアズモの心臓に素早い小剣の一撃を埋《う》めこんでいた。

「オレこそが、偉大なる……」

それが、アズモがこの世に残した最期の言葉となった。

「おまえの言うとおりよ、アズモ。わたしは魔女なのだから……」

レイリアは小剣を鞘に収めると、そっと動かぬ哀れな男に背を向けた。

その頬《ほお》には涙が伝っていた。

アズモの精霊語はエフリートに届《とど》いてはいたのだ。

〝呼びかけ〟の呪文《じゅもん》は異界にまで届こうというのだ。ましてやいかに距離《きょり》が離《はな》れていようと、同じ世界にいる以上まるで問題にはならなかった。

しかし、当のエフリートにとって、アズモの呼びかけに応じるべき理由がなかっただけだ。だから、彼の断末魔《だんまつま》の絶叫《ぜっきょう》を聞いても、わずらわしい者がいなくなったと思っただけだった。

彼は、今、追いつめられていた。

強い力を持った精霊使いにより、古い盟約が無効だとの宣告を受けているのである。

娘は彼が放ったあらゆる圧力をも受けとめて、脅《おび》えることなく、炎の精霊の王である彼に、新しい盟約を押しつけようとしているのだ。

不遜《ふそん》だった。

だからこそ、エフリートは反撃の機会をうかがっていたのである。長時間にわたって圧力を加えていれば精霊使いは疲労《ひろう》し、そして彼を束縛《そくばく》する強制力も弱まるだろう。彼はそれを期待した。

しかし、いかに時間が過ぎようとも、エルフ娘の強制力は弱まることがなかった。

召喚された風の王と共に、身動きひとつせず、彼の前に立ちはだかっている。

ジンも、彼にとってはいまいましい存在だった。

ジンを退けることは彼にもできない。他の上位精霊と争うことは双方《そうほう》の消滅《しょうめつ》という結果を招きかねない。地、水、火、風の四つの精霊の間に優劣《ゆうれつ》は存在しないからだ。

いや、それは違うかもしれない。

今、彼をこの物質界に止めているのは、はるかな昔に交わされた盟約の力だけである。一方のジンは新たな精霊使いの力を得ている。

その存在力、およびこの物質界に与える影響力でははるかに彼を凌駕《りょうが》しているだろう。

もし、今、ジンと戦えば、消滅するのは彼だけかもしれない。風に裂《さ》かれ自らの存在力を失えば、否応《いやおう》なしに自分の世界へ送還《そうかん》されることになる。

悪くすれば、自らの世界でふたたび実体化することすらできないかもしれない。

「古き盟約は終わったのだ、炎の王よ。新しき盟約が交わされ、そして我らはそれに従えばよい」

エフリートの心を見透《みす》かしたように、ジンが呼びかけてきた。

ディードリットのほうは硬直《こうちょく》したように全神経を集中させて、低い精霊語の詠唱《えいしょう》を続けていた。エフリートはその言葉が自らを確実に追いつめていることを認めないわけにはいかなかった。

「承知」

　エフリートはついに自らの敗北を認めた。

「新しき盟約の言葉を述べよ。その盟約に従おう」

「自らの世界に戻り、定められた秩序を守ること。それが新しい盟約よ。それとも、まだ破壊《はかい》を行なわねば満足できないの？」

　いくらかの軽蔑《けいべつ》と憎しみをこめて、ディードリットはエフリートに言った。

「満足などしない。自らの意志、自らの力を世界に具現化することこそ我ら精霊の喜び。さもなければ力の均衡《きんこう》は失われ、世界は滅《ほろ》び去るからな。四つの自然の精霊の不断の闘争《とうそう》と協調の中に世界は成り立つ。光と闇《やみ》の重なる時、すべてが混沌《こんとん》に溶《と》けさり、終末を迎《むか》える。精霊界の理も知らぬのか、精霊使い」

　エフリートはあざけるように答えた。

「古き盟約はこの地における我らの力を増大した。新しき盟約はそれを無効にする。抑制された水と大地の精霊を復活させるべき時がきたのだ。この地における正しき均衡に、すべてが自然に返るのみだ」

　ジンが尊大に宣言した。その姿が変貌《へんぼう》しはじめている。巨人の足元がしだいに揺《ゆ》らぎはじめ、つむじ風を起こし、砂を巻きあげている。

「それは我ら精霊の考えるべきことではないわ」笑うようなエフリートの声。彼の身体を走る炎が、赤から一瞬《いっしゅん》黄色く変じていた。「まあよい、風の王よ。おまえの言うとおり、すべてを自然に帰そう。破壊は我が望み。しかし、我らが司るものは、それだけではないのだからな」

二つの上位精霊の会合は終わった。

ディードリットは全身の力をぬいて、緊張《きんちょう》から我が身を解きはなった。この場で眠りこんでしまいたいような疲労感が彼女を襲《おそ》っていた。

彼女の、そしてカシューやパーン、それにナルディアらの目の前で、ジンは小さな竜巻《たつまき》となって空に上がり、一方、炎の魔神は溶けるように形を失っていった。

それはゆっくりとした変異であった。

「終わったな。何もかもが……」

形を失っていくエフリートを見ながら、ナルディアは小さくつぶやいた。

彼らのまわりに投降した炎の民たちを引き連れたフレイムの兵たちが、いつの間にか集まってきていた。

炎の民の目からは涙《なみだ》が、そしてフレイムの兵士の顔には戦に勝った喜びが溢《あふ》れている。

「カシュー王万歳！」誰《だれ》かの声を合図に喚声《かんせい》が巻きおこった。

それはしだいに大きくなり、彼の名を連呼する合唱となった。

カシューはしばらくその喚声を受けとめていたが、彼の注意は別のところに向いていた。

炎の魔神がいかなる変貌を遂《と》げようとしているのか、気になっていたのである。それに神《しん》妙《みょう》すぎるナルディアの様子も気になっていた。

「おおっ、守護神が溶けていくぞ」

炎の巨人は、その自らの発する炎の中に完全に沈《しず》みこんでいた。そして、わずかな間に完全に形を失い、ただの炎の塊《かたまり》と化していた。

ナルディアは新月刀を鞘《さや》に収めると、肩《かた》を落として自分の顔を見つめている炎の民に呼びかけた。

「みんなよく戦ってくれた。しかし、力およばず、戦には敗れた。無念ではあるが、この上は敗軍の者らしい振るまいをしてほしい。カシュー王は我ら部族をフレイムの国民として招いてくれることを約束しておられる。もちろん、今までと同じ暮《くら》しにはならないだろう。それでも、もはや水の心配はしなくてすむ。争いにより、妻や子を哀《かな》しませることもない。皆は平和の中で暮してほしい。過去の遺恨《いこん》を忘れてな」

「族長の言うとおりであることをわたしは、フレイム国王の名において確約しよう。もとは風の部族も炎の部族も同じ砂漠の民だ。遠い過去の遺恨により、両者は争うことになったというが、その遺恨こそ、古代王国の貴族たちの陰謀《いんぼう》だったということを、わたしは皆に告げよう。これが真実だったのだ。

我々は、二つの部族は、それぞれの守護神の力を借りて共に古代王国の支配と戦った。しかし、今や我々には戦うべき敵はいない。いるのは、かつては仲間であり、そしてこれから仲間となるべき二つの部族の民だけである。皆の者、盟約者の伝説を思い出せ。

二つの守護神は、皆が見たとおり、盟約から解放され去っていった。そして、この地に失われていた二つの力、大地と水の精霊が蘇《よみがえ》るのだ。二つが解放され、そして二つが蘇る。この砂漠は肥沃《ひよく》な土地になっていくのだ。もはや、我々は飲み水の心配などしなくてよい。そして食料の心配も。もちろん、それは今すぐにではない。それには時間が必要だろう。そして、我々自身の努力も必要なのだ。畑を作り、井戸を掘《ほ》る。そのために、炎の民の者も力を貸してほしい。長年の呪《のろ》わしい遺恨が誤りだと分かった以上、両者の協力を妨《さまた》げるものは何もないはずだ」

おりしも、あれほど晴天だった空に雲が差しはじめていた。

「これは雨雲ですね。もうすぐ雨になるでしょう」スレインが広がりつつある雲を見ながら、つぶやいた。

ちょうどそのとき、レイリアが戻ってきて、スレインに向かってそっとうなずいた。

「終わりましたか……」スレインは穏《おだ》やかに答えて、それ以上何も言う必要がない旨《むね》をそっと伝えた。

穏やかな雰囲気《ふんいき》がパーンたちのあいだに漂《ただよ》いはじめていた。

その中でカシュー王の言葉はなおも続いていた。

「我ら風の守護神は、その役目を終わり、つむじ風となって去っていった。そして炎の王も今こそ攻撃者《こうげきしゃ》たるその役目を解かれ、自らの世界に帰っていこうとしている。

しかし、ふたたび我らに大事があれば、かならずや現われ導いてくださるだろう。そのためには、二つの部族は手を取りあわねばならない。さもなくば、二つの守護神は互いに争う定めを負うだろう。今日の哀しい戦いのようにな」

カシューは、今や完全に炎の塊《かたまり》となったエフリートを指差した。

ナルディアは馬から降り、そっとカシューのそばに寄った。そして、両膝《りょうひざ》をついて座ると、カシューの前に自らの刀を鞘に入れたまま差しだし、砂に額《ひたい》をつけるように深く頭を下げる。それは砂漠の民の忠誠を誓《ちか》う儀式《ぎしき》だった。カシューも下馬すると、彼女の刀をひざまずいて一旦《いったん》取り上げてから、それをそのまま彼女に返した。

儀式が終わったのだ。

「族長、立っていただきたい。二つの部族にとって一番の良策は、両者が血のつながりで結ばれることだとは思いませんかな」カシューはナルディアだけに聞こえるようにそっと話しかけた。

カシューの思いもかけぬ言葉に、ナルディアは目をしばたたかせていた。

そして、ずいぶんと時間がたってから彼女は寂《さび》しげに笑い、やはりカシューにだけ聞こえるような声で、そっとささやいていた。

「わたしにこれ以上の生き恥《はじ》をさらせと……。二つの部族の争いは、あなたには理解できないほど、その根は深い。わたしたちの結婚をこころよく思わない者はたくさんいるはずです。特

に風の部族の娘たちにとってはね。それに、勝者と敗者の区別ははっきりとしておいたほうが、後々の支配は楽になるでしょう。結婚は両者が平等であってこそ初めて祝福されるものだということを、あなたは忘れている……」

「オレはそのぐらいの試練は乗りこえてみせる。二つの部族の未来を考え、ぜひあなたにも協力願いたい」

「それまでです、傭兵王」ナルディアはカシューの言葉を制した。「あなたの考えはよく分かった……。できれば、違う立場で会いたかったもの。そうすれば、わたしは勇敢《ゆうかん》な王に焦《こ》がれる一人の娘でいられたでしょうに——」

ナルディアは刀を腰に戻し、そしてもう一度カシューに頭を下げてから、立ちあがって後ずさった。

「せっかくの申し出なれど、我が身はすでに守護神に捧《ささ》げるとの誓《ちか》いを立てております。その誓い破らば、これから守護神は我らを守ってはくれないでしょう」ナルディアは微笑《ほほえ》むようにカシューに言った。そして、今度は自分の部族の民を振りかえって、声を大きくし、言葉を続けた。

「わたしはこれから守護神のみもとにいき、死んでいった仲間の魂《たましい》の安らぎと、これから先の炎の民、いやフレイム王国に加護を与えていただくようお願いしようと思う。これはわたしの意志である。皆は生きよ、そして妻や子を安心させてやってほしい。これがわたしの族長としての最後の命令だ。かならず、守ってくれ」

ナルディアの表情があまりに穏《おだ》やかであったために、彼女が何を意図してその言葉を言ったものか、理解することは誰にもできなかった。

だから、彼女が次の瞬間《しゅんかん》に砂を蹴《け》り、炎の塊《かたまり》と化していたエフリートに向かって、その身を投げだしたのを、誰も——カシューでさえ——止めることはできなかった。

「族長〜！」

「ナルディア様ー！」悲鳴があちらこちらで起こる。

悲鳴をあげたのは、炎の部族の者だけではなかった。風の民の男も、また傭兵たちも、その行為に衝撃《しょうげき》を受けていた。

「哀れな……」カシューはうめいた。

しかし、王として彼女の気持ちは分かるように思った。彼女の心は生き続けるには高潔《こうけつ》すぎたのだ。彼女はまさしく、神のみもとにいるほうがふさわしい人物かもしれない。

ディードリットは目を背《そむ》けて、パーンにしがみついていた。そのパーンは呻《うめ》き声をあげながら、ナルディアが炎の中でくずおれていくのをじっと見守った。

レイリアはマーファの名前を唱《とな》えて、不幸な女性の魂に安らぎがもたらされることを祈《いの》った。

ナルディアは炎に包まれながら、一言も苦痛の声を上げなかった。

白い煙が立ちのぼり、ひときわ炎が大きくなる。

しかし、それも一時のこと、その炎はふたたび小さくなっていった。

カシューは全軍に引き上げの命令を出す。生き残りの炎の部族の兵士にも、ブレードまでついてくるように申しでる。ナルディアが死に、新しい代表者となった男は、カシューに協力を約束した。

族長の意志を無駄《むだ》にはできないから、とその新しい族長は涙まじりに、傭兵王たちに誓ったものだ。

フレイムの軍勢も、戦に勝った喜びなどどこかに吹きとんでしまっていた。

重い行軍となった。

ナルディアを飲みこんだ炎はもはや消えようとしている。

砂漠の戦士たちは、言葉もなくブレードの街《まち》を目指して馬を進めていった。炎の部族の兵もフレイムの兵も、皆、何度も振りかえり、その炎が消えていくのを見つめるのだった。両者の立場、思いは違う。しかし、両軍の兵士ともに、その炎を完全に忘れることができないのだ。おそらく、一生忘れることはできないだろう。炎を見るたびに、勇敢《ゆうかん》な、そして不幸な一人の女性の姿を思いだすに違いない。

パーンは最後までその場に残り、残り火を見つめていた。フォースは彼に声をかけようとしたが、それをマーシュが制した。フォースは納得《なっとく》して、巨漢《きょかん》の戦士と並んで引き上げようとしている軍勢のいちばん後ろにつけた。

スレインとレイリアの二人は、彼らのすぐ前で、やはりパーンたちの方を気づかいながら、一緒《いっしょ》の馬に跨《また》がっている。

パーンは凍《こお》りついたように炎の前から動くことができなかった。

それを気遣《きづか》って、ディードリットが無言のままパーンのそばにやってくる。

それに気づいたパーンは、

「……帰ろう」とディードリットに優しく声をかけた。

二人は馬に跨がり、仲間を追いかけようとした。見れば視界に小さく、こちらを振り返っているスレインたちの姿がうかがえた。彼らはパーンたちがやってくるのを、待ってくれているのだ。

もちろん、フォースにマーシュの姿もある。スレインの前で馬のたづなを握《にぎ》っているのは、レイリアだった。

パーンはディードリットに合図を送って、馬を走らせようとした。

その時だった。

パーンたちの背後で赤い光の輝《かがや》きが起こった。

パーンたちは驚《おどろ》いて、たづなを引き、後ろを振り返った。

消えかかっていたはずの炎が、ふたたび大きく燃えあがっている。

それはエフリートが放っていた炎の色よりも濃い、真紅《しんく》の炎だった。球形に膨《ふく》れあがりながら、その真紅の炎は、ゆっくりと輝きを増していった。

そして、二人の目の前で炎は形を変え、新しい姿を得ようとしていた。

何かが生まれようとしているのだ。

それが何か、ディードリットにはすぐに分かった。

「あれは……不死鳥《フェニックス》！」

「フェニックス？」パーンがディードリットに尋ねる。

二人が息をひそめて見守る中で、炎の翼《つばさ》を持ち全身を青白く燃えあがらせている炎の鳥が、おごそかに生まれようとしている。

ディードリットは幼いころ長老が語ってくれた炎の精霊に関する言い伝えを、完全に思いだしていた。

フェニックスは五百年に一度現われると伝えられる伝説の炎の鳥だった。

そして、このフェニックスもまた、エフリートと同様に炎の上位精霊であるとの言い伝えがあることを、ディードリットは、昔、長老たちから教えられていた。フェニックスが司るものは、再生――。

炎を嫌悪《けんお》するエルフの一族にとっては、それは信じられない、いや信じたくはない言い伝えだった。だから、ディードリットもこうしてフェニックスの姿を目の前にするまで、その言い伝えを完全に忘れていたのだ。

言い伝えは、確か次の言葉で締《し》めくくられていたはずだ。

エフリートが誤った力を浄化《じょうか》し、そしてフェニックスが正しい力を再生させる――

「……破壊の中からの再生」ディードリットはその言葉をかみしめるように繰《く》り返した。

すでに、フェニックスは完全な姿を現わしていた。まばゆく光る全身、羽毛がわりに炎で包まれた身体。そして、慈愛を浮かべた青い瞳《ひとみ》。

パーンはその瞳がナルディアの瞳に似ていると思わずにはいられなかった。

やがて不死鳥はその炎の翼をはばたかせ、厚い雲が覆《おお》っている砂漠の空に向かってゆっくりと舞いあがった。

そのとき、ポツリと雨の最初のひとしずくがパーンの顔に落ちてきた。

大空に舞いあがりながら、不死鳥は一度だけ甲高く鳴いた。それは長く余韻《よいん》を残すような鳴き声だった。

その声は、風と炎の砂漠のすみずみに広がっていった。そして、そこに存在するすべてのものが聞いた。

もちろん、その声は解放の時が到来したことを告げているのだった。

古き盟約といまわしい過去からの解放の時を。

あとがき

お待たせいたしました。ロードス島戦記の第二巻をお届けします。

僕《ぼく》が最初にこのロードス島のストーリーを思いついたときは、まさかそれが他人の目に触れるとは思っていませんでした。ところが、安田均氏やグループSNEの仲間の協力を得て、月刊コンプティーク（角川書店刊）誌上でロールプレイング・ゲームのリプレイ形式として連載されると、みなさんのあたたかい御支持、御声援をうけて（まるで政治家みたいなセリフですが）、リプレイのほうは第Ⅲ部まで続き、また小説やコンピュータ・ゲームも発売されるわで、本当にファンのみなさまには感謝の言葉もありません。

さて、本書はもうお読みいただいたはずですから——まだの人はお分かりですね。プロローグから読みはじめて下さい。あとでまたお会いしましょう——もうお分かりだと思いますが、コンプティークで連載のリプレイ版の「ロードス島戦記Ⅱ」とは、ストーリーも登場人物もまったく違います。本書は、僕が昔からあたためていたロードス島のストーリー・ラインからいくと二番目のエピソードということになり、リプレイ版の第Ⅱ部のほうは、じつは三番目のエピソードになるのです。

それは小説とRPGとの違いのためです。僕はロードス島のストーリーをベースにして、いろいろなRPGのシナリオにこれを使っています。が、本書で取り上げた部分は、最初から大規模な戦争の連続なので、RPGのシナリオにはなりにくいと思い、シナリオにはしなかったのです。もともと、ロードス島のシリーズの基本的なアイデアは、すべて小説という形でまとめてありますから、その中からRPGのシナリオになりそうなエピソードをリプレイという形で紹介しているわけです。ようするに、小説の第一巻「灰色の魔女」も本巻の「炎の魔神」も元になる小説はずいぶん前に完成していたのです。しかし、ま、これらは他人に読まれようなんて考えてもいなかったので、角川文庫から出版のおりには、毎回全面的に改稿《かいこう》しているわけです。ところが、今回はその作業が思った以上に大変で、結局完成までにはかなりの時間がたってしまいました（ほぼ一年ぶりですね）。

本巻は、前述のとおりリプレイ版のⅠとⅡのあいだのエピソードですから、パーンとディードリットが話の中心になっています。二人とも第一巻に比べるとずいぶん〝成長《レベル・アップ》〟していますが、これは第一巻の冒険で〝経験点〟を得たと解釈してください。

他にもスレインやレイリアという第一巻に登場のキャラクターに加えて、セシルやフォースというリプレイ版の第Ⅱ部で登場したキャラの名前も見かけられますが、この二人にオルソン、シーリスらを加えたエピソードが次巻以降に展開される予定です。もちろん、熱血漢のパーンがじっとしているわけがありませんから、彼の活躍もお伝えできることでしょう。
みなさんの御声援に応《こた》えられるよう、第三巻は、これからすぐに気合いを入れて書きはじめます。

水野 良

あとがきの内容は本書初版刊行時のものです。

解説

賀《が》東《とう》招《しょう》二《じ》

（※あえて当時のことを調べず、記憶《きおく》を頼《たよ》りに書いてます。ご了承《りょうしょう》ください）

いやはや、なんとも。

一九八〇年代末期、TRPG（という呼び方も当時は無かったが）好きの高校生だった自分に、「おまえ将来、『ロードス島戦記』の解説文書くことになるよ」と言ったら、決して信じなかったことだろう。いってみれば夢みたいな話で、「自分の小説がアニメ化するよ」という話の方がまだ信憑性《しんぴょうせい》があったくらいだ。

それくらい、当時からロードスはファンタジー好きの若者にとってとんでもないビッグタイトルで、ただの「作品」というよりはほとんど「事件」とか「現象」みたいなものだった。

いまでこそいわゆる「和製ファンタジー」にはお約束の数々——四～六人のパーティ、様々なビジュアルイメージ、法と混沌《こんとん》の天秤《てんびん》的な世界観など、すべてを備えた最初の作品が『ロードス島戦記』だった（……と記憶している）。もちろんそれらの要素を持った先行のファンタジー小説はあったし、ドラクエもあった。D&Dなどの海外RPGもあったし、その数年前には海外のゲームブックが大流行していた。

アラサー世代以下の人だと、あまりピンと来ないかもしれない。いまで言ったら『FF』や『テイルズ』みたいな和製RPGがほとんど無くて、『スカイリム』みたいな洋モノのゲームだけがリリースされているような状況《じょうきょう》だろうか？　まだ日本のアニメ・マンガ文化と、ファンタジー作品とが融合《ゆうごう》できていなかった時代なのである。

高校生だった自分はあの当時のムードをおぼえている。それはつまり、「洋モノのヒロイックファンタジーはゴツすぎて、ビジュアルも好みじゃない。話もなんか殺伐《さつばつ》としてるし主人公はオッサンばかり。さりとてドラクエは子供向けっぽくてクールじゃない。もっとこう、いまの俺たち向けに日本人が書いたような作品はないのか？」という待望だった。そろそろそういう作品が出てきてもいいのに！　……と思っていたところに、ピタッとはまるように登場してきたのが『ロードス島戦記』だった。

前からファンタジーRPGを楽しんでいた層からは「そうそう、こういうのが読みたかったんだよ！」と歓迎《かんげい》され、そうしたゲームや小説を知らなかった若年層は「呪《のろ》われた島」で繰《く》り広《ひろ》げられる冒険譚《ぼうけんたん》がただただ新鮮《しんせん》で夢中になった。爆発《ばくはつ》的な大ヒットになったのも無理からぬことなのである。

……と、書いていたら、だんだん思い出してきた。

いや、実はそう単純な話でもなかったか？

洋モノのファンタジー小説やゲームにどっぷり漬《つ》かっていたマニア層は、当初、ロードスをあまり歓迎していなかったような気がする。

いまも昔も、どんな畑にもいる「硬派《こうは》なものが好きな俺様カッコイイ」な方々である。かく言う自分もその一人で（なにしろ高校生だったのだ。すみません）、「コンプティーク」なんてあざとい袋《ふくろ》とじ企画《きかく》のある雑誌で（失礼）、どっかのおちゃらけた連中（さらに失礼！）がやったリプレイ企画を元にした小説なんて、俺は断じて認めない、認めねえぞ！　……という、浅はかな反発心を感じていた。

当時の自分に言ってやりたいのは、「だったらお前、マーガレット・ワイスが書いてラリー・エルモアの絵が付いてる『ロードス島戦記』なら満足なのか？」という一言なのだが、たぶん当時の自分はすこしうろたえながら、「そ、その通りだ！」と無理して答えるのだろう。だがさらに「ディードリットがゴツくなるぞ。頬《ほお》がこけるぞ」と言ってやったら、「さ、さすがにそれは……」と苦悩《くのう》することだろう。困ったもんだ（いや、エルモアのイラスト、いまでも大好きですけどね？）。

少年・賀東招二がロードスを素直《すなお》に楽しめるようになったのはもうちょっと後のことである。八〇年代末に登場し、当初はライト層もがっちり囲い込んでヒットしたロードスだが、九〇年代に入って後発のライトファンタジー作品が次々に出てくると、次第《しだい》に「和製ヒロイック・ファンタジーの原点」というポジションに移行していったような気がする。よりライトな、はっちゃけたファンタジー作品がどんどん出てきてゲンナリした気分になっていた自分にとっては、ロードスを読むと実家に帰ってきたような安堵《あんど》を覚えるようになってきた。

ああ、いいなあ、ロードス。よくよく読み返してみたら、ぜんぜん軽くないじゃん。むしろ重厚《じゅうこう》なところはきっちり重厚だよ。いいよ、すごくいい……という感じである。

マンガ・ゲーム的なファンタジーと、古くからのファンタジー小説の中間の、ちょうどいい塩梅《あんばい》のあたりにロードスがいる。こういう良さを味わえる贅沢《ぜいたく》な世代に生まれて、本当によかった。

新装版《しんそうばん》 ロードス島戦記《とうせんき》２
炎《ほのお》の魔神《まじん》

著　水野《みずの》 良《りょう》

角川スニーカー文庫　18275

2013年12月１日　初版発行
2025年９月５日　８版発行

発行者　山下直久

発　行　株式会社KADOKAWA
〒102-8177 東京都千代田区富士見2-13-3
電話　0570-002-301（ナビダイヤル）

印刷所　株式会社KADOKAWA
製本所　株式会社KADOKAWA

◆◇◇

Printed in Japan　ISBN 978-4-04-101114-0　C0193

★ご意見、ご感想をお送りください★
〒102-8177 東京都千代田区富士見 2-13-3
株式会社KADOKAWA　角川スニーカー文庫編集部気付
「水野 良」先生
「出渕 裕」先生

角川文庫発刊に際して

角川源義

第二次世界大戦の敗北は、軍事力の敗北であった以上に、私たちの若い文化力の敗退であった。私たちの文化が戦争に対して如何に無力であり、単なるあだ花に過ぎなかったかを、私たちは身を以て体験し痛感した。西洋近代文化の摂取にとって、明治以後八十年の歳月は決して短かすぎたとは言えない。にもかかわらず、近代文化の伝統を確立し、自由な批判と柔軟な良識に富む文化層として自らを形成することに私たちは失敗して来た。そしてこれは、各層への文化の普及滲透を任務とする出版人の責任でもあった。

一九四五年以来、私たちは再び振出しに戻り、第一歩から踏み出すことを余儀なくされた。これは大きな不幸ではあるが、反面、これまでの混沌・未熟・歪曲の中にあった我が国の文化に秩序と確たる基礎を齎らすためには絶好の機会でもある。角川書店は、このような祖国の文化的危機にあたり、微力をも顧みず再建の礎石たるべき抱負と決意とをもって出発したが、ここに創立以来の念願を果すべく角川文庫を発刊する。これまで刊行されたあらゆる全集叢書文庫類の長所と短所とを検討し、古今東西の不朽の典籍を、良心的編集のもとに、廉価に、そして書架にふさわしい美本として、多くのひとびとに提供しようとする。しかし私たちは徒らに百科全書的な知識のジレッタントを作ることを目的とせず、あくまで祖国の文化に秩序と再建への道を示し、この文庫を角川書店の栄ある事業として、今後永久に継続発展せしめ、学芸と教養との殿堂として大成せんことを期したい。多くの読書子の愛情ある忠言と支持とによって、この希望と抱負とを完遂せしめられんことを願う。

一九四九年五月三日

電子版
大好評
配信中!!!
水野良
イラスト／津雪
ブレイドライン
アーシア剣聖記
『ロードス島戦記』『グランクレスト戦記』の
水野良が放つ
刀剣オペラ!!
唸る剣風、轟く剣戟!　剣士ヒエンと、お供の美少女セラとスズリ。戦乱の嵐吹き荒れる世界を駆け抜ける少年少女たちの行く手には何が待ち受ける!?
スニーカー文庫

紡ぐ最高の戦記!
孤高の天才魔法師シルーカ、
孤独な戦いに身を投じる騎士テオ。
ふたりが交わした主従の誓いは、
戦乱の大陸に変革の風をもたらす!
秩序の象徴“皇帝聖印”を求め繰り広げられる
一大戦記ファンタジーが始動する!
グランクレスト戦記
1 虹の魔女シルーカ
2 常闇の城主、人狼の女王
3 白亜の公子
4 漆黒の公女
5 システィナの解放者(上)
6 システィナの解放者(下)
7 ふたつの道
8 決意の戦場
9 決戦の刻
(以下続刊)
著:水野良 イラスト:深遊
イラスト/深遊
ファンタジア文庫

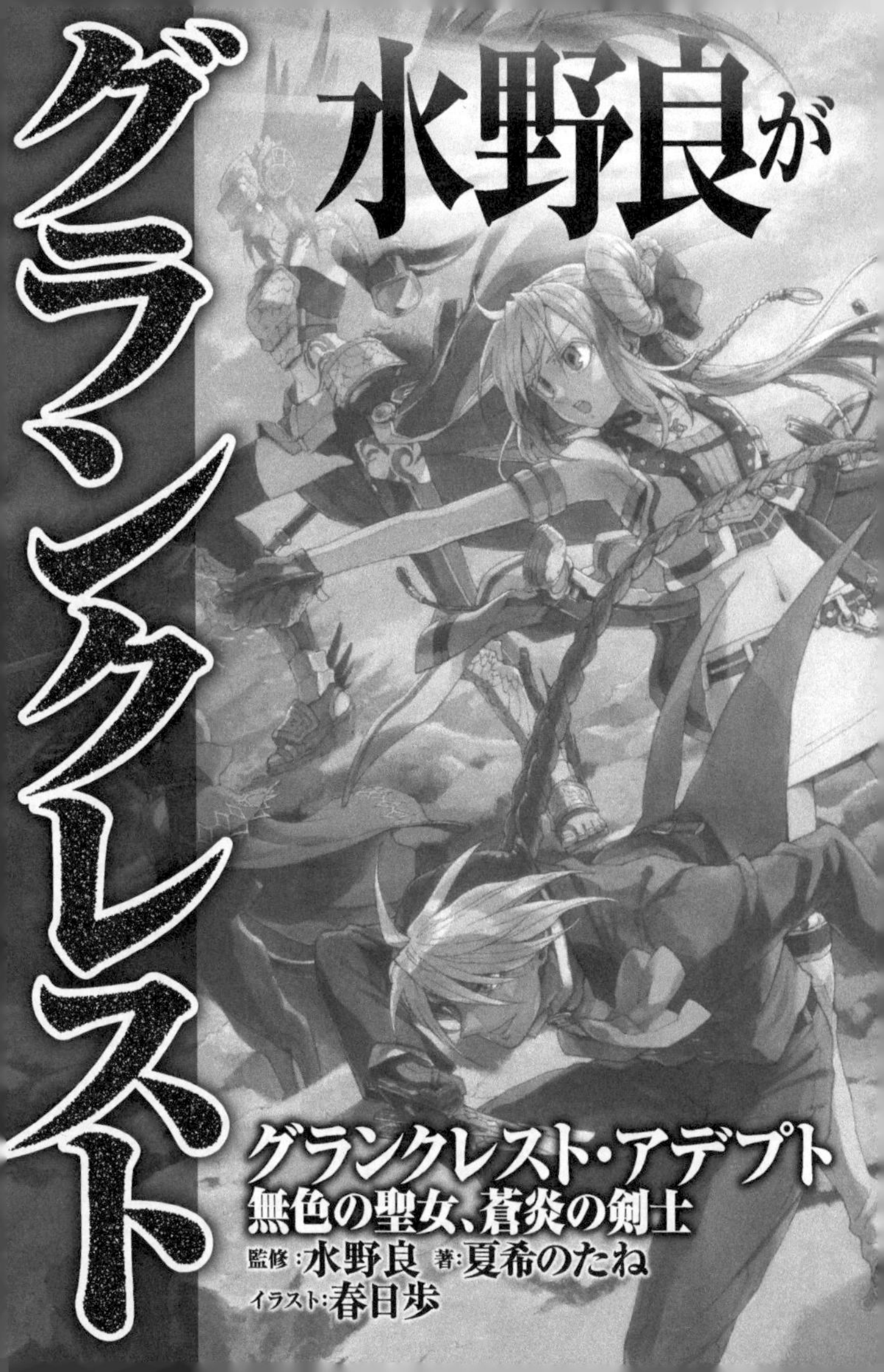

水野良が
グランクレスト
グランクレスト・アデプト
無色の聖女、蒼炎の剣士
監修：水野良　著：夏希のたね
イラスト：春日歩

戦闘員、派遣します！
戦闘員、派遣します！
暁なつめ
NATSUME AKATSUKI
ILLUSTRATION
カカオ・ランタン
KAKAO LANTHANUM
好評発売中！
「このすば」暁なつめが贈る、変態ヒロインとクズ戦闘員の世界侵略コメディ！
世界征服を目前にし、更なる侵略地への先兵として派遣された戦闘員六号の行動に『秘密結社キサラギ』の幹部達は頭を悩ませていた。侵略先の神事の言葉を『おちんち○祭』と変更するなど、数々のクズ発言。さらには自らの評価が低いと主張、賃上げを要求する始末。しかし、人類と思しき種族が今まさに魔王軍を名乗る同業者に滅ぼされると伝えられ——。「世界に悪の組織は2つもいらねぇんだよ！」現代兵器を駆使し、新世界進撃がはじまる!!
スニーカー文庫

この素晴らしい世界に祝福を！
「小説家になろう」で話題沸騰の
異世界コメディがついに書籍化！
暁 なつめ
illustration 三嶋くろね
シリーズ絶賛発売中！
ゲームを愛する引き篭もり少年・佐藤和真は女神を道連れに異世界転生。ここからカズマの異世界大冒険が始まる……と思いきや、衣食住を得るための労働が始まる。平穏に暮らしたいカズマだが、女神が次々に問題を起こし、ついには魔王軍に目をつけられ!?
スニーカー文庫

竜ノ湖太郎

illustration
焦茶

人類再演の物語
此処に開幕。

「問題児シリーズ」の竜ノ湖太郎、
渾身のバトルアクション！

世は人類退廃の時代。東京開拓部隊に所属する茅原那姫は、世界を支配する環境制御塔で発見された青年・東雲一真と出会う。やがて一真の秘密が明かされる時、世界の命運をかけた人類最強戦力の闘いが幕開ける！

スニーカー文庫